UNE SI PETITE VICTIME

Un terrible secret, 2023.
Alex, 7 ans, L'enfant de personne, 2021.
Où es-tu maman?, 2021.
Une enfance brisée, 2019.
L'Enfant de l'enfer, 2018.
La Petite Princesse de Papa, 2017.
Maman dit que c'est ma faute, 2015.
Ne dis rien, 2014.
Violentée, 2013.

CATHY GLASS

UNE SI PETITE VICTIME

traduit de l'anglais
par Penny Lewis

ARCHIPOCHE

Ce livre a été publié sous le titre
An Innocent Baby
par HarperElement, Londres, en 2021.

Contact : serviceclients@lisez.com

Notre catalogue est consultable à l'adresse suivante :
www.archipoche.com

Éditions Archipoche
92, avenue de France
75013 Paris

ISBN 979-10-392-0344-9

En mémoire de ma chère maman,
à jamais dans nos cœurs

1

Le vœu d'Adrian est exaucé

Après la mort de ma mère, je suspendis mon activité d'assistante familiale pendant trois mois. En plus du choc à absorber, je me retrouvai rapidement débordée : il fallut prévenir la famille élargie et ses amis, organiser les obsèques, vider et vendre sa maison. La dernière fois que j'y entrai, ce fut un déchirement. C'était dans cette maison que j'avais grandi, que ma mère avait vécu la plus grande partie de sa vie depuis son mariage. Elle abritait tant de souvenirs… Et au moment de refermer la porte une dernière fois, je pris conscience de la dimension irrévocable de la chose, pour moi et pour mes enfants. C'était une page de nos vies qui se tournait à tout jamais, c'en était terminé des visites à celle que nous appelions «mamie» et tout ce qui allait avec, ses embrassades à notre arrivée, ses sourires. Sa patience sans limites, sa bienveillance, son amour et sa gentillesse. Ses tasses de thé et ses pâtisseries maison, sa façon d'agiter la main sur le pas de la porte au moment de notre départ.

Maman avait toujours traité les enfants que j'accueillais comme des membres à part entière de la famille, et elle en avait vu passer en vingt-cinq ans! Ils étaient nombreux à garder contact avec moi après leur départ, et lorsque je leur annonçai la nouvelle, ils furent à la fois très peinés et heureux de se remémorer les bons moments vécus en sa compagnie, que ce soit chez elle ou chez moi. Je passai des heures au téléphone à écouter et à partager leurs souvenirs, et leurs paroles me furent d'un grand réconfort. Maman comptait énormément pour eux, pour ma famille et pour bon nombre de mes lecteurs. Merci à vous pour vos gentils messages. Beaucoup d'enfants que j'avais accueillis assistèrent aux obsèques, si bien que l'église était bondée.

Le buffet que j'organisai après la cérémonie fut l'occasion de nous raconter nos vies et de nous réunir dans la joie d'avoir côtoyé maman. Un certain nombre de mes anciens protégés avaient également connu mon père, et c'était merveilleux de constater que le souvenir de mes parents perdurait chez autant de personnes. Ma famille et moi trouvâmes du réconfort dans l'idée qu'après une vie longue et heureuse, maman reposait auprès de mon père.

Vers la fin mars, j'annonçai à Joy, ma référente, que je me sentais prête à reprendre du service. Tous les parents d'accueil du Royaume-Uni ont une référente dont le rôle est de les superviser et de les guider, et c'est souvent elle qui assure le lien entre les services sociaux et l'assistante familiale. J'avais déjà évoqué avec Joy l'éventualité d'accueillir un bébé ou un enfant en bas âge. En effet, Adrian, mon fils désormais adulte, devait quitter la maison en juin pour épouser Kirsty, sa petite amie de longue date et désormais fiancée, et il craignait que, sans lui, je me retrouve démunie face à un adolescent en crise. Lorsqu'il me confia ses inquiétudes, je répondis qu'elles me semblaient infondées et que tout enfant, même un adolescent en proie à des troubles de comportement, avait droit à un foyer aimant. Il le savait bien, et de toute façon, je n'exerçais pas mon métier à la carte. Toutefois, pour le rassurer, je promis d'en toucher un mot à Joy.

Justement, le lendemain de notre conversation, elle me rappela pour évoquer un nouveau dossier.

— Le vœu d'Adrian a été exaucé, dit-elle d'un ton enjoué. J'ai reçu une demande pour une petite fille qui est née il y a deux jours à l'hôpital de la ville.

À ces mots, je sentis les larmes me monter aux yeux.

— Pour l'instant, ce sont les soignants qui s'occupent d'elle, poursuivit Joy. Maintenant qu'elle se nourrit bien, l'équipe estime qu'elle peut sortir, et elle sera directement prise en charge par nos services. Seriez-vous disponible pour l'accueillir?

— Oui, répondis-je.

Mon cœur se serra. Un nouveau-né séparé de sa mère à la naissance… Pour quelle raison? Mère et fille se reverraient-elles un jour?

— Elle pèse 2,7 kilos, précisa Joy, et ne présente pas de symptômes de manque.

— Bonne nouvelle.

En effet, une mère toxicomane aurait donné naissance à un enfant lui-même dépendant. Il devait alors suivre un programme de sevrage qui tournait parfois au chemin de croix.

— La mère a choisi un prénom, Darcy-May, pour son bébé, mais ça s'arrête là. Elle ne prévoit pas de maintenir le lien avec sa fille.

— Pas du tout? demandai-je, consternée.

— Non, la petite sera adoptée. Leur assistante sociale vous donnera davantage de détails lors de son appel. Le bébé devait quitter l'hôpital aujourd'hui mais j'ai dit que vous aviez besoin d'un peu de temps pour vous préparer. Ça fait quelques années que vous n'avez pas accueilli de nourrisson, il me semble.

— En effet.

— Donc est-ce que je peux informer l'assistante sociale que vous prendrez Darcy-May en charge à partir de demain?

— Oui. J'imagine que je vais devoir aller la chercher... Je crois que je m'étais déplacée à l'hôpital la dernière fois qu'on m'a confié un bébé. Il faut que je pense à descendre le siège auto du grenier, dis-je en réfléchissant tout haut.

— Pour demain, ce ne sera pas nécessaire, répondit Joy, quelqu'un se présentera directement chez vous avec Darcy-May. La famille étant défavorablement connue de la police, il vaut mieux s'assurer qu'on ne suivra pas l'enfant jusqu'à votre domicile. Personne ne doit savoir où se trouve la petite.

Par cette remarque, Joy me donna un premier indice à propos de l'histoire particulièrement douloureuse que je n'allais pas tarder à découvrir.

2

L'arrivée de Darcy-May

Maintenant que j'étais prévenue de l'arrivée de Darcy-May, je passai le reste de la journée à m'affairer en prévision. Dès que j'eus pris congé de Joy, je filai en ville acheter des biberons, des couches, du lait en poudre, des crèmes, des lingettes ainsi qu'un nouveau matelas, car j'avais jeté l'ancien après le départ du dernier bébé dont je m'étais occupée. Le berceau, le siège auto, le couffin et la poussette étaient rangés dans le grenier.

Lorsque Joy me téléphona au moment même où je chargeais tous ces achats dans ma voiture, je crus tout d'abord que c'était pour annuler, que Darcy-May ne viendrait finalement pas chez moi – dans mon métier, les changements de dernière minute ne sont pas rares. En fait, elle voulait me confirmer que Shari, l'assistante sociale qui s'occupait de Darcy-May et de sa mère, prénommée Haylea, viendrait chez moi le lendemain pour me confier le nouveau-né.

— Shari essaiera de vous contacter plus tard, ajouta Joy, mais elle est prise toute la journée au tribunal. Si elle n'a pas le temps de vous joindre, vous vous verrez de toute façon demain.

— D'accord. Savez-vous à quelle heure elle arrivera? demandai-je.

— Non, elle n'est pas encore sûre. Elle m'a seulement dit qu'elle passerait le plus tôt possible.

Je rentrai à la maison, rangeai mes emplettes et me préparai du mieux possible pour le lendemain. Adrian et Paula, mon fils et ma fille âgés respectivement de vingt-huit et vingt-quatre ans, n'étaient pas encore rentrés du travail, or je comptais sur eux pour m'aider à descendre les affaires du grenier. En les attendant, j'appelai Lucy, mon autre fille, âgée de vingt-six ans ; elle vivait désormais avec son compagnon, Darren, et leur bébé Emma, ma première petite-fille, qui allait sur ses huit mois. Lucy fut ravie d'apprendre que je m'apprêtais à accueillir un nourrisson, même si, comme moi, elle déplorait que mère et fille soient séparées.

— Ce sera l'occasion de nous promener au parc ensemble, maman. Et j'ai des vêtements taille naissance à te donner, si ça t'intéresse. Ils ont à peine servi. Mais pourquoi est-ce que la mère ne garde pas l'enfant? s'enquit Lucy.

— Je ne sais pas encore. L'assistante sociale me donnera plus de détails soit quand elle m'appellera, soit demain quand elle déposera la petite à la maison. Pour l'instant, on ne m'a pas dit grand-chose.

— C'est un peu étrange alors que le placement était prévu depuis la naissance, souligna Lucy.

— Oui.

Lucy connaissait bien le fonctionnement des services sociaux pour y avoir été confiée durant son enfance. Elle avait été placée chez moi et je l'avais adoptée. Je l'aimais et la chérissais au même titre que mes enfants biologiques. J'ai raconté son histoire dans un précédent livre.

— La petite fille s'appelle Darcy-May, ajoutai-je.

— C'est un joli prénom.

— Je trouve aussi.

Pour ne pas inquiéter Lucy inutilement, je m'abstins de mentionner que la famille de l'enfant était connue des services de police. Je me contentai de dire que les proches de Darcy-May n'auraient pas mon adresse, ce qui n'avait rien d'inhabituel. Quand un parent en difficulté prend l'initiative de s'adresser aux services sociaux, travaille avec eux et maintient le contact avec l'enfant placé en famille d'accueil jusqu'à ce qu'un retour à la maison soit possible, en général, il sait où il loge. Mais si la situation familiale expose l'enfant à un quelconque danger, cette information demeure confidentielle – il peut cependant arriver qu'elle fuite par accident.

Lorsque Adrian et Paula rentrèrent du travail, je leur donnai les mêmes informations qu'à Lucy. Si tous deux étaient contents qu'on me confie un nouveau-né, ils exprimèrent la même tristesse quant à l'impossibilité pour la mère de garder son enfant. Je ne pus leur en dire davantage car l'assistante sociale ne m'avait pas rappelée. J'ai en effet pour habitude de partager avec ma famille les informations que je juge utiles à propos de l'enfant qui va vivre sous notre toit.

Après dîner, ils m'aidèrent à descendre les affaires stockées au grenier, à fixer le couffin sur son support dans ma chambre puis à installer le berceau juste à côté. Les premières semaines, Darcy-May dormirait dans le couffin puis, conformément aux recommandations actuelles, dans un berceau mais toujours près de mon lit pendant six mois, voire plus en cas de problème de santé. Ensuite, elle aurait sa propre chambre.

Maintenant que j'étais plus ou moins prête à accueillir Darcy-May, je remerciai Adrian et Paula puis m'installai avec un mug de thé au salon où Pammy, notre chat, était roulé en boule sur son fauteuil habituel. Mes pensées se tournèrent vers la petite et sa mère dont je ne savais rien, excepté qu'elle s'appelait Haylea. Près de deux mille nouveau-nés sont placés tous les ans au Royaume-Uni, chacun avec son histoire douloureuse. Certains retrouvent leur mère par la suite, mais nombreux sont ceux à qui il faut trouver un nouveau foyer, soit auprès d'un membre de la famille proche qui saura l'élever, soit dans une famille d'adoption. Comme chez bon nombre de mes collègues, l'accueil d'un bébé suscite toujours en moi des sentiments ambivalents. Ces petits êtres sont sources de beaucoup de joie, cependant nous avons pleinement conscience qu'une mère se retrouve séparée de son enfant et qu'un jour, nous devons nous aussi lui dire adieu, ce qui est immanquablement un moment déchirant.

Avant, quand j'avais une baisse de moral, mon premier réflexe était de téléphoner à ma mère, car elle savait toujours trouver les mots pour me réconforter. Mais c'était du passé. Heureusement, l'apparition d'Adrian, tout sourire, tomba à pic pour me changer les idées.

— La mère de Kirsty voudrait que tu revérifies le plan de table pour le repas de mariage, annonça-t-il non sans réprimer un léger soupir. Elle t'en a envoyé une copie par e-mail. Je suis certain qu'il est parfait, mais tu peux lui confirmer ?

— Pas de problème, mon chéri. Je regarde tout de suite.

Le mariage avait lieu dans trois mois et Andrea, la mère de Kirsty, se démenait avec brio pour tout organiser.

— Merci, je serai soulagé quand ce sera terminé, dit Adrian.

— Ne t'inquiète pas, ça va bien se passer.

Après avoir consulté le plan de table sur ma tablette, j'envoyai un e-mail à la mère de Kirsty pour lui dire que je ne voyais rien à modifier. Puis je pris quelques notes pour un article que l'on m'avait demandé de rédiger : en effet, depuis que je raconte l'histoire des enfants placés chez moi, on me propose régulièrement de rédiger des articles sur l'éducation inspirés de mon expérience. Avant de monter me coucher, je m'assurai que tout ce qui servirait à nourrir Darcy-May était rangé dans la cuisine : biberons, stérilisateur, lait en poudre, etc. De mémoire, il est impossible de demander à un bébé affamé de patienter !

*

Depuis que j'ai des enfants, je suis une lève-tôt ; j'aime être douchée et habillée avant tout le monde pour ne pas me retrouver débordée dès le matin. Ce jour-là, il s'avéra que j'avais bien fait d'être sur le pied de guerre de bonne heure, car Adrian et

Paula venaient à peine de partir au travail que la sonnette retentit. Comme il était presque 8 h 30, je crus que l'on venait me remettre une lettre ou un colis contre signature. Mais en ouvrant la porte, j'eus la surprise de trouver sur le seuil un policier et une jeune femme qui tenait un bébé tout de blanc vêtu.

— Cathy Glass? demanda-t-elle.

— Oui. Bonjour, entrez, répondis-je, un peu prise de court.

— Je suis Shari.

Puis elle se tourna vers le policier et ajouta:

— Vous pouvez y aller, merci pour votre aide. J'appellerai un taxi pour le trajet retour.

Après m'avoir remis la mallette de Shari, l'agent redescendit l'allée jusqu'à la voiture de police stationnée à quelques mètres. Je refermai la porte d'entrée et contemplai le nouveau-né.

— Oh là là, ce qu'elle est mignonne…

Son petit visage aux yeux fermés était tout juste visible entre le bord de la couverture et l'ourlet de son bonnet blanc.

— Comme la plupart des nourrissons, elle a perdu un peu de poids depuis la naissance, indiqua Shari. Mais les infirmières ont dit qu'elle devrait bientôt se rattraper, vu son bon appétit. Les notes prises par le personnel de l'hôpital sont dans ma mallette. Où est-ce que je peux m'asseoir?

— Par ici.

Je précédai Shari dans le salon.

— Est-ce que vous voulez un café? lui proposai-je.

— Oui, merci. Avec du lait, sans sucre.

Je préparai le café de Shari et le posai sur la table basse du salon, à portée de main. Darcy-May était étendue sur le canapé, à côté d'elle.

— Je vais chercher le couffin pour que nous puissions l'y allonger, proposai-je.

Je montai dans ma chambre, redescendis le couffin et l'installai près du canapé. Shari coucha précautionneusement Darcy-May après avoir retiré la couverture dans laquelle elle était enveloppée. Comme j'avais déjà mis le drap-housse la veille, je n'eus plus qu'à la border. Darcy-May fronça le nez mais ne se réveilla pas.

— À quand remonte son dernier biberon ? demandai-je pendant que Shari se rasseyait.

— Elle a mangé juste avant notre départ de l'hôpital.

— Je préparerai des biberons de lait maternisé plus tard, dis-je en prenant place dans un fauteuil. Je pensais avoir le temps avant votre arrivée.

— J'en ai déjà un de prêt, c'est l'hôpital qui me l'a donné.

Shari le sortit de sa mallette et me remit également les formulaires de placement, que je lirais plus tard.

— Nous voulions faire sortir Darcy-May au plus vite avant que le père de Haylea n'apprenne sa prise en charge par les services sociaux, dit-elle après avoir bu une gorgée de café. Il se présentait régulièrement à l'hôpital pour invectiver et menacer le personnel. C'est quelqu'un de très grossier et agressif, et il ne veut pas que le bébé soit placé. Nous n'avons pas été suivies jusqu'ici, la police nous a bien aidées. J'ai donné vos coordonnées à l'hôpital et une sage-femme va vous contacter.

Sur ce, Shari reprit une gorgée de café.

— Où vit la famille? demandai-je.

Elle cita une ville voisine.

— S'il est peu probable que vous croisiez un membre de la famille dans votre quartier, je pense qu'il vaut mieux éviter d'aller faire vos courses là-bas. Quant à Haylea, elle vit dans un foyer pour adolescents. Elle ne veut pas rentrer à la maison.

— Je vois. Quel âge a-t-elle?

— Quatorze ans, presque quinze.

— Si jeune et déjà maman… Qu'en est-il du père du bébé?

— On ne connaît pas son identité. Haylea refuse de nous renseigner sur lui parce qu'elle sait qu'il aurait des ennuis.

En effet, l'âge de consentement est fixé à seize ans au Royaume-Uni.

— Haylea n'a pas été suivie pendant sa grossesse, enchaîna Shari. Elle s'est présentée à l'hôpital en se plaignant de crampes d'estomac. Apparemment, elle ne savait pas qu'elle était enceinte.

— La pauvre, comment est-ce possible?

— Ça reste à vérifier, je n'ai que sa version pour l'instant. Quand le sujet a été abordé avec son père, il a répondu, je cite, d'«arrêter de l'emmerder».

— Charmant.

— Comme Haylea refuse tout lien avec sa fille, celle-ci sera directement confiée à l'adoption. D'ailleurs, ça me fait penser… – Shari s'interrompit pour prendre de quoi noter – que je dois déclarer la naissance à l'état civil.

— Mais personne n'a remarqué que Haylea était enceinte? m'enquis-je. Ses professeurs? Ses amis? D'autres membres de la famille?

— Elle est déscolarisée, je ne sais pas si elle a beaucoup d'amis et à notre connaissance, elle vivait seule avec son père. Nos services sont intervenus il y a quelques années quand la mère a quitté le domicile, précisa Shari. Le père avait une nouvelle compagne et ils ont été déclarés aptes à s'occuper de Haylea. Nous apprenons aujourd'hui que la relation n'a pas duré et que cette femme est partie peu de temps après notre dernière visite. Haylea est la benjamine d'une fratrie de quatre. Elle a deux frères – l'un est en prison, on ne sait pas ce qu'est devenu l'autre – et une sœur qui a fugué juste après la séparation des parents.

— Donc Haylea n'a que peu, voire pas de soutien?

Shari opina.

— Le père est connu pour des bagarres et d'autres délits. Il estime que Haylea et le bébé doivent vivre chez lui, mais c'est exclu. La petite ne grandirait pas dans un foyer stable et Haylea veut couper les ponts avec son père. S'il se présente ici, appelez la police.

— Entendu. Enfin, c'est peu probable, n'est-ce pas? demandai-je, encore plus inquiète.

— En effet, mais on n'est jamais trop prudent.

Cette phrase de Shari n'était pas pour me rassurer.

— Pour être franche, plus vite cette petite fille sera installée chez ses parents adoptifs et prendra un nouveau départ, mieux ce sera.

J'étais d'accord. Sans le soutien de sa famille, il était impossible que Haylea élève correctement son bébé alors qu'elle-même n'était encore qu'une enfant. De toute façon, elle avait décidé de ne nouer aucun lien avec la petite pour des raisons qui lui appartenaient.

Shari vérifia que je disposais de tout le matériel nécessaire à l'accueil du bébé et me demanda de signer les formulaires de placement, un contrat par lequel l'assistante familiale s'engage auprès des autorités locales à prendre l'enfant en charge. Puis elle appela un taxi, et en l'attendant, elle passa la maison en revue, ainsi que les assistantes sociales sont censées le faire à chacune de leurs visites.

Après avoir raccompagné Shari, j'allai voir Darcy-May. Comme elle dormait toujours, j'en profitai pour préparer des biberons de lait maternisé en suivant les instructions sur l'emballage. J'envoyai également un message sur le groupe WhatsApp de la famille pour prévenir que Darcy-May était arrivée et qu'elle avait hâte de rencontrer tout le monde, puis je m'assis près du couffin et la contemplai. Quelques instants plus tard, je vis sa lèvre inférieure qui tressaillait, signe qu'elle avait peut-être faim. J'allai chercher un biberon et vérifiai la température du lait : parfaite ! Je venais à peine de regagner le salon que son petit visage grimaça et qu'elle ouvrit la bouche pour pleurer.

— Allons, allons, murmurai-je en la prenant dans mes bras, tandis qu'elle poussait ce cri strident typique du nouveau-né affamé qui ne saurait attendre.

Je m'installai dans le fauteuil avec Darcy-May au creux de mon bras et approchai le biberon de sa bouche. Elle marqua un temps d'hésitation, pleura encore un peu puis se mit à téter goulûment, à mon grand soulagement. Certains nouveau-nés peinent à établir le lien entre tétine et nourriture.

Je regardai Darcy-May manger en songeant combien ma chère maman aurait été heureuse que j'accueille un bébé, tout comme le reste de la famille. Mais qu'en était-il de Haylea? Où se trouvait-elle en ce moment? Que faisait-elle, que pensait-elle, que ressentait-elle? Comme elle était mineure, les services sociaux étaient dans l'obligation de la prendre en charge. Peut-être qu'un jour, elle repartirait du bon pied, à l'image de sa fille. Qu'elle reprendrait sa scolarité, qu'elle suivrait une formation et, c'était à espérer, qu'elle trouverait l'amour. Dans plusieurs années, quand Darcy-May serait adulte, elle pourrait, si elle le souhaitait, renouer avec sa mère biologique, à condition que Haylea accepte d'être retrouvée. J'aime les histoires qui se terminent bien, et alors que je couvais Darcy-May du regard, je me surpris à l'imaginer en jeune femme tombant dans les bras de Haylea, sous le regard attendri de ses parents adoptifs.

Je fus tirée de ma rêverie par la forte odeur émanant de la couche de Darcy-May, qui avait fini de téter.

— Il est l'heure de se changer, lui dis-je.

Je me levai et la portai avec d'infinies précautions dans ma chambre à l'étage, où se trouvaient les couches, les lingettes et les crèmes.

Comme j'accueillais rarement des nouveau-nés, je n'avais pas de table à langer, mais j'avais acheté un matelas spécial la veille. Je le plaçai sur mon lit avec tout ce dont j'allais avoir besoin à portée de main. Lorsque je l'allongeai, Darcy-May ne broncha pas tout de suite. Mais, comme bien des nouveau-nés, elle n'appréciait pas le moment du change, et dès que je lui retirai sa couche, elle se mit à hurler.

— Chut, tout va bien.

J'essayai de la réconforter tout en la nettoyant, mais elle pleura de plus belle.

Évidemment, au même moment, la sonnerie du téléphone fixe retentit. Je l'ignorai le plus longtemps possible, mais constatant que le bruit semblait énerver encore plus Darcy-May, je me munis d'une couche propre et décrochai le poste qui se trouvait dans ma chambre.

— Allô? dis-je alors que Darcy-May continuait à s'époumoner.

— Je crois que je tombe mal, répondit Joy.

— Je suis en train de changer Darcy-May, je vous rappellerai quand elle sera calmée.

Je replaçai l'appareil sur son socle, terminai de changer la petite et redescendis avec elle au salon. Une fois ce gros chagrin passé, elle s'endormit en quelques minutes; j'en profitai pour la reposer dans son couffin et rappeler Joy. Elle voulait s'assurer que tout se passait bien et annonça qu'elle passerait le lendemain. L'assistante familiale reçoit régulièrement les visites de sa référente ainsi que de l'assistante sociale de l'enfant.

Le reste de la journée se déroula paisiblement. Darcy-May ayant la bonne habitude de s'assoupir sitôt son biberon terminé, je pus m'atteler à d'autres tâches, y compris ménagères, si bien que lorsque Adrian et Paula rentrèrent du travail à 18 heures, ce fut pour trouver une maison tranquille et bien rangée. Le dîner était prêt et Darcy-May, qui venait de manger, dormait à poings fermés dans son couffin. Mais le calme fut de courte durée.

3

Visites

Adrian, Paula et moi venions de sortir de table quand Darcy-May se mit à pleurer, et ce fut le point de départ d'une soirée très agitée. Peut-être qu'elle avait des coliques, même si je l'avais aidée à faire son rot, peut-être que le lait maternisé n'était pas le même qu'à l'hôpital, peut-être qu'elle réagissait au changement d'environnement... Difficile à dire.

— Elle a faim, tu crois? demanda Paula alors que je prenais Darcy-May dans mes bras.

— Pas impossible, mais elle a bu un biberon il y a une demi-heure.

— Tu veux que j'aille en chercher un pour que tu essaies de la nourrir?

— Oui, s'il te plaît, ma chérie. Mais réchauffe-le d'abord.

Paula alla dans la cuisine tandis qu'Adrian me regardait bercer Darcy-May.

— Le bruit qu'elle fait est inversement proportionnel à sa taille, remarqua-t-il.

— Je crois me souvenir que toi aussi, tu avais du coffre, répondis-je en souriant.

Je m'assis sur le canapé et caressai doucement le dos de notre nouvelle protégée.

— Tu veux tenter ta chance? proposai-je à Adrian, qui m'observait toujours.

— Allez, c'est parti.

Une fois Adrian installé à côté de moi sur le canapé, je lui passai délicatement Darcy-May. J'ai un fils costaud, qui mesure plus d'un mètre quatre-vingts, et Darcy-May paraissait encore plus minuscule, nichée au creux de son bras. Mais contrairement à ce que sa carrure de géant peut suggérer, Adrian est quelqu'un de très doux, et je fus touchée de le voir babiller et bercer la petite pour essayer de la calmer. Je savais qu'il serait un excellent père, si Kirsty et lui avaient des enfants un jour.

Après une brève accalmie, Paula revint avec le biberon et Adrian le proposa à Darcy-May, mais elle n'était pas intéressée et recommença à pleurer de plus belle. Quand un bébé se met dans un tel état, on se sent forcément démuni.

— Qu'est-ce qu'elle veut, à ton avis? demanda Adrian.

— Je ne suis pas sûre. Un bébé pleure parfois sans raison apparente.

J'approchai de nouveau le biberon des lèvres de Darcy-May, sans succès, puis j'arpentai le salon de long en large en la berçant jusqu'à ce qu'elle se rendorme. Seulement à la seconde où je la reposai dans le couffin, ce fut reparti pour un tour.

— Je m'occupe de la vaisselle, maman, finit par dire Adrian.

— Merci, c'est gentil.

Paula resta avec moi tandis que j'essayais de réconforter Darcy-May, puis celle-ci accepta enfin le biberon que je lui proposai. Après l'avoir aidée à faire son rot, je la reposai dans le couffin, où elle dormit une heure avant de se réveiller en pleurant, et ainsi de suite toute la soirée. Si elle avait eu de la température, une poussée de boutons ou tout autre symptôme évoquant une maladie, j'aurais appelé un médecin. Dans mes souvenirs, quand Paula était bébé, elle se montrait particulièrement ronchon en soirée pendant ses premières semaines de vie, sans que je comprenne pourquoi.

Au cours de cette soirée animée, Lucy téléphona et discuta avec Adrian, qui expliqua que je m'occupais de Darcy-May. Elle lui dit qu'elle me verrait demain et lui demanda de m'embrasser de sa part.

À 21 heures, je décidai de coucher Darcy-May dans ma chambre pour la nuit, l'idée étant d'instaurer un semblant de routine. Adrian monta le couffin, son support et installa le tout dans ma chambre, pendant que Paula m'aidait à donner le bain à Darcy-May, en espérant que cela la calmerait. J'utilisai le lavabo de la salle de bains, parce qu'elle était encore minuscule et que je devais éviter de mouiller le cordon ombilical. Dans un premier temps, Darcy-May pleura au moment du déshabillage, avant de se détendre une fois dans l'eau chaude. Paula prit soin de soutenir son dos et sa tête tandis que je la lavai avec une éponge. Puis, à l'aide d'un disque de coton, je nettoyai la zone autour du cordon ombilical – celui-ci se détacherait dans une à deux semaines. Une fois Darcy-May toute propre, Paula déploya la grande serviette bien moelleuse que j'avais achetée exprès la veille et je l'y enveloppai.

— Elle sent si bon, dit Paula en la tenant contre elle. Surtout ses cheveux.

— C'est vrai. J'adore cette odeur douce et chaude de bébé.

Lorsque je caressai la joue de Darcy-May, je voulus croire qu'elle esquissait un sourire, même si elle essayait plus probablement d'évacuer un trop-plein d'air.

Paula la porta, toujours emmitouflée dans la serviette, jusqu'à ma chambre où je fermai les rideaux et allumai une lumière tamisée. Ensemble, nous lui mîmes une couche propre puis lui passâmes un pyjama et un gilet.

— Bonne nuit, dit Paula en l'embrassant. Je serai dans ma chambre si tu as besoin de moi, maman.

— Merci pour ton aide.

Je m'assis sur mon lit, baissai encore un peu la lumière et donnai à Darcy-May un biberon qui, je l'espérais, lui permettrait de tenir quelques heures. Après l'avoir couchée et bordée dans le couffin, je me munis de l'écoute-bébé et sortis en fermant doucement la porte. En bas, je me préparai un thé, m'installai au salon avec le récepteur de l'écoute-bébé à portée de main et ouvris mon ordinateur portable. Il valait mieux profiter de ce petit moment de tranquillité pour commencer à rédiger le carnet de bord de Darcy-May. Au Royaume-Uni, on demande aux assistantes familiales de tenir un journal quotidien sur le ou les enfants dont elles ont la charge. Il comprend les rendez-vous, les informations sur la santé de l'enfant et son bien-être. En plus de consigner ses progrès, ces notes peuvent servir d'aide-mémoire si nécessaire. Comme la plupart des autres documents, elles sont désormais conservées sous format numérique. Je me connectai au site des services sociaux et me mis au travail.

Par le récepteur de l'écoute-bébé, j'entendis Darcy-May émettre de petits sons, renifler puis gémir légèrement. Je m'arrêtai de pianoter sur mon clavier pour tendre l'oreille : il n'y eut plus un bruit, mais je préférai tout de même monter voir que tout allait bien. Et c'était le cas, Darcy-May dormait profondément. Je redescendis au salon mais allai vérifier de temps en temps. Oui, j'étais extrêmement prudente, mais c'est une responsabilité immense que de s'occuper d'un bébé, surtout quand ce n'est pas le sien.

Sur ce, Pammy, le chat de la famille, se décida à se montrer enfin. Jusqu'à présent, il s'était tenu à distance de Darcy-May et semblait avoir peur d'elle, ce qui n'était pas plus mal. Je savais que nous devions garder Pammy à l'œil. Un chat qui sauterait dans le berceau d'un bébé et viendrait se pelotonner tout contre lui risquerait de l'étouffer. Pammy n'avait pas accès à l'étage, j'avais de toute façon fermé la porte de ma chambre, mais ce n'était pas une raison pour relâcher ma vigilance, y compris en journée. Plus il se méfiait de Darcy-May, mieux c'était.

Je restai debout jusqu'à ce que Darcy-May réclame un dernier biberon puis, après l'avoir changée, ce fut à mon tour d'aller au lit. Il était minuit passé et pourtant, impossible de fermer l'œil. Allongée dans le noir, j'écoutais les sons qui provenaient du couffin. En plus d'avoir oublié à quel point les bébés pouvaient être bruyants en dormant, comme j'étais divorcée depuis des années, j'avais perdu l'habitude de partager ma chambre, je tendais l'oreille au moindre grognement, reniflement ou gémissement. Cependant, je préférais largement un bébé qui avait la larme facile à un bébé qui n'émettait pas le moindre son. Certains enfants en bas âge pris en charge par les services sociaux ont subi des négligences telles qu'ils ont appris à ne jamais pleurer. Ils restent silencieux dans leur lit, regardent dans le vide, sont complètement introvertis et ne réagissent jamais à rien. Ce sont des situations déchirantes, et l'assistante familiale doit se démener pendant des mois à grand renfort d'affection, d'interactions et de stimulations pour sortir ces enfants de leur mal-être et leur permettre de s'épanouir.

Lorsque je me levai à 6 heures du matin pour nourrir Darcy-May, je me dis que je profiterais de ses siestes en journée pour dormir un peu, moi aussi. Je n'accueillais pas d'autre enfant, et comme il n'était pas prévu de maintenir le contact entre mère et fille, le rythme s'annonçait plutôt tranquille. Quand le projet de placement envisage à terme un retour de l'enfant auprès de sa mère, il faut généralement prévoir un temps d'échange quotidien. Bien que ces moments soient essentiels au maintien du lien mère-enfant, ils peuvent se révéler particulièrement chronophages et perturber le rythme de toute la famille d'accueil.

Encore en chemise de nuit, je donnai le biberon à Darcy-May, puis, après l'avoir changée, je filai sous la douche. Une fois habillée, je descendis nourrir Pammy, le fis sortir et préparai plusieurs biberons de lait maternisé que je mis au frigo. Adrian et Paula se levèrent à 7 heures car ils devaient partir au travail à 8 h 15. Aucun d'eux n'avait entendu Darcy-May pleurer dans la nuit, sans doute parce que j'avais réagi immédiatement. Adrian crut même qu'elle avait dormi d'une traite!

— Ce serait très inhabituel pour un nouveau-né, soulignai-je.

Je nourris Darcy-May à son réveil, juste avant 9 heures, la changeai et la descendis dans son couffin pour l'installer au salon. Ainsi se mit en place une routine qui durerait plusieurs semaines.

Darcy-May s'étant rendormie, je pris le temps de me préparer un autre café et de lire les formulaires de placement que Shari m'avait laissés hier, dont la dérogation m'autorisant à me présenter avec Darcy-May aux urgences si son état de santé l'exigeait. Mais en parcourant les différents feuillets, je remarquai que la plupart des rubriques n'étaient pas remplies. En effet, une partie des formulaires s'appliquait aux enfants plus âgés, par exemple les informations concernant la crèche ou l'école, le langage, le développement émotionnel, les centres d'intérêt et les troubles du comportement. Je connaissais déjà les quelques éléments indiqués, à savoir la date de naissance de Darcy-May, le nom et l'âge de sa mère. Contacts : néant, ethnie : cauca-sienne, statut légal : pupille des services sociaux, placement en vue d'une adoption. La rubrique «Santé» répertoriait le nom de l'hôpital où elle avait vu le jour, le type d'accouchement – voie basse – et son poids de naissance, 2,7 kilos. Il était indiqué par ailleurs que sa mère n'avait eu aucun suivi anténatal, ce que je savais déjà également. La rubrique «Alimentation» précisait que la petite prenait un biberon de lait maternisé toutes les trois à quatre heures. Sur la page des assistantes sociales figuraient le nom et les coordonnées de Shari ainsi que de sa responsable. À l'image de la rubrique «Contacts», la rubrique «Membres de la famille» indiquait «néant» même si, plus bas, il était précisé que Haylea avait vécu jusqu'à présent chez son père et n'était plus en contact ni avec sa mère, ni avec ses frères, ni avec sa sœur. Je n'avais jamais vu un formulaire de placement aussi peu rempli. Darcy-May était seule au monde. Elle n'avait que nous.

Je reposai les documents et terminai ma tasse de café, perdue dans mes pensées. Puis j'entendis une clé tourner dans la serrure de la porte d'entrée et Lucy crier «Salut, maman, c'est moi!», comme à l'époque où elle vivait encore avec nous et rentrait à la maison – sauf que désormais, elle lançait cette phrase quand elle venait me rendre visite avec ma petite-fille.

Je me levai aussitôt pour aller à leur rencontre.

— Bonjour, mes chéries, dis-je en embrassant Lucy et Emma et en les serrant contre moi. Comment ça va?

— Bien. Alors, où est-ce qu'elle est? demanda Lucy.

— Dans le salon.

Comme tout le monde, Lucy adorait les bébés et j'eus l'impression qu'elle était venue autant pour Darcy-May que pour moi. Elle me passa Emma et retira ses chaussures. Emma, toujours aussi adorable, me sourit, agita les bras et, avec un petit cri de joie, plaqua sa joue contre la mienne. Lorsque je lui fis un gros bisou, elle partit dans un concert de babillements, comme pour mener une vraie discussion. J'avais beau voir ma petite-fille régulièrement, je trouvai qu'elle avait beaucoup changé en quelques jours.

Nous entrâmes dans le salon. Pendant que Lucy approchait du couffin pour voir Darcy-May, je m'assis avec Emma sur les genoux et sortis quelques jouets de la boîte que je gardais à portée de main.

— Elle est magnifique, on dirait une petite poupée, dit Lucy en admirant Darcy-May. On oublie à quel point un nouveau-né peut être minuscule.

Mais très vite, la mine de Lucy s'assombrit.

— Sa mère refuse de la voir? demanda-t-elle.

— Oui, elle n'a que quatorze ans et a décidé de la confier à l'adoption. Elle ne peut compter sur personne pour l'aider.

— Quelle tristesse… C'est sûr que le soutien est primordial quand on a un bébé. Alors que j'ai vingt-six ans et que Darren, sa famille, toi, Adrian et Paula répondez présents pour m'épauler, j'ai cru par moments que j'allais craquer. C'est plus facile maintenant qu'Emma fait ses nuits, j'ai l'impression de reprendre forme humaine, mais les premières semaines, je n'en menais pas large.

— Tu t'en es très bien sortie, la rassurai-je.

— Effectivement, ce doit être terrible de se retrouver seule dans une situation pareille.

— Oui, j'ai de la peine pour elle.

— Est-ce que tu vas la rencontrer? demanda Lucy.

— Ce n'est pas prévu.

— Si elle voyait son bébé, elle ne pourrait peut-être pas se résoudre à l'abandonner.

Mais Lucy savait, comme moi, que d'autres facteurs entraient en ligne de compte. Si les services sociaux estimaient que Haylea n'était pas en mesure de fournir un cadre propice au bon développement de son bébé, ils risquaient de la confier à l'adoption sans son consentement, par décision de justice.

Comme Emma demandait à être par terre, je pus admirer ses progrès. Ne se déplaçant pas à quatre pattes depuis très longtemps, elle avançait encore de façon un peu aléatoire. Elle parcourut quelques dizaines de centimètres puis s'arrêta, l'air d'avoir du mal à croire qu'elle se déplaçait toute seule, ce qui était drôle à voir. Puis une fois qu'elle eut atteint le coffre à jouets, elle se mit à s'amuser de son côté et j'en profitai pour discuter un peu avec Lucy. Lorsque Darcy-May se réveilla pour manger, Lucy voulut lui donner le biberon. La tétée se déroula sans accroc jusqu'à ce qu'Emma, un peu jalouse, réclame les bras en pleurant. J'essayai de la prendre mais elle voulait sa mère, donc nous échangeâmes et je m'occupai de Darcy-May.

Lucy resta toute la matinée puis partit à 12 h 30, le temps de faire manger Emma à la maison avant de ressortir dans l'après-midi pour retrouver d'autres mamans et leurs bébés. Après les avoir raccompagnées à la porte et embrassées une dernière fois sur le seuil, je me préparai un sandwich dans la cuisine. Mais je n'eus pas le temps de mordre dedans que la sonnette retentit. Cela ne pouvait pas déjà être Joy, ma référente, dont la visite était prévue pour 15 heures. Je reposai mon sandwich, allai ouvrir et me retrouvai face à une femme qui portait une tunique bleu roi, un sac en bandoulière et une mallette.

— Cathy Glass? demanda-t-elle.

— Oui.

— Arabell Turner, je suis sage-femme. Je crois savoir qu'une petite fille prénommée Darcy-May vous a été confiée.

— Tout à fait. Je vous en prie, entrez. Je suis son assistante familiale.

Je m'étais attendue à recevoir la visite de la sage-femme, car c'est l'usage quand un nouveau-né quitte le service maternité, seulement je pensais qu'elle téléphonerait avant pour convenir d'un rendez-vous.

— Elle est dans le salon, dis-je en la précédant.

— Comment va-t-elle?

— Je pense qu'elle se porte bien. Je la nourris dès qu'elle réclame, soit toutes les trois heures à peu près.

— Parfait.

Arabell posa sa mallette et se pencha sur le couffin.

— Quelle petite merveille! Elle a l'air à son aise. Je vais devoir la déranger pour l'ausculter, mais je peux d'abord m'occuper de la paperasse.

Elle s'installa dans le fauteuil près du couffin et sortit un ordinateur portable du sac qu'elle avait en bandoulière.

— Nous sommes passés au tout numérique à l'exception du carnet de santé, soupira-t-elle. J'ai d'ailleurs un exemplaire papier à vous remettre.

En attendant que son ordinateur s'allume, elle sortit le document de son sac et me le donna. Ce carnet à couverture rouge au Royaume-Uni retrace le parcours de santé de l'enfant depuis sa naissance, sa croissance et son développement : courbes de taille et de poids, vaccins, etc. Je devrais l'emporter à chaque rendez-vous médical de Darcy-May pour qu'il soit mis à jour. Par la suite, il serait transmis à ses parents adoptifs.

— C'est vous qui avez mis Darcy-May au monde ? demandai-je à Arabell.

— Non, je n'étais pas de garde cette nuit-là. À mon arrivée le lendemain matin, la mère était déjà partie, donc je ne l'ai jamais vue. Comme j'ai une autre visite prévue dans le quartier, je me suis dit que j'allais sonner.

D'habitude, les rendez-vous de préparation à l'accouchement sont l'occasion pour la future maman et la sage-femme d'apprendre à se connaître, mais Haylea n'avait bénéficié d'aucun suivi.

— La mère n'est pas restée longtemps à l'hôpital, soulignai-je.

— Non. Apparemment, elle insistait pour sortir. En l'absence de complications, le médecin a accepté. De toute façon, elle a rendez-vous dans six semaines pour une consultation post-accouchement. Est-ce que vous l'avez rencontrée ?

— Non, et ce n'est pas prévu. Mère et fille n'auront pas de contacts et Darcy-May sera confiée à l'adoption.

— C'est sans doute pour le mieux, pauvre petite, dit Arabell avec une mine chagrinée. Je crois savoir que le grand-père a fait des siennes à l'hôpital. Sait-il où est Darcy-May ?

— Non.

— Bonne nouvelle, pourvu que ça dure.

Elle s'interrompit le temps de pianoter sur son clavier.

— Bien, allons-y. En temps normal, la sage-femme suit la mère et l'enfant pendant les premières semaines pour les accompagner dans la période post-partum, indiqua-t-elle, puis une infirmière à domicile prend le relais. Évidemment, en l'occurrence, c'est différent. Si vous êtes d'accord, je vais rédiger un compte rendu de ma visite puis passer la main.

— Entendu, ça me va très bien.

Elle prit le temps de parcourir le dossier.

— Beaucoup de rubriques de ce formulaire ne sont pas pertinentes dans la situation présente. Elles concernent la mère, alors je vais seulement indiquer «Ne s'applique pas, bébé placé en famille d'accueil».

J'acquiesçai.

Elle me posa ensuite des questions de routine sur Darcy-May, le lait maternisé qu'elle buvait, la fréquence des repas, l'état de ses couches – des couches sèches pouvant indiquer une déshydratation – et du cordon ombilical. Il n'était pas encore tombé, et Arabell le verrait au moment d'examiner la petite.

— Des symptômes de jaunisse?

— Non.

— Elle a le teint frais, dit-elle en regardant dans le couffin.

Ensuite, elle ausculta Darcy-May, qui n'apprécia pas d'être ainsi réveillée et déshabillée. Elle pleura pendant que la sage-femme l'examinait, écoutait son cœur, vérifiait ses yeux, sa bouche et son cordon ombilical. Arabell sortit ensuite de sa mallette un pèse-bébé portable. Lorsque j'y déposai délicatement Darcy-May, elle nota le résultat.

— Plus que le dépistage néonatal et c'est terminé.

Je tins Darcy-May en me préparant à la suite. Je savais qu'Arabell allait prélever une goutte de sang en la piquant au talon, puis envoyer l'échantillon pour analyse afin de dépister d'éventuelles maladies, dont la mucoviscidose et la drépanocytose. Darcy-May cria dès que l'aiguille lui perça la peau.

— Désolée, murmura Arabell en plaçant le prélèvement dans un sachet en plastique refermable.

Darcy-May n'était pas censée manger tout de suite, mais comme elle était inconsolable, je l'emmenai dans la cuisine et réchauffai un biberon en vitesse. Lorsque je revins au salon, Arabell était en train de ranger son ordinateur.

— Ça va passer, dit-elle avec un sourire professionnel.

Je la raccompagnai à la porte en tenant le bébé au creux de mon bras gauche et le biberon de la main droite.

— L'infirmière va vous contacter, dit-elle.

— Merci.

Arabell partie, je retournai m'installer au salon. Darcy-May but quelques gorgées de son biberon puis se rendormit, et je l'allongeai dans le couffin. Comme la pièce était bien chauffée et que j'étais fatiguée après cette nuit blanche, je calai ma tête sur le dossier du canapé et fermai les yeux avec l'intention de me reposer quelques minutes seulement. Mais je dus m'assoupir, car la sonnette de la porte d'entrée me fit bondir. Il était 15 heures, ce devait être Joy. Darcy-May, elle aussi réveillée en sursaut, se mit à pleurer. J'allai donc ouvrir la porte avec un bébé hurlant à pleins poumons qui, en plus, devait être changée – ce qui n'était pas idéal pour recevoir ma référente.

4

Premier bilan, première surprise

— Vous préférez vraiment vous occuper d'un bébé que d'un enfant plus âgé? dit Joy d'un ton pince-sans-rire en entrant.

J'appréciais Joy, nous avions de bonnes relations de travail – bien meilleures qu'avec Edith, mon ancienne référente.

— Installez-vous dans le salon, je change la puce et je vous rejoins.

Je montai dans ma chambre avec Darcy-May, qui pleura tout du long. En l'entendant ainsi hurler, comme les bébés savent si bien le faire, je me demandai quelles conclusions Joy allait en tirer.

Une fois Darcy-May de nouveau au sec, je redescendis avec elle et un sac renfermant la couche sale.

— Je lui prépare à manger! lançai-je à Joy en passant devant la porte du salon.

Je laissai le sac dehors, près de la porte de la cuisine, pour penser à le jeter plus tard à la poubelle, et entrepris de réchauffer un biberon en le passant sous l'eau chaude. Mon sandwich intact était toujours sur l'assiette où je l'avais posé.

— Puis-je vous aider? demanda Joy en me rejoignant dans la cuisine.

— Vous voulez bien tenir Darcy-May pour que je nous serve à boire?

— Bien sûr.

Lorsque je passai Darcy-May à Joy, la petite pleura de plus belle. Joy essaya de la consoler pendant que je remplissais la bouilloire et finissais de réchauffer le biberon.

— Thé ou café? demandai-je.

— Je veux bien un thé, s'il vous plaît, mais seulement si vous en buvez aussi.

— Oui, je comptais m'en préparer un.

— Et si c'est votre déjeuner, vous feriez mieux de manger, dit Joy en désignant le sandwich d'un coup de menton. Je peux nourrir Darcy-May pendant ce temps.

Après que je lui eus confié le biberon, Joy retourna au salon avec Darcy-May. Je la suivis en apportant sur un plateau les mugs de thé et mon sandwich. Je me sentais un peu faible de n'avoir rien mangé et bu depuis le petit-déjeuner, aussi acceptai-je l'aide de Joy avec plaisir. Une bonne référente comme elle propose un petit coup de main quand elle le juge nécessaire, au lieu de s'en tenir à sa visite de contrôle.

Au salon, une fois que j'eus mangé mon sandwich et que Darcy-May eut terminé son biberon, Joy me repassa la petite et but une gorgée de thé. Puis elle sortit son ordinateur portable de son sac et passa au volet plus formel du rendez-vous. La référente rend visite à l'assistante familiale toutes les quatre à six semaines, plus si nécessaire, et procède à deux contrôles inopinés par an. Au cours du rendez-vous, l'assistante familiale retrace l'évolution de l'enfant qui lui a été confié, puis la référente lui pose des questions et la regarde interagir avec l'enfant afin de s'assurer que l'accueil fourni est de qualité. Elle donne des conseils et des pistes d'amélioration le cas échéant et fait le point avec l'assistante familiale sur ses besoins en formation. Chaque année, nous devons assister à un certain nombre de séances, et on demande aux plus chevronnées d'en animer également.

Je détaillai à Joy la routine que je m'efforçais d'instaurer pour Darcy-May, en précisant que la sage-femme était passée dans la matinée. Elle nota les informations que je lui donnai puis vérifia que le couffin était conforme aux normes de sécurité en vigueur. Lorsqu'elle m'interrogea sur les animaux de compagnie présents chez moi, je confirmai qu'il n'y avait que Pammy et détaillai les mesures mises en place pour le tenir éloigné de Darcy-May.

— Il n'est jamais seul avec elle, soulignai-je. De toute façon, pour l'instant, il en a tellement peur qu'il refuse de l'approcher.

Joy vérifia le bon fonctionnement de l'écoute-bébé, puis je restai au salon avec Darcy-May pendant qu'elle finissait d'inspecter le rez-de-chaussée – la référente passe en revue toutes les pièces de la maison à chacune de ses visites. Dans la cuisine, elle inspecta le stérilisateur, le plan de travail et le frigo. Comme Darcy-May dormait à poings fermés, je la couchai et montai avec Joy dans ma chambre pour lui montrer où le couffin était installé la nuit. Puis, la laissant terminer son inspection, je retournai au salon auprès de Darcy-May.

Lorsque Joy m'y rejoignit, elle m'indiqua qu'elle n'avait pas de nouvelles informations à me communiquer concernant Darcy-May. Elle confirma toutefois que le projet de placement prévoyait une adoption, aucun membre de sa famille étendue n'étant en mesure de l'élever. D'habitude, c'est la première solution envisagée par les services sociaux. Joy était confiante : d'après elle, le service compétent ne tarderait pas à lui trouver une bonne famille, car il disposait d'une liste d'adoptants déjà agrémentés qui souhaitaient adopter un bébé en bonne santé. Restait à identifier le couple qui correspondrait le mieux à Darcy-May. Joy conclut en fixant la date de sa prochaine visite dans un mois ; en attendant, nous nous tiendrions informées régulièrement par e-mail et par téléphone.

*

Dans la soirée, Kirsty, la fiancée d'Adrian, passa nous voir – enfin, Darcy-May, surtout – et resta dîner. Ce fut l'occasion de passer un bon moment et de parler entre autres du mariage. Kirsty, enseignante de profession, est une jeune femme adorable, gentille, attentionnée et sensible. Elle et Adrian se fréquentaient depuis leurs études et je trouvais qu'ils formaient un couple bien assorti.

Darcy-May eut ensuite deux nuits difficiles, ce qui n'était pas surprenant, mais à la fin de la semaine, qui fila à toute vitesse, un semblant de routine s'était installé. Je lui donnais le bain vers 20 h 30, puis je la nourrissais et la couchais dans ma chambre vers 21 heures. Ensuite, je passais un peu de temps avec Adrian et Paula, ou alors je m'occupais des tâches ménagères, de mes articles et du carnet de bord. Vers 23 heures, je me changeais pour la nuit mais je ne me couchais pas tout de suite, sachant que Darcy-May réclamerait un biberon à minuit. Elle se rendormait jusqu'à 3 heures du matin, heure à laquelle je devais de nouveau la nourrir et la changer, puis elle ne se réveillait plus jusqu'à 5 h 30, voire 6 heures – un nouveau-né ayant un tout petit estomac, il doit manger toutes les deux à trois heures. Une fois qu'elle était rendormie, je prenais ma douche et je m'habillais.

Je prenais beaucoup de photos et de petites vidéos. Je comptais en garder certaines en souvenir, mais surtout les remettre à sa famille adoptive. Les photos figureraient dans l'album de naissance de Darcy-May, qui serait confié à ses nouveaux parents. Ils le lui montreraient quand elle serait en âge de comprendre.

Le dimanche, Lucy et sa famille se joignirent à nous pour le déjeuner, et dans les jours qui suivirent, Judy Preston, l'infirmière à domicile, passa nous voir après avoir pris soin d'appeler. C'était le milieu de la matinée et Darcy-May, qui avait tout juste terminé son biberon, était réveillée et repue. Une fois installées au salon, Judy et moi discutâmes du rythme quotidien de Darcy-May en termes de nourriture et de sommeil. Puis vint le moment de la pesée. Verdict : 2,85 kilos, ce qui était une bonne nouvelle. Elle n'avait pas seulement retrouvé son poids de naissance, mais gagné quasiment deux cents grammes. Judy enregistra les informations sur son ordinateur portable puis les reporta dans le carnet de santé. Pour conclure, elle me demanda comment je vivais la situation et si j'avais besoin d'aide en quoi que ce soit, en ajoutant :

— Je ne pense pas, car vous êtes une assistante familiale chevronnée.

— J'ai surtout besoin de sommeil, répondis-je en souriant.

— Oui, je vous conseille de dormir dès que vous en avez l'occasion. La plupart des bébés arrivent à enchaîner cinq heures de sommeil à partir de trois mois, et on considère alors qu'ils font des nuits complètes.

— Je ne vous cache pas que j'ai hâte d'y être !

Judy, informée que Darcy-May serait confiée à l'adoption, me demanda si j'avais une idée des délais.

— Je ne sais pas encore, mais je dirais dans l'année.

— Une fois partie, elle va vous manquer.

— C'est sûr, elle manquera à toute la famille. Elle vient d'arriver mais nous l'aimons déjà.

Même si c'était ridicule de ma part, je sentis les larmes me monter aux yeux.

— Je vous comprends, dit gentiment Judy.

Nous discutâmes un peu de ce qu'impliquaient le travail de famille d'accueil et le départ de l'enfant qui lui avait été confié, puis Joy mit le carnet de santé à jour. Elle conclut en disant qu'elle ne jugeait pas utile de revenir nous voir sauf si je le jugeais nécessaire, car je pouvais dorénavant m'adresser à ma clinique de quartier pour le suivi de Darcy-May. Avant de partir, elle me remit un dépliant répertoriant les vaccins à prévoir quand elle aurait huit semaines.

Lucy passa dans l'après-midi avec Emma et trouva que j'avais bonne mine.

— Merci, ma chérie. C'est vrai, je me sens bien.

Je ressentais encore terriblement l'absence de ma mère, comme le reste de la famille, mais l'arrivée de Darcy-May, qui s'ajoutait à un rythme quotidien de toute façon soutenu, ne me laissait pas le temps de réfléchir ou de broyer du noir. Mes parents avaient toujours été très positifs et je m'efforçais de suivre leur exemple.

Je pris l'habitude de sortir tous les jours avec Darcy-May, que ce soit pour faire les courses ou juste le tour du pâté de maisons. On était en avril et la météo devenait plus agréable. Un jour, je profitai d'un passage en ville pour acheter un œuf de Pâques à chaque membre de ma famille, en prévision de la petite chasse aux œufs que Lucy voulait organiser pour Emma. Celle-ci était trop jeune pour comprendre ce dont il s'agissait, mais ce serait l'occasion de passer un bon moment tous ensemble.

Shari m'envoya par e-mail toutes les informations concernant le premier bilan de Darcy-May, prévu la semaine suivante. Chaque enfant confié aux services sociaux, quel que soit son âge, fait l'objet de points réguliers, dont le premier se tient dans les quatre semaines suivant son arrivée dans la famille d'accueil. L'assistante sociale, l'assistante familiale, la référente de celle-ci et tout autre adulte concerné de près par la situation se réunissent afin de s'assurer que tout est mis en œuvre pour venir en aide à l'enfant et que le projet de placement tel qu'établi par les services sociaux est pertinent.

Si les très jeunes enfants ne sont généralement pas présents à ces bilans, on demande à ceux qui sont plus âgés d'y participer. Ils sont présidés et retranscrits par un coordinateur qui travaille indépendamment des services sociaux. Shari demanda que la réunion se tienne chez moi. Quand il s'agit d'enfants en âge d'y assister, nous nous retrouvons soit au siège des services sociaux, soit dans son établissement scolaire.

Je notai la date et l'heure dans mon agenda puis, comme Darcy-May était en train de dormir, je remplis en ligne les formulaires que l'on demandait à l'assistante familiale avant chaque bilan. Je détaillai sa routine quotidienne, son rythme de sommeil et d'alimentation, son développement. Aux questions portant sur les contacts avec la famille et les amis, je répondis par «Non applicable» ou «Néant». L'assistante sociale et le coordinateur indépendant chargé des suivis auraient accès à ces informations qui seraient abordées lors du bilan, au cours duquel je procéderais aussi à un compte rendu verbal.

Je ne vis pas passer le reste de la semaine, entre changes, biberons et promenades au parc avec Lucy et Emma.

Non seulement je commençais à me sentir plus à l'aise quand je m'occupais de Darcy-May, mais j'y puisais une grande satisfaction. Adrian avait vu juste. Quand on sait les difficultés qui peuvent survenir avec des fratries ou un enfant en crise, agressif ou souffrant d'importants troubles du comportement, je m'estimais bien lotie. Je m'attendais à un premier bilan sans surprise et je partais du principe que cette organisation demeurerait inchangée, certainement jusqu'au début de la phase de transition avec la future famille adoptive de Darcy-May, qui n'arriverait pas avant plusieurs mois.

La chasse aux œufs eut lieu le dimanche et je reçus tout le monde pour le déjeuner. J'étais ravie de voir mes trois enfants ainsi que Kirsty et Darren, le compagnon de Lucy.

— Mamie adorait Pâques, dit Paula.

Elle sortit les albums photos et ce fut l'occasion de nous remémorer les bons moments. Je mesurais la chance que nous avions; en effet, toutes les familles ne peuvent pas en dire autant.

Le jeudi suivant à 11 heures, j'accueillis chez moi Shari, Joy, Judy et Ashley Main, le coordinateur indépendant chargé des suivis pour le bilan. Le nombre de participants peut varier : des membres de la famille, un professeur, un psychologue ou une puéricultrice sont parfois présents, selon la situation de l'enfant. En l'occurrence, le bilan de Darcy-May se tenait en petit comité, dans le salon. Chaque nouvel arrivant s'extasia devant la petite endormie dans son couffin.

Je préparai du thé et du café, que je posai sur la table basse à côté d'une assiette de biscuits, tandis que Pammy, notre chat, profitait du soleil printanier dans le jardin.

— Nous n'attendons plus personne ? Aucun membre de la famille ? demanda Ashley.

— Non, répondit Shari.

Comme il est d'usage au début de ces réunions, le coordinateur indépendant, qui avait reçu les détails du dossier en amont, nous demanda de nous présenter à tour de rôle pendant qu'il notait le nom des différents intervenants. Après nous avoir remerciées pour notre présence, il indiqua que c'était le premier bilan de Darcy-May, dont il rappela les dates de naissance et de placement. Alors qu'il venait de me passer la parole, Darcy-May se réveilla et se mit à pleurer. Dès que je la pris dans mes bras, elle se calma, et je me rassis avec elle tout en commençant mon compte rendu. J'indiquai qu'elle était arrivée chez moi trois semaines plus tôt, dès sa sortie du service maternité de l'hôpital, et qu'elle avait bon appétit. Comme j'avais le carnet de santé et mes notes à portée de main, je précisai son poids ainsi que les dates auxquelles la sage-femme et l'infirmière à domicile l'avaient examinée.

— Donc elle est dans les courbes ? demanda le coordinateur.

— Oui.

— A-t-elle des problèmes médicaux sous-jacents ?

— Pas à ma connaissance, dis-je en consultant Shari du regard.

— Le personnel soignant a indiqué qu'elle était en parfaite santé avant de nous la confier, confirma l'assistante sociale. Maintenant, nous attendons les résultats du dépistage néonatal.

Comme Darcy-May pleurait de nouveau, je m'éclipsai avec elle le temps d'aller chercher un biberon dans la cuisine. Le coordinateur attendit mon retour pour poursuivre.

— Darcy-May a-t-elle eu des accidents ou des maladies ? demanda-t-il.

— Non, répondis-je à cette question qui revenait à chaque réunion.

Le coordinateur avait une liste des points à aborder destinés à dresser un tableau général de la situation, mais parmi les questions habituelles, il y en avait un certain nombre qui ne s'appliquaient pas aux bébés, comme les amis, les loisirs et la scolarité.

— Est-ce que vous disposez de tout le matériel nécessaire à l'accueil de Darcy-May? me demanda le coordinateur après un long silence, le temps de parcourir le document et de remplir les différentes rubriques.

— Oui, répondis-je.

— Êtes-vous informée du projet de placement?

— Oui.

— Et pourrez-vous prendre en charge Darcy-May aussi longtemps qu'il le faudra?

Là encore, une question habituelle.

— Oui.

Il me remercia puis demanda à Joy si elle avait une remarque à ajouter. Ma référente commença par rappeler son rôle, surtout à l'intention de Judy, à savoir qu'elle était là pour m'encadrer, me soutenir et me guider dans mon travail. Elle dit que nous communiquions régulièrement, qu'elle m'avait rendu visite la semaine précédente et qu'elle était satisfaite du cadre et des soins que je fournissais à Darcy-May. Elle précisa que même si j'étais une assistante familiale chevronnée, je ne devais pas hésiter à demander de l'aide. Lorsqu'elle conclut en disant que je semblais ravie de m'occuper d'un bébé, je confirmai d'un hochement de tête.

— Donc pas de critiques ni d'inquiétudes? demanda le coordinateur.

— Non, dit Joy.

Comme Darcy-May venait de finir son biberon, je lui caressai le dos pour l'aider à expulser l'air superflu. Alors que le coordinateur prenait des notes, elle laissa échapper un rot étonnamment sonore pour un si petit être, et tout le monde éclata de rire.

— Ça doit soulager, dit Judy.

— Ma femme me gronde quand je fais pareil, plaisanta le coordinateur.

Ce fut au tour de Judy, qui prit la parole dans une atmosphère détendue. Elle expliqua qu'en tant qu'infirmière à domicile, elle travaillait en contact étroit avec les jeunes parents pour les soutenir et les conseiller sur les questions d'allaitement, notamment, mais elle souligna que ce n'était pas nécessaire en l'espèce. Elle dit qu'elle était venue nous voir la semaine passée, qu'elle avait pesé Darcy-May et que nous avions parlé de son rythme quotidien.

— Avez-vous rencontré la mère biologique? demanda le coordinateur.

— Non, répondit Judy. Il est prévu qu'elle retourne à l'hôpital pour une consultation post-accouchement.

Le coordinateur acquiesça et nota l'information sur son portable, tandis que Judy ajoutait en guise de conclusion que je pouvais l'appeler si j'avais besoin d'aide ou de conseils. Dans le cas contraire, je pouvais désormais m'adresser à ma clinique de quartier.

— C'est vous que Cathy verra?

— Soit moi, soit une consœur. Ça dépendra du planning de garde.

Le coordinateur la remercia puis passa la parole à Shari. Celle-ci commença par récapituler le dossier : Haylea, quatorze ans, n'avait pas été suivie durant sa grossesse étant donné qu'elle l'avait ignorée ; Darcy-May était née à terme et en bonne santé, puis avait été prise en charge par les services sociaux. Elle confirma que son placement déboucherait sur une adoption et que le service en charge de son dossier recherchait activement une famille susceptible de lui convenir.

— Ce projet est conforme au souhait de la mère ? s'enquit le coordinateur.

— Oui. Elle le dit elle-même, elle n'est pas en mesure d'élever un enfant.

Shari poursuivit en précisant que les services sociaux étaient intervenus auprès de cette famille par le passé.

— Mais étant donné ce qui est arrivé à Haylea, on peut s'interroger sur cette absence de suivi, ajouta-t-elle.

— Et le père du bébé ? demanda le coordinateur.

— Inconnu.

— Parce que… ?

— Haylea n'a pas voulu dévoiler son identité.

— Et où se trouve-t-elle à présent ?

— Elle vit au foyer pour adolescents de Waysbury.

— Et elle n'a pas eu de contact avec l'enfant depuis l'accouchement ?

— Non, elle a refusé. Cependant, quand je lui ai parlé hier, elle m'a dit qu'elle aimerait la revoir une dernière fois.

Entre le ton détaché de Shari et l'attention que je portais à Darcy-May, je faillis passer à côté de l'information.

— Haylea réclame une visite ? demanda Joy.

— Oui, dit Shari. Elle m'a dit qu'elle voulait prendre des photos, pour avoir un souvenir de sa fille tant qu'elle est encore bébé. Je vais essayer de trouver un créneau d'une heure au centre familial, et le rendez-vous se tiendra en présence d'un tiers.

— J'ai des photos que je peux lui transmettre, proposai-je, encore abasourdie.

— Merci, mais Haylea veut voir sa fille et rien ne s'y oppose.

— En effet, confirma le coordinateur. Cette entrevue sera-t-elle supervisée?

— Oui. Haylea a demandé que l'assistante familiale soit également présente, car si le bébé se met à pleurer, elle ne saura pas comment réagir, précisa Shari, avant d'ajouter en se tournant vers moi : Je lui ai dit que ça ne poserait pas de problème. Je serai là dans un premier temps, et il y aura aussi un représentant des services sociaux dans la pièce.

— Est-ce que ça vous convient? me demanda Joy.

— Oui, répondis-je, consciente que cela faisait partie de mon travail.

— Donc ce sera un contact unique? demanda le coordinateur pour confirmation.

— Oui, dit Shari.

Elle termina son compte rendu sans apporter d'autres informations dont je n'avais pas déjà connaissance. Le coordinateur conclut la réunion en fixant une date pour un prochain bilan dans trois mois. Ce fut seulement après avoir raccompagné tout le monde que je pris conscience de la situation.

5

Premières difficultés

Cela n'avait rien d'inhabituel de rencontrer les parents des enfants qui m'étaient confiés, c'était arrivé plus d'une fois par le passé et en tant qu'assistante familiale, mon rôle était de travailler en bonne entente avec eux. Même si l'enfant ne retournait pas vivre dans son foyer d'origine, je voyais les parents quand je déposais et revenais chercher l'enfant à chaque contact ainsi qu'à certaines réunions. Quand les services sociaux envisageaient à terme un retour de l'enfant chez lui, les visites avaient lieu soit à mon domicile, soit à celui des parents, et nous étions donc parfois amenés à nous voir fréquemment.

Mais là, j'étais confrontée à un nouveau cas de figure et cela m'inquiétait.

Haylea, qui à quatorze ans n'était encore qu'une enfant, allait voir sa fille pour la première et la dernière fois. Jamais elle ne l'élèverait, alors ne vaudrait-il pas mieux qu'elle ne se retrouve pas face à elle ? Cela ne serait-il pas moins douloureux ? Ou alors, elle voyait dans cette démarche un moyen de tourner la page. Shari n'avait pas émis d'objection à ce que Haylea passe une heure avec son bébé et prenne des photos en souvenir. Et elle la connaissait, contrairement à moi.

Pour éviter d'y penser, je m'attelai à quelques tâches administratives et ménagères, entre deux changes et deux biberons. Comme Darcy-May restait éveillée pendant des périodes plus longues, au lieu de se rendormir dès qu'elle avait fini de manger, je la calai au creux de mon bras pour lui sourire, lui parler, lui montrer des jouets et des livres et capter son regard. Je créais ainsi un lien avec elle, et réciproquement.

L'après-midi fila à toute allure puis Adrian et Paula rentrèrent du travail. Nous dînâmes tous les trois sous le regard attentif de Darcy-May, installée dans le transat que j'avais descendu du grenier, et chacun revint sur sa journée. Paula parla de son poste, qu'elle n'occupait pas depuis très longtemps, un emploi administratif dans une usine de production située à quelques minutes en bus. Si elle ne touchait pas un salaire mirobolant, elle avait à terme de grandes chances d'être promue. Quant à Adrian, il travaillait depuis quelques années dans un cabinet d'expertise comptable qu'il appréciait. Il parla de l'appartement que Kirsty et lui avaient acheté et qu'ils étaient en train de rénover, en espérant que les travaux seraient terminés à temps pour qu'ils y emménagent après le mariage. Ils avançaient surtout le week-end car ils travaillaient tous les deux à temps plein.

— Comment s'est passé le premier bilan ? s'enquit Paula.

— Bien, répondis-je. Darcy-May va voir sa mère pendant une heure, dans le courant de la semaine prochaine.

Je n'en dis pas plus et nous parlâmes d'autre chose.

Je me faisais sans doute une montagne de l'entrevue à venir entre Haylea et sa fille. J'ai pour habitude d'envisager tous les scénarios, de me mettre à la place des autres et de m'inquiéter inutilement. Or je devais garder à l'esprit que Haylea était jeune et résiliente, qu'elle avait réclamé ce rendez-vous afin d'être en paix avec le passé. Elle devait juger que c'était la meilleure chose à faire, autrement elle n'en aurait pas parlé à Shari. C'était moi qui avais du mal à y voir clair et il fallait que je me raisonne. Des années d'expérience m'avaient appris que chaque situation était susceptible d'évoluer et que, parfois, tout ne se déroulait pas comme prévu.

Le mercredi, Shari me prévint par téléphone qu'elle avait pris rendez-vous pour une entrevue le lendemain en début d'après-midi au centre familial. Elle expliqua qu'elle arriverait un peu avant pour passer certains points en revue avec Haylea. Puis si tout se passait bien à mon arrivée, elle nous laisserait avec un médiateur qui resterait avec nous tout du long. La plupart des visites au centre familial se déroulent en présence d'un tiers.

— Est-ce que Haylea va bien? m'enquis-je.

— Oui. Elle ne restera peut-être pas jusqu'au bout, donc si elle écourte la visite, vous pourrez partir plus tôt vous aussi.

— D'accord.

Toutefois, je m'interrogeai : Haylea doutait-elle déjà de sa démarche ?

— Dans ce cas, je vous dis à demain, conclut Shari. Pensez à prendre tout ce dont Darcy-May aura besoin.

— Oui, bien sûr.

Ce soir-là, Darcy-May fut plus agitée qu'à l'accoutumée, ce que j'attribuai aux coliques. J'eus beau la câliner, arpenter la chambre de long en large en la tenant dans mes bras, rien n'y fit. Elle pleura jusqu'à minuit, empêchant Adrian et Paula de trouver le sommeil. Finalement, je réussis à lui donner le biberon, après quoi elle s'endormit. Par la suite, elle se réveilla à 2 h 30 puis à 5 h 30. Après l'avoir nourrie et changée, au lieu de me lever comme à mon habitude à 6 heures, j'étais tellement épuisée que je retournai sous la couette. Lorsque je me réveillai pour de bon, il était 9 heures et je me sentais nettement plus reposée. Quant à Darcy-May, elle avait les yeux ouverts mais ne bronchait pas. Je me demandai s'il ne fallait pas que je modifie mes habitudes et que je reste au lit, au lieu d'être sur le pont si tôt le matin. Rien ne m'obligeait à me lever aux aurores alors que je n'avais pas d'enfants à préparer pour une journée de classe.

La maison était silencieuse. Adrian et Paula étaient partis au travail, et en consultant mon téléphone, je vis qu'ils m'avaient chacun envoyé un texto. *J'ai donné à manger à Sammy et je t'ai laissée dormir*, disait celui de Paula. *Tu étais K-O ce matin. Bonne journée !* disait celui d'Adrian.

J'avais également reçu un petit *coucou* de la part de Lucy et un SMS d'une amie.

Me sentant de nouveau opérationnelle, je me levai pour nourrir, laver et habiller Darcy-May. Puis je la calai contre un oreiller au milieu de mon lit de façon à la surveiller pendant que je me préparais à mon tour. Elle sourit, gloussa et agita ses petits bras dans tous les sens, comme le font les bébés de cet âge. J'avais pris l'habitude de lui parler dès qu'elle était réveillée et elle me répondait par des babillements, ce qui donnait presque une vraie conversation. Voyant qu'elle fermait les yeux, je la descendis au salon et l'allongeai dans le couffin, où elle dormit jusqu'à 11 h 30. Après un nouveau biberon suivi d'un changement de couche, je commençai à ranger dans un sac à langer tout le nécessaire pour la visite au centre familial : des biberons, des couches, de la crème, des sacs plastique, des lingettes antibactériennes, un livre en tissu et un hochet – même si je savais d'expérience qu'un trousseau de clés l'amusait tout autant.

Je quittai la maison à 12 h 30, direction le centre familial, en m'efforçant de rester positive. Je connaissais bien les locaux pour y avoir accompagné d'autres enfants que j'avais pris en charge. C'est un bâtiment de plain-pied situé à une vingtaine de minutes de route, un lieu où les enfants confiés aux services sociaux peuvent voir leurs parents dans un environnement agréable et sécurisé. En plus des bureaux, il y a une cuisine, une salle de bains, des toilettes et six pièces de visite aménagées comme des salons, avec un tapis, des rideaux, un canapé, une table, des jeux de société et des jouets pour les enfants. D'habitude, après être entrée avec l'enfant dans la pièce, je le laisse avec ses parents et la personne chargée de superviser le rendez-vous, puis je reviens le chercher à l'heure convenue. Cette fois, à la demande de Haylea, j'allais rester en tant que responsable légale de Darcy-May.

Alors que je me garais devant le centre familial, je sentis mon pouls s'accélérer et toutes sortes de scénarios défilèrent dans ma tête : Haylea qui se mettait à pleurer toutes les larmes de son corps, à crier, à refuser de se séparer de son bébé, pour finalement être emmenée par l'un des responsables qui se tenaient prêts à intervenir en cas d'urgence…

Après avoir sorti le siège auto où Darcy-May dormait encore ainsi que le sac à langer, je pris une profonde inspiration, avançai jusqu'à l'entrée sécurisée et appuyai sur le bouton de l'interphone. Je patientai le temps que l'on examine les images de la caméra de surveillance placée au-dessus de ma tête, puis la porte s'ouvrit avec un clic. Je franchis le seuil et me dirigeai vers l'accueil situé sur la droite.

— Cathy Glass, l'assistante familiale de Darcy-May. Nous venons voir Haylea, indiquai-je à la réceptionniste assise devant un ordinateur, protégée par un écran de Plexiglas.

— Elle vous attend avec son assistante sociale dans la pièce violette, répondit-elle.

Les six pièces de visite sont en effet identifiées par la couleur de leurs murs.

— Je vais juste vous demander une petite signature et vous pourrez y aller. C'est dans le couloir, deuxième porte à gauche.

Je signai le registre des visiteurs et me dirigeai vers la salle en question. Je connaissais bien l'agencement des lieux, pour être souvent venue. La pièce violette était l'une des plus petites ; les salles plus grandes étaient réservées aux familles nombreuses et aux réunions en grand comité. Certains enfants faisant l'objet d'un placement longue durée ont la possibilité de retrouver le reste de leur famille plusieurs fois par an. J'entendis des rires provenant de certaines salles. Les parents essaient en général de rendre ces moments le plus joyeux possible, même s'ils savent qu'à la fin, ils vont devoir dire au revoir à leur enfant jusqu'au prochain rendez-vous.

Je frappai à la porte de la pièce violette, qui était fermée.

— Entrez ! dit Shari.

J'ouvris doucement et avançai. Sur ma gauche, la médiatrice était installée à une petite table sur laquelle était posé un cahier ouvert. Face à la porte, Shari était assise sur le canapé à côté d'une adolescente de taille et de corpulence moyennes, certainement Haylea. Je remarquai le regard méfiant qu'elle me décocha et lui souris.

— Bonjour.

— La voilà, dit Shari à Haylea alors que je posais le siège auto à ses pieds.

Haylea regarda son bébé puis leva la tête vers moi, tandis que j'approchais une chaise.

— Je suis Cathy, l'assistante familiale de Darcy-May, précisai-je, ne sachant pas si l'information avait été transmise.

Haylea jeta un nouveau coup d'œil au bébé sans broncher, son visage demeurant inexpressif.

Elle était pâle et portait une robe fleurie en viscose qui lui arrivait en dessous des genoux. Plutôt démodée pour une jeune fille de son âge, songeai-je, quand on voyait comment s'habillaient la plupart des adolescents. Inconsciemment, je m'étais attendue à découvrir quelqu'un de plus sophistiqué, qui paraissait plus que son âge – une rebelle, peut-être. Or Haylea n'avait pas du tout l'air d'une dure à cuire, loin de là. Avec son allure juvénile, elle ressemblait à une enfant qui aurait emprunté une robe à sa mère. Il était impossible de savoir ce qu'elle pensait, et elle ne tenta pas de toucher ou de se rapprocher de son bébé.

— Quand l'avez-vous nourrie pour la dernière fois? me demanda Shari.

— À 11 h 30, donc elle ne va pas tarder à se réveiller pour réclamer un autre biberon.

— Je crois que ça fait beaucoup d'émotions d'un coup, dit Shari en surprenant le regard que je lançai à Haylea.

Or celle-ci ne semblait pas particulièrement bouleversée ; au contraire, elle ne montrait absolument aucune émotion et semblait à vrai dire s'intéresser davantage à moi qu'au bébé.

— J'ai expliqué à Haylea que vous alliez rester toute l'heure pour vous occuper de Darcy-May, précisa Shari.

— Oui, bien sûr.

J'en profitai pour adresser un sourire rassurant à Haylea.

— Darcy-May est un très joli prénom. C'est toi qui l'as choisi?

— Oui, répondit l'adolescente en continuant à m'observer sans ciller.

Shari et moi discutâmes entre autres de la routine de Darcy-May, sans qu'à aucun moment Haylea ne se joigne à la conversation ni même ne manifeste un semblant d'intérêt – à part peut-être à moi, car elle ne me lâchait pas du regard. Au bout d'un quart d'heure, Shari demanda si elle pouvait nous laisser car elle avait une réunion.

— Pas de problème en ce qui me concerne, répondis-je.

Nous regardâmes toutes les deux Haylea, qui hocha brièvement la tête.

— Comment Haylea va-t-elle retourner au foyer? m'enquis-je.

En effet, je savais que c'était un long trajet en bus pour rentrer au foyer de Waysbury, où elle vivait.

— Je lui ai réservé un taxi, le même qu'elle a pris pour venir, expliqua Shari.

J'acquiesçai.

Shari se leva, prit son attaché-case, nous dit au revoir en précisant qu'elle nous recontacterait, puis quitta la pièce. Je m'assis à la place qu'elle avait libérée sur le canapé à côté de Haylea et, ne sachant pas trop quoi dire, reportai mon attention sur Darcy-May. Quant à Haylea, elle avait désormais la tête tournée vers l'employée des services sociaux.

— Shari t'a-t-elle expliqué le rôle de la médiatrice? lui demandai-je.

— Oui, murmura-t-elle.

Nouveau silence.

— Et toi, comment te sens-tu?

— Ça peut aller.

Je sentis mon cœur se serrer en entendant sa voix fluette. Haylea était de toute évidence en carence affective et je me sentais à présent bien bête d'avoir redouté cette entrevue. C'était une jeune fille qui semblait complètement perdue, une enfant que j'aurais aimé accueillir et aider. Un détail m'interpella plus particulièrement : étant donné sa minceur, comment avait-elle pu ignorer sa grossesse ? Elle avait forcément remarqué que son ventre grossissait et qu'elle n'avait plus de règles.

Lorsque Darcy-May se mit à remuer dans le siège auto, signe qu'elle n'allait pas tarder à émerger, je surpris Haylea qui esquissait un mouvement de recul, comme si la petite lui faisait peur.

— Elle se réveille, lui dis-je.

Darcy-May bâilla, gigota encore un peu puis ouvrit les yeux en poussant un cri. Une grande inquiétude se lut alors sur le visage de Haylea.

— Tout va bien, la rassurai-je.

Je sortis Darcy-May du siège auto et l'assis sur mes genoux de sorte qu'elle soit face à l'adolescente. Je pris ensuite dans le sac à langer un biberon encore tiède, tandis que Haylea suivait le moindre de mes faits et gestes. J'attendis un peu puis, voyant que Darcy-May mettait son petit poing dans sa bouche – cette petite avait indéniablement faim –, j'approchai le biberon, qu'elle se mit à téter goulûment.

— Est-ce que tu veux la nourrir ? proposai-je à Haylea, tout en n'étant pas certaine que ce soit une bonne idée.

— Non, répondit-elle, les yeux toujours rivés sur moi.

Là encore, en voyant son visage impénétrable, je m'interrogeai sur son ressenti et je croisai le regard de la médiatrice, à qui je souris. D'habitude, la personne chargée de superviser la visite prend des notes sur le comportement du parent vis-à-vis de l'enfant, puis transmet un compte rendu à l'assistante sociale en charge du dossier. En l'occurrence, il n'y avait aucune interaction entre Haylea et son bébé.

— Je vous prendrai en photo toutes les deux quand elle aura fini son biberon, dis-je à l'adolescente. Tu préfères utiliser ton portable ou le mien?

— Je n'ai pas de téléphone, répondit Haylea. L'assistante sociale va m'en acheter un.

— D'accord, alors je vais utiliser le mien et je les enverrai à Shari, qui pourra te les transférer par la suite, proposai-je.

— Je ne veux pas de photos.

— Ah bon? Shari m'a pourtant dit que c'était ton souhait.

En effet, c'était la raison invoquée par l'assistante sociale pour organiser cette entrevue.

— Je ne suis pas obligée, si? murmura Haylea.

— Non, ma puce, bien sûr que non.

Si Haylea resta jusqu'au bout, la suite de l'entrevue se révéla tout aussi laborieuse. Lorsque j'essayai de lancer la conversation sur sa scolarité, elle répondit qu'elle était en décrochage et se contenta d'un haussement d'épaules à l'évocation d'éventuels amis. Je lui proposai une nouvelle fois de prendre Darcy-May, mais elle refusa. Elle ne la toucha pas de toute la visite, pas même sa petite main qui était pourtant irrésistible. Finalement, après que Darcy-May se fut rendormie, je la reposai dans le siège auto. Dans dix minutes, ce serait l'heure de partir.

Une dernière fois, je m'efforçai de lancer un semblant de discussion avec Haylea en lui demandant si elle voyait un peu sa famille, ce à quoi elle répondit par un simple «non».

— As-tu quelqu'un à qui parler, à qui confier tes problèmes? m'enquis-je, inquiète.

— Personne, répondit-elle avec un nouveau haussement d'épaules.

J'étais à la fois peinée et préoccupée. Haylea semblait si seule au monde, mais la communication était tellement difficile que je poussai intérieurement un soupir de soulagement lorsque la médiatrice annonça la fin de la visite. À 14 heures précises, elle rangea son carnet et son stylo, prête à partir, et je repris le sac à langer.

— C'est terminé? demanda Haylea d'un ton monocorde.

— Oui. Il est prévu qu'un taxi vienne te chercher.

Nous nous levâmes toutes les trois et nous dirigeâmes vers la porte. D'habitude, le parent attend dans la pièce pendant que l'assistante familiale repart avec l'enfant afin d'éviter une scène de tristesse ou de colère à l'extérieur, mais ce ne fut pas le cas pour nous. Je doutais que Haylea se mette dans tous ses états au moment de la séparation, car c'était tout juste si elle avait posé les yeux sur Darcy-May.

— Tu devrais attendre à l'intérieur que le taxi arrive, lui dis-je après que nous eûmes signé le registre de sortie.

Je savais que pour des raisons de sécurité, les chauffeurs de taxi, qui étaient agrémentés et dont la police vérifiait les antécédents, devaient se présenter à l'accueil et décliner l'identité complète des enfants qu'ils allaient transporter.

— Le taxi vient d'arriver, nous informa la responsable de l'accueil en déverrouillant la porte.

Quelques instants plus tard, un homme entra.

— Je viens chercher Haylea Walsh, annonça-t-il.

J'accompagnai l'adolescente jusqu'au taxi, dont le chauffeur ouvrit la portière arrière pour qu'elle s'installe.

— Au revoir, ma puce, dis-je à l'adolescente. Prends bien soin de toi.

Elle me regarda sans monter dans la voiture.

— Vous êtes très gentille, murmura-t-elle d'un ton plaintif.

— Merci, trésor, répondis-je, la larme à l'œil.

Elle continua à me fixer comme si elle s'apprêtait à répondre, pour finalement monter dans le taxi en silence.

— Au revoir, prends bien soin de toi, répétai-je.

Le chauffeur referma la portière tandis que Haylea regardait par la vitre du même air absent que j'avais remarqué durant l'entrevue, comme si elle avait déconnecté son esprit du présent pour partir complètement ailleurs. Lorsque le taxi se fut éloigné, je retournai à ma voiture avec Darcy-May dans son siège auto. Après avoir fixé celui-ci, je téléphonai à Shari pour lui faire part de mes inquiétudes au sujet de Haylea, qui avait visiblement besoin d'autant d'aide que sa fille.

6

Sous le choc

Au moment de mon appel, Shari se rendait à une réunion.

— Est-ce que tout va bien? demanda-t-elle tout en marchant.

— Je viens de raccompagner Haylea à son taxi. Elle n'a pas voulu prendre de photos.

— D'accord.

— Elle m'a paru très introvertie et isolée.

— Oui, nous tâchons de l'encourager à se socialiser. Mais la visite s'est bien passée?

— Si on veut. Elle a refusé de tenir Darcy-May et d'interagir avec elle.

— C'était peut-être l'émotion. De toute façon, je la vois demain pour faire le point, je lui en parlerai. À part ça, pas de difficultés à signaler?

— Non, me contentai-je de répondre, sentant que Shari était pressée. Je vous enverrai un e-mail plus tard.

— Merci.

Je repris le chemin de la maison tout en pensant à Haylea. Même si l'entrevue s'était déroulée sans difficulté à proprement parler, son incapacité à communiquer m'inspirait une grande tristesse. «Réservée», «renfermée», «déconnectée» étaient les termes les plus adéquats qui me venaient pour la qualifier. Alors qu'elle voyait sa fille pour la première et la dernière fois, Haylea n'avait pas eu la moindre parole, le moindre geste envers elle. Elle l'avait pour ainsi dire ignorée, elle ne l'avait pas prise dans ses bras, elle n'avait pas pleuré. Peut-être que Shari avait raison et que Haylea s'était sentie dépassée par l'événement. Ou alors, elle avait décelé chez Darcy-May une ressemblance avec le père. Je supposai que leur relation était terminée, sans doute une courte idylle d'adolescents. L'idée que Haylea avait peut-être été violée me traversa l'esprit, mais elle en aurait parlé à quelqu'un, non? Shari et la police avaient forcément abordé le sujet du père: que la relation ait été consentie ou imposée, et quelle que soit l'identité de cet homme, avoir un rapport sexuel avec une mineure était un délit. Et maintenant que j'avais rencontré Haylea, je n'avais aucun mal à imaginer la facilité avec laquelle on pouvait abuser d'elle. Mais je ne pouvais rien faire à part m'inquiéter pour elle, c'était à son assistante sociale et à l'équipe du foyer de la protéger et de la guider dans ses projets d'avenir.

Une fois rentrée à la maison, je rangeai le sac à langer, passai un peu de temps avec Darcy-May puis préparai le dîner. Après avoir mangé avec Paula, je mis le carnet de bord à jour et envoyai à Shari un e-mail dans lequel j'exprimai mes inquiétudes concernant Haylea, en soulignant qu'elle m'avait semblé particulièrement renfermée, vulnérable et isolée, et que, selon moi, elle avait besoin de beaucoup de soutien, voire d'une thérapie. J'étais sûre que Shari faisait son maximum, mais je connaissais assez le fonctionnement des services sociaux pour savoir que leurs ressources étaient limitées, en temps comme en argent, et qu'elles iraient plus certainement en priorité à un jeune enfant victime de négligences ou de mauvais traitements qu'à une adolescente déjà hébergée en foyer. Je me demandai si un placement en famille d'accueil ne serait pas plus adapté à Haylea, seulement ce n'était pas à moi d'en juger. La décision revenait aux services sociaux, et du fait du manque d'effectif, il ne suffisait pas de claquer des doigts pour organiser un transfert chez une assistante familiale.

Lorsque Shari répondit le lendemain matin, elle me remercia pour mon e-mail et m'informa qu'on avait proposé à Haylea, qui était effectivement en souffrance, de consulter un psychologue mais qu'elle avait refusé. Elle conclut en précisant que les services sociaux cherchaient un nouvel établissement scolaire en mesure de l'accueillir. Après avoir archivé son e-mail, je crus que je n'aurais plus de nouvelles de Haylea.

Avril laissa place à mai et au beau temps. L'atmosphère se réchauffa, les oiseaux s'attelèrent à la construction de leurs nids et les premières fleurs apparurent. Tous les jours, j'emmenais Darcy-May au parc ou faire des courses, parfois avec Lucy et la petite Emma. Je la faisais peser une fois par semaine à la clinique de mon quartier, où je croisais des mamans – bien plus jeunes – et leurs bébés. Je me fis également une nouvelle amie en

la personne d'une grand-mère qui avait sensible-
ment le même âge que moi et s'occupait de son
petit-fils pendant la semaine, pour permettre à
son fils et à sa belle-fille de continuer à travailler.
Nous échangeâmes nos numéros de téléphone
et nous retrouvâmes pour boire un café avec les
deux petits.

Vers la fin mai, alors que Darcy-May approchait
des deux mois, je reçus un appel de Joy : celle-ci
voulait savoir s'il était possible que j'accueille un
autre enfant pendant une semaine. Son assistante
familiale venait d'apprendre que sa mère, qui vivait
à cent cinquante kilomètres de là, était malade, elle
voulait donc lui rendre visite et passer plusieurs
jours chez elle. Comme j'avais une chambre de
libre – même deux, d'ailleurs, étant donné que
Darcy-May dormait avec moi –, j'acceptai.

— Merci, dit Joy. Lea est un adolescent de
quatorze ans qui peut parfois se montrer difficile,
mais selon son assistante familiale, tant qu'on se
montre ferme avec lui, il n'y a pas de problème.

Adrian soupira en apprenant la nouvelle.

— J'imagine que tu as besoin d'un peu d'action, dit-il.

— Ce n'est que pour une semaine, lui
rappelai-je.

Quant à Paula, elle ne dit pas grand-chose.

Lea et son assistante familiale, Gillian, que je
connaissais un peu pour l'avoir croisée lors de
réunions et de formations, se présentèrent chez
moi le lundi suivant à 9 heures.

— J'aurais très bien pu rester à la maison,
bougonna l'adolescent, qui arrivait avec une valise
et un caractère manifestement bien trempé.

71

— Comme je te l'ai expliqué, ce n'est pas autorisé à ton âge, répondit Gillian gentiment mais fermement.

— Mon père me laissait bien tout seul, marmonna Lea de plus belle.

— C'est différent quand on vit en famille d'accueil, lui dis-je.

Sur ce, je les invitai à entrer au salon, où Darcy-May était installée dans son transat. Après avoir fait mine de s'extasier devant elle à coups de «areuh» ironiques, Lea s'affala sur le canapé et dégaina son téléphone.

— Je croyais que tu aimais bien les bébés, dit Gillian.

— On en mangerait, rétorqua l'adolescent.

— Il a de la repartie, lançai-je à Gillian en souriant.

— Oh oui, ne t'inquiète pas pour ça.

Sur ce, je proposai une boisson à Gillian, mais elle me dit qu'elle venait de prendre son petit-déjeuner.

— Lea? demandai-je alors qu'il était absorbé par son portable. Veux-tu boire quelque chose?

— Bof.

— Ce qui veut dire «non, merci», dit Gillian. De toute façon, si Lea veut quoi que ce soit, tu ne pourras pas l'ignorer, crois-moi.

Je souris en constatant que Gillian avait tissé avec Lea une bonne relation de travail depuis son placement un an plus tôt. En tant qu'assistante familiale – cela vaut aussi en tant que parent –, il ne faut pas trop se prendre au sérieux quand on a affaire à des adolescents. L'humour peut se révéler un bon moyen de passer outre à l'impolitesse et désamorcer les situations conflictuelles, tout en faisant passer le message.

Gillian resta une quinzaine de minutes, puis dit au revoir à Lea et prit la route pour aller voir sa mère. Après l'avoir raccompagnée à la porte, je retournai au salon et tentai d'engager la conversation avec Lea, mais il n'en avait que pour son téléphone.

Grâce aux documents que m'avait envoyés Gillian, je savais que même si Lea était parfois dans la confrontation, son comportement s'était nettement amélioré depuis son placement en famille d'accueil et que ses accès de violence étaient de l'histoire ancienne ; sa présence ne poserait pas donc de problèmes de sécurité vis-à-vis de Darcy-May. Le formulaire adressé à l'assistante de remplacement donne des informations basiques sur l'enfant ou l'adolescent qu'elle héberge temporairement : nom, âge, coordonnées de l'assistante sociale, établissement scolaire, préférences et aversions, rythme quotidien, organisation des contacts, etc. Y est joint un résumé du parcours de l'adolescent : j'appris ainsi que Lea avait grandi dans l'instabilité auprès de son père jusqu'à l'arrestation de celui-ci pour trafic de drogue. Il purgeait actuellement une peine de prison. Quant à la mère de Lea, elle vivait avec un nouveau compagnon et voyait son fils pendant les vacances scolaires au siège des services sociaux en présence d'un médiateur.

Lorsque Adrian et Paula descendirent, je les présentai à Lea. Il leur dit bonjour puis retourna à son portable.

— Tu as quelque chose de prévu aujourd'hui, maman ? demanda Adrian.

— Je ne sais pas encore. Tu as une envie particulière, Lea?

— Pas vraiment, répondit celui-ci sans lever le
nez de l'écran.

— Kirsty et moi allons continuer les travaux à
l'appartement, dit Adrian. Ça pourrait être sympa
que Lea nous donne un coup de main. Ce n'est
pas le travail qui manque.

D'un regard, je remerciai Adrian pour sa
sollicitude.

— Quel genre de travail? demanda Lea en
levant la tête, l'air vaguement intéressé.

— Surtout de la peinture, et j'ai une armoire en
kit à monter. Est-ce que tu es doué en bricolage?

— Je me débrouille. J'ai repeint ma chambre
dans ma famille d'accueil. OK, je veux bien venir.

— Super. Je prends mon petit-déjeuner et on
y va. Ça te tente, un sandwich au bacon?

Lea accueillit la proposition avec enthousiasme,
rangea son téléphone et suivit Adrian dans la
cuisine, où ils préparèrent des sandwichs pour
toute la famille. Adrian, comme Paula et Lucy,
disposait de l'agrément nécessaire pour me relayer
auprès des enfants que nous accueillions. Ses
antécédents ayant été vérifiés par la police, tout
comme ceux de Kirsty, qui était enseignante, rien
ne s'opposait à ce que je leur confie Lea pour la
journée, et j'appréciai leur aide. Grâce à eux, ma
journée serait nettement moins chargée.

Sur le chemin du retour, Adrian et Kirsty
commandèrent à emporter dans un *fish and chips*
et nous dînâmes tous ensemble. Le lendemain,
Adrian proposa à Lea de retourner à l'appartement,

ce qu'il accepta. Le soir, je préparai une plâtrée de spaghettis bolognaise pour toute la famille, car je savais d'après le formulaire rempli par Gillian que c'était l'un des plats préférés de Lea. Même s'il râla lorsque je lui dis d'aller se coucher, je trouvai que grâce à Adrian et Kirsty, le week-end s'était bien passé dans l'ensemble.

La semaine suivante, j'emmenai et ramenai tous les jours Lea du collège en voiture. Son établissement était à une heure de bus de chez moi et il disait que le trajet le décourageait d'aller en cours. Il prenait le bus quand il était chez Gillian car elle vivait plus près, mais il séchait parfois, préférant passer la journée en ville ou avec ses amis. Tous les soirs, il rechignait à faire ses devoirs, ce qui était agaçant, mais à part cela, la semaine se déroula sans incident notable.

Lorsque Gillian vint le chercher le samedi suivant, il fut très direct et dit qu'il était content de regagner ses pénates. Cependant, Gillian me raconta plus tard que si elle devait s'absenter de nouveau, Lea acceptait volontiers de retourner chez nous, et qu'il s'était découvert une vocation : peintre décorateur !

La semaine suivante, je dus emmener Darcy-May à la clinique pour sa première injection, un vaccin six-en-un qui la prémunirait entre autres de la diphtérie, de l'hépatite B, de la polio, du tétanos et de la coqueluche. J'y allai à reculons, car comme tous les parents et toutes les assistantes familiales en font l'expérience, je trouvai déchirant de maintenir un bébé et de m'employer à le distraire pendant que l'infirmière procédait à l'injection. Bien sûr, c'est douloureux, le bébé pleure et décoche des regards noirs à tout-va car il ne comprend pas que c'est pour son bien. Pendant que je consolais Darcy-May, l'infirmière nota le numéro de lot du vaccin dans le carnet de santé puis nous libéra. Au moment de repartir, Darcy-May s'était remise de ses émotions, et rendez-vous fut pris quatre semaines plus tard pour un prochain vaccin.

Le samedi suivant, j'eus l'agréable surprise de recevoir la visite de Tilly Watkins et d'Abby. J'avais accueilli Tilly un an plus tôt, et je raconte son histoire dans *Un terrible secret*. Je fus ravie qu'elles me racontent les dernières nouvelles, même si elles ne restèrent pas longtemps car elles étaient en pleines révisions. Je me souvenais qu'à l'époque de son placement chez moi, Tilly n'avait pas toujours mis beaucoup de cœur à l'ouvrage. Paula, qui était à la maison, descendit discuter un peu, et elles virent également Darcy-May, qu'elles trouvèrent «trop mignonne» et «super belle». Elles repartirent en promettant de repasser dans un mois, après leurs examens de fin d'année.

Quant au mariage d'Adrian, il avait lieu dans deux semaines. Ce dimanche-là, la mère de Kirsty me proposa par texto de venir prendre le thé chez elle *et de passer une dernière fois en revue le déroulé du mariage, pour nous assurer que chacun sait ce qu'il a à faire et que rien n'a été oublié.* Si je doutais fort qu'un détail ait pu lui échapper, j'acceptai l'invitation avec plaisir. Je me rendis chez elle avec Darcy-May et fus rejointe par Adrian et Kirsty – Paula sortait de son côté. Andrea, la mère de Kirsty, était manifestement stressée à l'approche du grand jour, mais elle avait tout organisé à la perfection ; je le lui redis et lui assurai que la journée se passerait comme prévu. Ce qui avait commencé comme un mariage sobre et en petit comité était devenu une grande réception avec plus de cent convives. Je montrai à Andrea une photo de ma tenue, qu'Adrian et Kirsty avaient déjà vue – et elle hocha la tête en signe d'approbation.

Le lundi matin, je me levai le cœur léger. La vie était belle, Adrian s'apprêtait à épouser une jeune femme adorable, Lucy était heureuse avec Darren, son compagnon, j'étais grand-mère, Paula appréciait son travail, nous étions tous en bonne santé et nous n'avions pas de problèmes financiers. Je mesurais notre chance. Même si ma mère me manquait, je puisais du réconfort dans l'idée qu'elle avait eu une vie heureuse et que mes parents étaient désormais réunis. Mais alors que je me croyais sur le point d'attaquer une semaine relativement paisible, un événement inattendu me fit vite descendre de mon petit nuage.

Après déjeuner, je couchai Darcy-May dans son berceau à l'étage pour sa sieste et je m'installai dans mon bureau avec l'intention de travailler. À deux mois, elle était désormais trop grande pour le couffin, que j'avais remisé au grenier. Je venais d'ouvrir un fichier sur l'ordinateur lorsque la sonnette retentit. Je n'attendais personne, mais il arrivait que des amis ou des voisins sonnent chez moi s'ils voyaient ma voiture garée dans l'allée. En général, cela ne me dérangeait pas ; toutefois, quand j'avais du travail comme cet après-midi-là, j'avais tendance à écourter les visites.

Or lorsque j'ouvris la porte d'entrée, ce fut Haylea que j'eus la surprise de découvrir sur le seuil !

— Mon Dieu, qu'est-ce que tu fais là ? demandai-je.

J'étais sous le choc, elle n'était pas censée connaître mon adresse.

— Je ne sais pas, répondit-elle d'une toute petite voix.

Elle avait le teint pâle et les traits tirés – tout le contraire de Lea qui, au même âge, était plein de vie.

— Tu es venue seule ? demandai-je en regardant dans la rue.

— Oui. Je suis désolée, je n'aurais pas dû.

Sur ce, elle tourna les talons.

— Haylea, attends, ma puce, lui dis-je alors qu'elle allait repartir. Qu'est-ce qui se passe ?

Elle s'arrêta et me regarda.

— Ton assistante sociale sait que tu es là ?

Elle fit non de la tête.

— Tu veux voir Darcy-May ? Dans ce cas, tu dois en parler d'abord à Shari pour qu'elle organise une nouvelle entrevue.

— C'est pour vous que je suis venue.

— Pourquoi ?

Elle ne répondit pas tout de suite, portant une main à son front.

— Je ne me sens pas très bien, il faisait chaud dans le bus…

En effet, elle n'avait pas l'air dans son assiette et je pouvais difficilement lui dire de rebrousser chemin dans cet état. Après l'avoir invitée à entrer, je la soutins par le bras, l'accompagnai jusqu'au salon et lui servis un verre d'eau.

— Je reviens tout de suite, lui dis-je alors qu'elle buvait à petites gorgées. Il faut que je prenne l'écoute-bébé.

J'allai chercher le récepteur dans le bureau et veillai à le poser non pas sous le nez de Haylea mais sur une petite table d'angle. Puis je pris place dans un fauteuil face à la jeune fille.

— Merci, dit-elle en me rendant le verre vide.

Elle portait une robe qui ressemblait à celle que j'avais vue lors de notre rencontre au centre familial, avec un long gilet informe à poches.

— Tu as dû avoir un coup de chaud et te déshydrater dans le bus. Est-ce que tu te sens mieux?

— Un peu.

Je la dévisageai attentivement.

— Haylea, comment as-tu eu mon adresse?

— C'est l'hôpital qui a fait une bourde. J'ai un portable maintenant, et on m'a appelée pour une histoire de rendez-vous. La personne au téléphone a demandé «Vous êtes bien Haylea Walsh, domiciliée…?» et a donné le nom de votre rue. Je l'ai mémorisé, j'ai pris le bus jusqu'ici et en voyant la voiture avec le siège bébé, je me suis dit que ça devait être votre maison.

Son histoire tenait debout. Comme d'autres assistantes familiales, j'avais déjà eu affaire à des interlocuteurs qui avaient divulgué par accident une information pourtant confidentielle.

— Tu t'es donné du mal pour me trouver, remarquai-je.

Elle opina.

— Et pourquoi est-ce que tu es venue?

J'étais seule avec Darcy-May à la maison, et en remarquant que Haylea balayait la pièce du regard, sachant qu'elle venait d'une famille connue des services de police et de justice, je commençai à me poser des questions. Était-elle venue me voler? Enlever Darcy-May?

— Bon, si tu as repris des forces, je pense que tu ferais mieux de partir, ajoutai-je alors qu'elle me fixait sans répondre. Je vais appeler ton assistante sociale. Est-ce que tu as de quoi payer le bus?

— Non, s'il vous plaît, ne me mettez pas dehors, balbutia la jeune fille avant de fondre en larmes.

7

Haylea

Je n'allais pas mettre Haylea à la porte alors qu'elle sanglotait. Je lui tendis une boîte de mouchoirs et m'efforçai de la réconforter du mieux que je pus. Par le récepteur de l'écoute-bébé, je perçus les petits bruits de respiration de Darcy-May, qui dormait toujours à l'étage. Haylea dut les entendre, elle aussi, mais elle ne réagit pas. Même si j'avais de la peine pour elle, je devais également penser à la sécurité de la petite.

— Est-ce que je peux rester un peu? demanda-t-elle d'une toute petite voix en s'essuyant les yeux.

— Pourquoi, ma puce?

— Vous avez l'air gentille et votre maison est jolie.

— Merci, mais il y a des gens qui s'occupent de toi à Waysbury, n'est-ce pas?

— Si on veut.

J'aurais sans doute été moins sur la défensive si Haylea m'avait dit qu'elle venait voir Darcy-May, mais cela ne semblait pas être la raison de sa visite. J'étais d'autant plus mal à l'aise que je ne comprenais pas bien ce qui l'amenait ici.

— Je vous ai observée au centre familial, dit-elle après un silence. J'ai vu que vous étiez quelqu'un de très gentil et une bonne mère, vu la façon dont vous vous occupiez du bébé.

— Tu sais que Darcy-May ne restera pas avec moi? préférai-je clarifier. On va lui trouver une famille adoptive.

— Oui, je sais. L'assistante sociale me l'a dit. De toute façon, je n'en veux pas.

Je fus décontenancée par la brutalité de sa réponse. D'habitude, les mères se battaient pour conserver la garde de leurs enfants, et quand elles devaient les confier à l'adoption, la démarche leur était très douloureuse et il leur fallait beaucoup de temps pour surmonter cette perte. Même si Haylea n'était pas attachée à Darcy-May, je m'attendais à ce qu'elle exprime un ressenti, des regrets, des remords...

— Ses futurs parents l'aimeront et prendront soin d'elle, assurai-je.

— J'aurais aimé que vous m'adoptiez. J'aurais voulu vous avoir comme mère.

— Pourquoi est-ce que tu dis ça? Tu me connais à peine.

— Je n'ai pas eu de maman. Enfin, pas une vraie, en tout cas. Je ne pouvais pas compter sur elle. Si seulement j'avais été placée chez quelqu'un comme vous...

À ces mots, elle se remit à pleurer.

Mon cœur se serra, mais j'avais beau ne pas être insensible à sa détresse, mes possibilités d'action étaient limitées. On ne m'avait pas confié Haylea, je ne savais quasiment rien de son passé et, d'un point de vue strictement légal, jamais elle n'aurait dû franchir le pas de ma porte. Je lui donnai d'autres mouchoirs et lui servis un deuxième verre d'eau.

— Je pense vraiment que tu dois parler à ton assistante sociale, lui dis-je. Shari t'a proposé de prendre rendez-vous avec une psychologue.

— Je ne veux pas parler à quelqu'un que je ne connais pas, répondit Haylea, ses yeux se mouillant de nouveau. Je crois que je vais me suicider, ce sera plus simple.

— Ne dis pas ça, rétorquai-je, alors que mon inquiétude montait encore d'un cran. Tu traverses une période difficile, mais tu t'en sortiras avec un soutien adapté.

— Personne ne peut rien pour moi, protesta Haylea en se tordant les mains. Je veux en finir.

Comme de nouvelles larmes ruisselaient sur ses joues, je l'enlaçai par les épaules. Mais en la sentant qui se crispait, je compris qu'elle n'était pas du genre tactile et retirai mon bras.

— Haylea, trésor, je sais que tu vois tout en noir en ce moment, mais avec de l'aide, ça ira mieux.

— Non, ça fait trop longtemps que ça dure et ça doit s'arrêter.

Par l'écoute-bébé, j'entendis Darcy-May qui commençait à s'agiter. Elle émergeait petit à petit et n'allait plus tarder à se réveiller en pleurant.

— As-tu une idée de la façon dont je pourrais intervenir? insistai-je auprès de Haylea, tout en tâchant de ne pas la brusquer.

— Personne ne peut rien pour moi.

De toute évidence, elle était au plus mal. Au centre familial, elle s'était montrée taciturne et renfermée. À présent, pour une raison que j'ignorais, toutes ses émotions semblaient être en train de déborder.

— Est-ce que ton mal-être est dû à un événement en particulier? lui demandai-je.

— Je ne sais pas.

— Tu souffres peut-être d'une dépression postpartum. Tu es allée à l'hôpital pour ta consultation de suivi?

— Oui.

— Tu as dit au médecin que tu te sentais très déprimée?

— Non. J'étais déjà comme ça avant.

— Et tu n'en as jamais parlé à personne?

Elle secoua la tête.

— Tu n'as pas d'amis à qui te confier?

— Non, personne ne m'aime. Je ne suis qu'une petite salope.

— Ne dis pas ça, rétorquai-je, choquée.

— C'est vrai, pourtant.

À ce moment-là, Darcy-May me réclama à grands cris, et je savais que si je ne réagissais pas tout de suite, ses pleurs ne feraient qu'empirer.

— Il faut que je monte voir Darcy-May, dis-je à Haylea. Ensuite, je téléphonerai à ton assistante sociale pour la prévenir que tu es chez moi.

Je montai dans ma chambre à pas feutrés, pris Darcy-May dans mes bras et retournai au salon. Comme elle n'était pas censée manger tout de suite et que le change pouvait attendre, je l'installai dans le transat à côté de moi. Haylea lui lança un vague regard, sans plus.

— Les employés de Waysbury savent où tu es? lui demandai-je, inquiète.

— Non, ils s'en fichent.

— Ça m'étonnerait. Tu leur as dit que tu allais où ?

Pour toute réponse, Haylea haussa les épaules.

— Je vais les prévenir en premier, et ensuite, j'appellerai ton assistante sociale. Tu as le numéro du foyer ?

— Oui, ils l'ont enregistré dans mon téléphone.

Elle sortit son portable de la poche de son gilet et me le donna.

J'affichai son répertoire, qui se résumait à deux numéros : Waysbury et son assistante sociale. Même si on n'avait donné ce téléphone à Haylea que tout récemment, je fus surprise de constater qu'elle avait aussi peu de contacts, en comparaison avec les jeunes de son âge.

J'enregistrai le numéro de Waysbury dans mon portable et rendis le sien à Haylea. Elle me regarda sans broncher tandis que j'appelais le foyer, pour finalement tomber sur un répondeur : «Votre correspondant n'est pas disponible actuellement. Merci de bien vouloir laisser votre nom, votre numéro et la raison de votre appel, et nous vous recontacterons dès que possible.»

— Ici Cathy Glass, je suis assistante familiale. Je voulais vous prévenir que Haylea Walsh est chez moi. Quelqu'un peut-il me rappeler, s'il vous plaît ? Elle ne va pas bien du tout. Je contacte son assistante sociale tout de suite.

Le regard de Haylea était toujours rivé sur moi et non sur Darcy-May, qui babillait doucement en agitant les bras. J'appelai Shari sur son portable ; là encore, répondeur, sur lequel je laissai un message similaire.

J'avais besoin de conseils, je n'allais pas mettre Haylea à la porte alors qu'elle était dans cet état et évoquait des idées suicidaires. Si personne ne me recontactait d'ici quinze minutes, je téléphonerais à l'assistante sociale d'astreinte.

— Je peux avoir un biscuit? murmura Haylea d'une voix presque enfantine.

— Oui. Tu as mangé ce midi?

— Non.

— Dans ce cas, est-ce que tu voudrais un sandwich?

— Oui, s'il vous plaît.

— Qu'est-ce qui te ferait plaisir? Jambon, fromage ou beurre de cacahuètes?

— Je veux bien du fromage.

— Ça te dit de me tenir compagnie pendant que je le prépare? suggérai-je, préférant ne pas la laisser sans surveillance.

Je pris le transat où était installée Darcy-May et me rendis dans la cuisine, Haylea sur les talons. Je posai la petite de façon à me trouver dans son champ de vision, car je savais qu'elle aimait savoir où j'étais. Quant à Haylea, elle resta à l'écart et m'observa pendant que je préparais son sandwich.

— Vous avez une jolie cuisine, dit-elle.

— Merci.

La pièce n'avait rien d'extraordinaire, mais tout était relatif et je ne savais pas à quoi ressemblait la cuisine chez son père. Peut-être qu'elle était sale, vétuste, ou que Haylea cherchait simplement à me faire plaisir; elle avait manifestement besoin de se sentir appréciée.

Je nous servis également un mug de thé à chacune et nous retournâmes au salon, Haylea portant le plateau et moi, Darcy-May. Celle-ci était toujours contente d'être installée dans le transat, d'où elle avait une bonne vue sur son environnement. Alors que Haylea mangeait son sandwich et que je sirotais mon thé, la sonnerie de mon portable retentit. C'était une employée du foyer de Waysbury.

— Nous avons eu votre message. Comment se fait-il que Haylea soit avec vous? Est-ce qu'elle vous connaît?

— Pas vraiment, son bébé m'a été confié et nous nous sommes vues une fois au centre familial. Apparemment, l'hôpital lui a donné mon adresse. Pour tout vous dire, je ne sais pas précisément ce qui l'a amenée chez moi.

— À quelle heure compte-t-elle rentrer? me demanda mon interlocutrice.

— Il vaudrait mieux qu'elle ne tarde pas trop, car cette visite n'a pas été autorisée en amont. Le problème, c'est qu'elle me paraît très déprimée.

— Pour quelle raison?

— Je ne sais pas exactement, mais elle a vécu beaucoup de choses difficiles.

Je fus surprise de devoir le souligner.

— Peut-elle prendre le bus pour rentrer? Elle sait que nous lui avons prévu un gâteau d'anniversaire.

— Comment? C'est son anniversaire aujourd'hui? m'exclamai-je, stupéfaite.

Je jetai un coup d'œil à Haylea, qui me répondit par un regard vide.

— Tout à fait.

— Elle ne m'a rien dit, murmurai-je.

Si je m'étais écoutée, j'en aurais pleuré. Quand on pense aux fêtes somptueuses, avec des montagnes de cadeaux, que certains parents sont capables d'organiser, alors que Haylea disait vouloir mettre fin à ses jours, sans jamais mentionner cette date si particulière…

— Dites-lui de rentrer quand vous aurez terminé, dit l'employée du foyer.

J'eus la nette impression qu'elle ne saisissait pas la gravité de la situation. Comme partout, l'expérience et les compétences varient selon les individus.

— Je n'aime pas trop l'idée que Haylea rentre en bus toute seule, objectai-je. Quelqu'un pourrait-il venir la chercher?

— Non, nous avons des problèmes de sous-effectif. Nous ne sommes que deux cet après-midi. Serait-il possible que vous la rameniez?

— Oui, mais j'aimerais savoir s'il y a quelqu'un au foyer qui serait à même de l'écouter.

— Elle peut discuter avec n'importe quel membre du personnel.

Pour moi, ce n'était pas exactement la même chose.

— Est-ce que Haylea a une éducatrice?

— Oui, mais c'est son jour de congé.

— Je vois. Bon, je vous la ramène.

Après avoir raccroché, je me tournai vers Haylea.

— Pourquoi tu ne m'as pas dit que c'était ton anniversaire? lui demandai-je.

— Parce que ce n'est pas important, et de toute façon, c'est un jour où il ne m'arrive que des vilaines choses.

— Comme quoi?

— Je ne peux pas vous le dire.

— C'était quand tu vivais chez ton père?

Elle haussa les épaules.

— Les gens du foyer vont préparer un gâteau pour l'occasion. C'est sympa, non?

— Oui, j'imagine, soupira Haylea d'un ton morne.

— Tu sais s'ils ont prévu autre chose?

— Ils vont me donner une carte ce soir.

— D'accord.

C'était affreusement triste. Si les services sociaux m'avaient confié Haylea, mes enfants et moi lui aurions offert des cadeaux et nous aurions organisé quelque chose de spécial pour marquer le coup. N'étant pas son assistante familiale, je n'avais pas prêté attention à sa date de naissance sur les formulaires concernant le placement de Darcy-May. Mais j'avais beau être touchée par son mal-être, elle n'était pas sous ma responsabilité et elle devait rentrer au foyer de Waysbury.

— Je te reconduirai chez toi quand Darcy-May aura bu son biberon, lui annonçai-je en douceur.

— Pas chez moi, à Waysbury, rectifia-t-elle.

— Oui, c'est ce que je voulais dire.

J'allai chercher un biberon dans la cuisine. Alors que Darcy-May le buvait, je demandai à Haylea ce qu'elle pensait du foyer et s'il y avait quelqu'un là-bas à qui elle pouvait envisager de se confier. Je n'avais pas été spécialement convaincue par la personne à qui j'avais parlé, mais peut-être qu'elle manquait d'expérience ou qu'elle était débordée. Haylea dit que les employés n'avaient jamais vraiment le temps de discuter car il y avait toujours une crise à régler. J'eus l'impression que certains résidents accaparaient beaucoup leur attention.

— Il y en a qui se droguent, qui se battent ou qui découchent, ajouta-t-elle. La police est tout le temps là. Je préfère me cacher dans ma chambre.

— Oh là là, ma pauvre…

Je n'eus aucun mal à imaginer Haylea, d'une nature calme et discrète, restant cloîtrée dans sa chambre quand les choses tournaient au vinaigre. De manière générale, elle ne devait pas recevoir l'encadrement qu'elle méritait, et encore une fois, je me demandai si elle ne serait pas mieux chez une famille d'accueil qui prendrait soin d'elle.

Lorsque Darcy-May eut terminé son biberon, je prévins Haylea que je devais la changer avant de partir.

— Je vais te montrer où sont les toilettes, si jamais tu veux y aller.

Elle me suivit à l'étage, et pendant qu'elle était dans la salle de bains, j'allai dans ma chambre et allongeai Darcy-May sur le matelas à langer posé au centre de mon lit. Avant de la changer, je me dépêchai de sortir une carte du stock qui me servait en cas d'urgence, j'écrivis «Joyeux anniversaire de la part de Cathy et de sa famille» et j'ajoutai un billet de vingt livres. Je pouvais difficilement faire mieux, étant donné que j'étais prise au dépourvu.

J'entendis la chasse d'eau puis les pas de Haylea sur le palier. Elle s'arrêta devant la porte de ma chambre, que j'avais laissée entrebâillée.

— Tu peux entrer, lui dis-je.

Après avoir ouvert lentement la porte, elle se posta dans un coin et balaya la pièce du regard pendant que je finissais de changer Darcy-May.

— Vous avez une très jolie chambre, dit-elle.

— Merci. Comment est la tienne à Waysbury?

— Correcte.

Maintenant que Darcy-May avait les fesses au sec, nous redescendîmes au rez-de-chaussée et je remis la carte d'anniversaire à Haylea.

— Tiens, un petit quelque chose pour toi.

— Ah bon? s'exclama t-elle, stupéfaite. Mais pourquoi?

— C'est ton anniversaire.

Elle avait l'air sincèrement bouleversée.

— Je l'ouvre maintenant?

— Si tu veux, ou alors tu peux la garder pour plus tard, au moment du gâteau. Comme tu préfères.

— Je l'ouvrirai tout à l'heure, dit-elle alors qu'un petit sourire se dessinait sur ses lèvres.

— Entendu. Bien, allons-y.

Après avoir enfilé mes chaussures et pris le sac à langer, alors que je passais devant le bureau, mon regard se posa sur l'ordinateur. Non seulement je ne respecterais pas mon planning, mais je n'étais pas plus éclairée concernant les motivations de Haylea.

8

Des ennuis en perspective

— Vous pensez que je vais avoir des ennuis parce que je n'ai prévenu personne? me demanda Haylea alors que nous prenions la route de Waysbury.

— Je ne sais pas. Comment ça se passe pour les sorties?

— Le règlement dit qu'on doit prévenir avant.

— C'est pour ta sécurité.

— J'obéis aux autres règles. On n'a pas le droit de fumer, de boire de l'alcool ou de prendre de la drogue, récita Haylea. Et on doit respecter les autres, leurs affaires, et ne pas entrer dans une chambre sans demander la permission avant.

— Ce sont les mêmes règles en famille d'accueil. C'est pour assurer la sécurité de tous.

— Les employés nous ont dit la même chose. Je suis une gentille fille, alors j'obéis.

Je tiquai en entendant l'expression «gentille fille» dans la bouche d'une adolescente de quinze ans, mais je m'abstins de tout commentaire et regardai dans le rétroviseur Darcy-May qui dormait dans son siège auto. Haylea était bien plus bavarde maintenant qu'au centre familial.

— Pourquoi est-ce que tu es sortie sans prévenir personne? lui demandai-je, sentant qu'elle commençait à se dévoiler.

Elle haussa les épaules.

— En me réveillant ce matin, j'avais le moral à zéro. J'ai pensé à vous, je vous avais trouvée gentille, alors j'ai décidé de venir vous voir. Ça me trottait dans la tête depuis que l'hôpital m'a donné votre adresse. Et je savais que si je prévenais quelqu'un du foyer, on m'interdirait de sortir.

J'acquiesçai.

— Ta famille t'a écrit pour ton anniversaire?

— Non, je pense que personne ne sait où je suis. J'espère que je n'aurai pas d'ennuis parce que je suis sortie sans rien dire, murmura Haylea, visiblement inquiète. On est punis quand on ne respecte pas le règlement.

— En quoi consistent les sanctions?

— On nous prive de certaines choses, ou alors on a des devoirs en plus et on doit rester dans la chambre.

J'estimai que ce serait un peu rude de sanctionner Haylea le jour de son anniversaire, surtout si elle respectait les règles du foyer en temps normal. Il était toutefois évident que le sujet l'angoissait.

— Tu veux que j'entre avec toi et que j'explique la situation à quelqu'un de l'équipe?

— Oui, s'il vous plaît. Vous êtes gentille, c'est la première fois qu'on me traite comme ça.

Je lui jetai un regard furtif en me demandant si elle disait vrai. Avait-elle eu un parcours si terrible qu'une simple main tendue me valait d'être mise sur un piédestal? Haylea n'avait pas l'air du genre manipulatrice, aussi décidai-je de prendre sa remarque au premier degré.

— Ne t'inquiète pas, je vais t'accompagner.

— Merci.

Cinq minutes plus tard, je tournai à une intersection et me garai devant le foyer de Waysbury, que je connaissais pour y être venue quelques années plus tôt. En temps normal, je n'avais aucune raison de me présenter à ce foyer. Situé de l'autre côté de la ville, c'était une grande maison individuelle construite dans les années 1970, puis agrandie et rénovée. Elle pouvait accueillir jusqu'à dix jeunes gens de douze à dix-huit ans ainsi que le personnel. Chaque résident disposait de sa propre chambre avec wi-fi.

Je descendis de voiture et sortis Darcy-May dans son siège auto sans qu'elle se réveille. Haylea me rejoignit sur le trottoir et avisa la maison d'un air méfiant.

— Allez, ma puce, ça ira mieux une fois à l'intérieur. Et n'oublie pas qu'un gâteau d'anniversaire t'attend.

— On le mangera plus tard, quand les autres seront rentrés de cours.

De part et d'autre de l'allée sur laquelle je la devançai, la pelouse et les parterres de fleurs étaient entretenus avec soin. Arrivée devant la porte équipée d'un verrouillage de sécurité et d'une caméra de surveillance, j'appuyai sur la sonnette. Personne ne répondit, alors j'insistai jusqu'à ce qu'une jeune femme vienne ouvrir en me lançant un regard interrogateur.

— Oui?

En voyant son look rebelle, ses piercings dans le nez, ses tatouages et ses dreadlocks, j'hésitai sur la conduite à tenir : était-ce une employée ou une résidente? Puis j'aperçus son badge en partie masqué par sa chevelure.

— Je suis Cathy Glass, assistante familiale. J'ai appelé tout à l'heure, je vous ramène Haylea.

— Merci, dit la jeune femme puis, se tournant vers Haylea : Entre.

L'adolescente ne bougea pas d'un pouce.

— Vous m'autorisez à l'accompagner à l'intérieur? demandai-je. J'aimerais en profiter pour parler à la personne qui s'occupe de Haylea.

— Il n'y a que moi et la directrice, Fran.

— Dans ce cas, j'aimerais parler à Fran, s'il vous plaît.

— Avez-vous une carte professionnelle?

Je posai par terre le siège auto qui commençait à peser lourd et fouillai dans mon sac à la recherche de mes papiers. Je ne pensais pas qu'on me demanderait ma carte étant donné que je me présentais avec Haylea et le bébé, mais le personnel avait sans doute pour consigne de vérifier l'identité de chaque visiteur.

Après que je lui eus montré ma carte, l'employée ouvrit la porte pour de bon.

— Fran est dans son bureau, dit-elle. D'abord, je vais vous enregistrer.

Je signai le registre d'entrée puis nous la suivîmes dans un couloir jusqu'à une pièce sur la droite. Par la porte ouverte, j'aperçus une femme qui parlait au téléphone, assise derrière un bureau. Lorsqu'elle nous vit, elle nous signifia par de grands gestes qu'elle n'en avait pas pour longtemps. Pendant que Haylea et moi patientions sur le seuil, la jeune femme qui nous avait ouvert monta car quelqu'un avait mis la musique très fort à l'étage. À part cela et quelques bruits provenant de la cuisine située au fond du couloir, les lieux étaient silencieux. À cette heure-ci, la plupart des résidents étaient certainement en cours.

Fran raccrocha et se leva.

— Bonjour, dit-elle en souriant. Je suis Fran Pacton.

Lorsqu'elle approcha, sa démarche assurée m'indiqua qu'elle était bien plus à l'aise dans ses fonctions que la personne qui venait de nous accueillir.

— Je m'appelle Cathy Glass, je suis assistante familiale.

— Enchantée. Bonjour, Haylea. Je vous en prie, installez-vous.

Pendant que Fran fermait la porte, nous nous assîmes sur les deux chaises face au bureau.

— Et cette petite, c'est Darcy-May, je suppose ? demanda Fran. Elle est magnifique.

Darcy-May dormait toujours et Haylea, qui était assise à côté de moi, regardait dans l'autre direction.

— Haylea a tenu à ce que je l'accompagne car elle s'inquiétait d'une éventuelle sanction après être sortie sans prévenir, expliquai-je. Elle sait qu'elle n'aurait pas dû.

Fran se tourna vers Haylea.

— Je suis contente de voir que tu es rentrée et qu'il ne t'est rien arrivé. Mais à l'avenir, tu ne dois plus partir sans nous dire où tu vas. Nous

nous sommes inquiétées et nous aurions appelé la police pour signaler ta disparition, si Cathy n'avait pas téléphoné pour dire que tu étais chez elle, dit Fran avec gentillesse mais fermeté.

— Je suis désolée, répondit Haylea d'un ton penaud en se mordant la lèvre et en levant les yeux vers elle.

— Très bien. Je sais que ce n'est pas dans tes habitudes, mais la prochaine fois que tu veux voir ton bébé, tu dois nous en informer, et nous nous organiserons avec l'assistante sociale.

Haylea hocha la tête, même si Fran se trompait sur ses motivations.

— Je ne veux pas la revoir, lâcha finalement Haylea après un silence. Je peux monter dans ma chambre?

— Oui, si tu veux. Nous discuterons plus tard, répondit Fran.

Haylea se leva aussitôt.

— Merci de m'avoir ramenée, me murmura-t-elle avant de sortir en refermant la porte.

— Est-ce que ça va aller si on la laisse toute seule? m'enquis-je.

— Aggie, la personne qui vous a ouvert, est à l'étage, elle gardera un œil sur elle.

— Avez-vous un peu de temps à m'accorder? Je m'inquiète pour Haylea.

— Nous aussi. Comment est-elle allée chez vous?

— Elle a pris le bus. Apparemment, l'hôpital lui a donné mon adresse. Elle vient d'arriver au foyer, elle a l'air si triste, si seule, elle n'a pas d'amis, pas de famille… Elle m'a dit qu'elle voulait en finir.

Fran hocha la tête d'un air grave.

— Elle refuse tout contact avec les membres de sa famille, elle ne sympathise pas avec les autres résidents et ne se confie pas à son éducatrice. J'ai prévenu son assistante sociale qu'elle avait besoin d'un soutien psychologique.

— Et qu'en est-il de sa scolarité?

— Elle ne veut pas retourner dans son ancien établissement, où elle n'était de toute façon pas très assidue. Nous essayons de lui en trouver un nouveau, mais ça prend du temps. En attendant, j'ai demandé le budget nécessaire à la mise en place de cours particuliers. L'un de nos résidents en suit déjà.

— C'est une bonne idée, mais j'ai l'impression qu'elle devrait côtoyer plus de jeunes de son âge.

— Je suis d'accord, Haylea a besoin des interactions sociales qui vont de pair avec la scolarisation. Elle s'isole trop dans sa chambre la plupart du temps. Nous l'encourageons à en sortir dans la mesure du possible, et elle aime donner un coup de main à Cook en cuisine. Tout à l'heure, elle va l'aider à mettre la touche finale à son gâteau d'anniversaire.

— C'est sympa, dis-je en m'efforçant de sourire.

— Haylea rencontre des difficultés relationnelles, ajouta Fran. De manière générale, elle se méfie beaucoup des inconnus, mais elle semble s'être prise d'affection pour vous. Elle a dit à Cook qu'elle vous trouvait gentille. À vrai dire, après votre rencontre au centre familial, elle n'a parlé que de vous et pas du tout du bébé, ce que Cook a trouvé plutôt étrange.

— J'ai eu l'impression, que ce soit aujourd'hui ou lors de l'entrevue, qu'elle ne s'intéresse pas à

Darcy-May. Elle a des comportements déroutants : à certains moments, elle paraît beaucoup plus âgée qu'elle ne l'est en réalité, et à d'autres, on dirait une enfant.

— Pour reprendre la formule d'une autre résidente, c'est comme si elle avait vécu dans une autre dimension jusqu'à présent. Haylea s'habille et se conduit comme une femme d'âge mûr. L'une des employées l'a emmenée faire un peu de shopping, mais elle ne voulait que des robes qui lui arrivaient en dessous du genou pour, je cite, une question de «pudeur». Elle a aussi dit que le maquillage, c'était pour les traînées. Et elle n'avait pas de téléphone portable à son arrivée, c'est du jamais-vu pour nous ! Alors nous lui en avons procuré un.

J'opinai.

— Haylea est très obéissante, poursuivit Fran. Comme elle cherche sans arrêt à faire plaisir, j'ai été surprise quand elle a disparu ce matin. Ça ne lui ressemble pas du tout. J'imagine que l'envie de voir son bébé a de nouveau été la plus forte. Quand j'irai lui parler, je lui redirai que, si elle veut revoir Darcy-May, elle doit passer par son assistante sociale.

— Je ne pense pas que ce soit la raison pour laquelle elle est venue chez moi, avançai-je. À aucun moment elle n'a interagi avec sa fille, elle ne l'a même pas regardée. C'est comme si elles n'étaient pas dans la même pièce. Elle est restée focalisée sur moi et a dit qu'elle aurait voulu m'avoir comme mère.

— Haylea a tenu les mêmes propos à Cook, elle lui a même demandé de l'héberger. C'est très triste, mais beaucoup de nos jeunes résidents présentent des troubles de l'attachement, après avoir été privés d'un foyer stable et aimant. Je doute que Haylea ait connu un cadre familial sécurisant, même si sa famille était peu connue des services sociaux.

— Je pense qu'elle est très vulnérable et qu'on pourrait facilement profiter d'elle.

— En effet. Vous a-t-elle parlé du père de Darcy-May? s'enquit Fran.

— Non. Est-ce qu'elle a donné son identité à quelqu'un d'ici?

Fran secoua la tête.

— Elle n'adresse la parole qu'à Cook, et quand celle-ci a soulevé la question d'un petit copain, Haylea a répondu qu'elle n'en avait jamais eu. À mon avis, elle est toujours dans le déni.

Je réfléchis quelques instants.

— Oui, vous avez raison. Je ne l'avais pas vu sous cet angle, mais ça expliquerait sa capacité à ignorer Darcy-May et à refuser toute interaction avec elle.

— Un déni de grossesse expliquerait aussi pourquoi elle n'a jamais été suivie, ajouta Fran. Plus vite Haylea entamera une thérapie et parlera de ce qui lui est arrivé, mieux ce sera.

J'acquiesçai. Sur ce, le téléphone de Fran se mit à sonner.

— Excusez-moi, il faut que je réponde.

Je patientai quelques instants, mais comme il s'avéra rapidement que Fran allait être retenue par cette conversation et que nous avions de toute façon fait le tour du sujet, je me levai et articulai un «au revoir» silencieux. Fran masqua le combiné à l'aide de sa main.

— Pouvez-vous me laisser votre numéro de téléphone, si jamais j'ai besoin de vous contacter? demanda-t-elle en poussant un calepin et un stylo vers moi.

Lorsque j'eus noté mon numéro de portable, elle me remercia d'un signe de tête et je sortis du bureau. Dans son siège auto, Darcy-May était réveillée et n'allait pas tarder à réclamer son biberon. Une fois dans la voiture, je m'assis sur la banquette arrière pour être plus à mon aise, lui donnai à manger puis la réinstallai dans son siège auto. Comme ses sourires et ses babillements me faisaient fondre, je l'embrassai sur le bout du nez. Alors que je contournai la voiture pour prendre le volant, mon portable sonna. Le numéro de Shari s'afficha à l'écran et je répondis dès que je fus rassise.

— Haylea est toujours avec vous? s'enquit l'assistante sociale.

— Non, je viens de la déposer à Waysbury.

— J'ai eu votre message. Qu'est-ce qui s'est passé?

Je racontai à Shari comment Haylea était apparue sur le pas de ma porte et ce qu'elle m'avait dit, soulignant qu'elle m'avait paru très déprimée au point d'évoquer le suicide.

— Et dire que c'est son anniversaire, soupirai-je.

— Je sais, je lui ai envoyé une carte. Jusqu'à présent, Haylea refusait de suivre une thérapie mais il n'est pas impossible qu'elle ait changé d'avis. Je vais appeler Fran.

Shari étant l'assistante sociale de Haylea, elle restait en contact régulier avec le foyer, tout comme avec les assistantes familiales des enfants dont elle avait la charge.

— Par ailleurs, le service d'adoption vient de m'appeler, ajouta-t-elle. Il a retenu un couple dont le profil pourrait correspondre à celui de Darcy-May. C'est une avancée.

— En effet. Est-ce que vous comptez en parler à Haylea ?

— Pas pour l'instant. Elle se verra de toute façon proposer une dernière entrevue, mais nous n'y sommes pas encore. Je vais téléphoner à Fran et demander dans quel état d'esprit elle est.

Lorsque la conversation s'acheva, j'avais des sentiments mitigés à propos du couple envisagé pour l'adoption de Darcy-May. Certes, il était important de lui trouver une famille au plus vite, mais Adrian, Paula et moi ressentirions son absence après son départ, car elle faisait déjà partie de la maisonnée. C'est cependant le lot de toutes les familles d'accueil ; si certains bébés et jeunes enfants restent chez leur première assistante familiale jusqu'à leur majorité, ce n'est pas le cas la plupart du temps. Soit ils retournent chez leurs parents, soit ils partent vivre chez un autre membre de leur famille d'origine, soit ils sont adoptés. C'est la raison pour laquelle certaines personnes qui aimeraient accueillir des enfants pris en charge par les services sociaux préfèrent finalement ne pas sauter le pas. L'adoption est une démarche différente dans le sens où elle est définitive, et une fois qu'elle est officialisée, parents et enfants ont les mêmes droits et les mêmes devoirs au regard de la loi que n'importe quelle autre famille.

Alors que je reprenais le chemin de la maison, ce n'était pas pour la petite que je m'inquiétais – elle ne partirait pas avant plusieurs mois – mais pour Haylea. Si Darcy-May avait la chance de prendre un nouveau départ, sans se souvenir de la période ayant précédé son arrivée dans sa famille adoptive, il en irait tout autrement pour Haylea. Son passé la hantait, sa souffrance était évidente et elle avait besoin d'aide. J'espérais que Shari et Fran réussiraient à la convaincre de suivre une thérapie, tout comme j'espérais qu'elle profiterait pleinement de son gâteau d'anniversaire. Elle le méritait, la pauvre...

Ainsi, mes pensées gravitèrent autour de Haylea jusqu'au soir, bien que je ne m'attende pas à avoir de nouvelles – du moins, pas dans l'immédiat.

Lorsque mon portable sonna le lendemain matin, en voyant que le numéro du foyer de Waysbury s'affichait à l'écran, je craignis aussitôt le pire : à tous les coups, Haylea avait de nouveau fugué et on appelait pour savoir si elle était chez moi.

— Cathy à l'appareil.

— Bonjour, je suis Dylis, l'éducatrice de Haylea à Waysbury.

— Oui ? En quoi puis-je vous aider ?

— Je suis avec Haylea, qui demande à vous parler. Ça ne vous dérange pas ? Elle veut simplement vous remercier.

— Pas de problème, répondis-je, soulagée.

Dylis me passa Haylea.

— Bonjour, Cathy, dit-elle de sa petite voix enfantine. Je voulais vous remercier pour la carte d'anniversaire et le cadeau. C'est très gentil de votre part.

— Je t'en prie, ma puce. Tu as passé un bon moment hier soir ?

— Oui, c'était génial. J'étais très touchée, tout le monde a été sympa avec moi. Il y avait de la *jelly* et un énorme gâteau, que j'ai aidé à glacer. Tout le monde a chanté «Joyeux anniversaire», même les employés, puis ils ont applaudi quand j'ai soufflé les bougies. Après, on a joué à des jeux. Je n'avais jamais connu un anniversaire avec une ambiance pareille, des cadeaux… J'ai de la chance.

Une boule se forma dans ma gorge ; j'aurais aimé dire que je n'avais jamais entendu un enfant parler en ces termes, mais ce n'était hélas pas le cas et j'en avais mal au cœur.

— Je suis contente que tu aies passé une bonne soirée, lui dis-je.

— J'ai disposé mes cartes dans la bibliothèque de ma chambre. Vous avez tous été si gentils avec moi. Je ne le mérite pas.

— Bien sûr que si, insistai-je.

Il y eut un silence au bout de la ligne et Dylis reprit le téléphone.

— Haylea est un peu émue, dit-elle. Je dois vous laisser.

— D'accord. Embrassez-la de ma part.

— Entendu.

Les paroles de Haylea résonnèrent à mes oreilles jusqu'au soir. Comment rester insensible à sa gratitude, à sa façon de se rabaisser à propos d'un événement qui allait de soi pour la plupart des enfants ? Encore une fois, je m'interrogeai sur les épreuves qui l'avaient façonnée de la sorte. J'espérai que sa fête d'anniversaire et d'autres gestes de gentillesse l'aideraient à comprendre qu'il y avait des gens bien sur cette planète et que la vie valait la peine d'être vécue.

Malheureusement, la suite ne me donna pas raison. Le lendemain, je reçus un appel m'informant que Haylea était à l'hôpital après avoir attenté à ses jours.

9

Visite à l'hôpital

Ce fut Fran, la directrice du foyer de Waysbury, qui me prévint par téléphone.

— Haylea a tenté de se suicider en ingérant une grande quantité de comprimés et a été conduite à l'hôpital, m'annonça-t-elle.

— Oh non… C'est arrivé quand?

— Hier. Elle a été trouvée dans sa chambre par son éducatrice. Maintenant qu'elle a repris connaissance et peut de nouveau s'exprimer, elle vous réclame.

— Pourquoi moi?

— Elle veut que vous lui rendiez visite comme si vous étiez son assistante familiale. Elle a été admise en pédiatrie et la plupart des autres enfants ont un parent à leurs côtés presque en permanence. Son éducatrice et moi sommes passées mais nous n'avons pas pu nous attarder, car nous sommes en sous-effectif. Est-ce que ça vous paraît envisageable?

— Oui, mais je ne pourrai pas rester longtemps non plus. J'ai Darcy-May et je ne peux pas l'emmener.

— Je pense que même si vous passez juste en coup de vent, ça la réconfortera.

— Entendu. Qu'est-ce qui s'est passé? Quand je l'ai eue au téléphone hier matin, elle avait l'air d'aller bien. Elle était contente de sa fête d'anniversaire.

— Je ne sais pas ce qui a déclenché le passage à l'acte, mais après déjeuner, elle est montée dans sa chambre et son éducatrice l'a trouvée inanimée une heure plus tard. Nous sommes en train de nous renseigner sur la provenance de ces médicaments et il va y avoir une enquête. Je note de donner votre nom au personnel soignant.

— Vous pensez qu'un membre de sa famille cherchera à la voir? demandai-je.

— Non, Haylea a refusé qu'on prévienne qui que ce soit à part vous. Shari devra informer son père, qui est son plus proche parent, mais elle préfère attendre quelques jours, après la sortie de Haylea.

— Où est-elle hospitalisée?

— Dans le même établissement où elle a accouché. Le service de pédiatrie est au troisième étage.

— Je vois. Je passerai dans la journée.

— Merci, je vais appeler le bureau des infirmières pour les prévenir.

Pauvre Haylea, songeai-je en raccrochant, elle devait être désespérée pour en arriver là. Mais, honnêtement, je n'étais pas très surprise. À tout juste quinze ans, elle portait déjà un lourd fardeau qu'elle ne parvenait pas à évoquer. Heureusement, sa tentative de suicide n'avait pas abouti, et j'espérais qu'à partir de maintenant, des professionnels sauraient lui donner les clés pour qu'elle confie ses souffrances et entame un processus de guérison. De nombreuses thérapies sont fondées sur la parole, considérée comme cathartique.

Il m'était impossible d'aller à l'hôpital avec Darcy-May ; non seulement elle serait exposée aux microbes, mais ce serait déplacé vis-à-vis de Haylea. Il fallait donc que je trouve quelqu'un à qui la confier. Je téléphonai à ma fille Lucy, qui disposait d'un agrément des services sociaux pour me remplacer en cas d'urgence sur une courte période.

— Bonjour, ma chérie, dis-je lorsqu'elle prit mon appel. J'ai un grand service à te demander : est-ce que tu pourrais t'occuper de Darcy-May pendant deux heures ? Sa mère est à l'hôpital et demande à me voir.

— Pas de problème, tu peux me l'amener. Haylea a un problème de santé ?

— Oui, elle sortira dans quelques jours. Tu es sûre que ça ne te dérange pas ? Tu n'as rien de prévu aujourd'hui ?

— Non, Darren est là, il a pris sa journée. Aucun souci, maman.

— Merci beaucoup. J'arrive dans une demi-heure, si ça te va.

— D'accord, à tout de suite.

Je rangeai en vitesse quelques biberons et des couches dans le sac à langer. Le siège auto était toujours dans la voiture. Avant de partir, j'envoyai un e-mail à Shari et Joy : *Ma fille Lucy va s'occuper de Darcy-May pendant deux heures cet après-midi, le temps que j'aille voir Haylea à l'hôpital. Voici son adresse et son numéro de téléphone.* Même si les services sociaux disposaient certainement de ses coordonnées, je préférais prévenir l'assistante sociale de Haylea et ma référente. Je sais d'expérience que deux précautions valent mieux qu'une.

Après avoir installé Darcy-May dans son siège auto, je me rendis chez Lucy et Darren. Je ne restai pas plus d'une dizaine de minutes, le temps de dire bonjour et de gagater un peu devant Emma, puis je repris la route direction l'hôpital. Je trouvai bizarre de ne pas avoir Darcy-May à l'arrière ; par réflexe, je regardai plusieurs fois dans le rétroviseur. Enfin, pour l'heure, c'était surtout Haylea qui me préoccupait.

Lors de son appel de la veille, aurais-je pu trouver des mots plus réconfortants, l'encourager encore davantage à se confier à quelqu'un ? Ou, au contraire, une parole en apparence anodine de ma part l'avait-elle enfoncée dans son mal-être et provoqué sa tentative de suicide ? Je frémis en envisageant cette possibilité et songeai à notre conversation. *A priori*, je n'avais rien dit de blessant, et si j'avais été touchée par sa gratitude et son humilité, je n'avais pas le souvenir qu'elle ait tenu des propos particulièrement alarmants. Autrement, j'aurais immédiatement prévenu un employé du foyer.

Je me garai sur le parking de l'hôpital, descendis de voiture et entrai par la porte principale. Je m'arrêtai d'abord à la boutique pour acheter quelques magazines susceptibles de plaire à Haylea, et si elle voulait autre chose, je pourrais toujours revenir. Au bout du couloir, je montai les marches jusqu'au service de pédiatrie et actionnai l'interphone. De chaque côté de l'entrée, les murs étaient décorés d'animaux et de personnages de dessins animés peints dans des couleurs vives, tout comme à l'intérieur du service. J'étais déjà venue avec des enfants qui m'avaient été confiés.

Il fallut que je patiente un peu avant qu'on vienne me répondre, car les infirmières devaient être débordées.

— Oui? demanda une voix de femme.

— C'est Cathy Glass, je viens voir Haylea Walsh, dis-je en me penchant vers le micro.

— Vous êtes une parente?

— Non, je suis assistante familiale. La directrice du foyer où vit Haylea m'a prévenue par téléphone qu'elle demandait à me voir. Elle a quinze ans, ajoutai-je.

— Un instant.

S'ensuivit un silence, puis la porte fut débloquée. Après m'être désinfecté les mains avec le gel hydroalcoolique mis à disposition sur le mur de droite, près d'une grande peinture de girafe dont la tête touchait presque le plafond, je me présentai au bureau des infirmières.

— Je suis Cathy Glass, je viens voir Haylea Walsh. Dans quelle chambre est-elle?

— Dans la C, sur votre gauche, répondit une infirmière en indiquant la direction.

— Merci.

J'avançai dans le couloir, longeai d'autres peintures d'animaux et entrai dans la chambre C. Il y avait quatre lits, deux de chaque côté, et je repérai tout de suite Haylea à droite, près de la fenêtre. Dès qu'elle me vit, elle se redressa sur ses oreillers et retira ses écouteurs en souriant.

— Bonjour, ma puce, dis-je en approchant une chaise.

— Oh, Cathy, vous êtes venue! Merci beaucoup. Je n'étais pas sûre que vous accepteriez de me revoir après tous les soucis que j'ai causés.

Si je m'étais écoutée, je l'aurais prise dans mes bras et embrassée, mais je m'abstins sachant qu'elle n'était pas tactile. En tout cas, sa joie était évidente.

— Tu as bonne mine, ça fait plaisir, lui dis-je.

En effet, elle avait l'air en forme, détendue, et rien n'indiquait qu'elle venait de survivre à une overdose médicamenteuse.

— Je t'ai acheté quelques magazines, ajoutai-je en les posant sur le lit. Je n'étais pas sûre de tes goûts. Je peux repasser à la boutique, si tu as besoin de quoi que ce soit.

Je remarquai une corbeille de fruits, une boîte de mouchoirs et un livre sur un plateau à roulettes au bout du lit.

— C'est Fran qui m'a acheté tout ça, dit Haylea.

— Tu as ce qu'il te faut? Brosse à dents, gant de toilette…?

— Oui, dans ma table de nuit. Et Dylis a enregistré de la musique sur mon téléphone.

— Bien.

— Tout le monde est si gentil avec moi alors que je ne suis qu'une source d'ennuis. Je me plais ici.

— C'est vrai?

C'était bien la première fois que je n'entendais pas un adolescent me dire qu'il n'avait qu'une hâte, quitter l'hôpital.

— Je me sens en sécurité, dit Haylea. Les portes sont verrouillées.

— Parce que tu ne te sens pas en sécurité à Waysbury? demandai-je, inquiète. Pourtant, tu ne risques rien.

— Je sais, mais je préfère ici. Je peux rester au lit si j'en ai envie, et puis on s'occupe de moi. La fille là-bas m'a dit bonjour. Elle a été opérée ce matin.

Je jetai un regard discret à la patiente en question, pâle et somnolente, qui devait avoir le même âge que Haylea. Ses parents étaient assis de part et d'autre de son lit. Il y avait également un lit vide mais avec des affaires d'enfant posées dessus, suggérant que son occupant n'allait pas tarder à revenir. Un adolescent avec une jambe dans le plâtre était allongé sur le quatrième, sa mère à son chevet.

— J'aime les dessins sur les murs, ajouta Haylea. Et la nourriture est bonne.

Bien que Haylea ne me demande pas où se trouvait Darcy-May, je préférai prendre les devants au cas où la question lui viendrait plus tard.

— C'est Lucy, ma fille, qui s'occupe de Darcy-May pendant que je suis là, indiquai-je. Je la récupérerai sur le chemin du retour.

Haylea ignora mon commentaire et enchaîna sur tout autre chose.

— Ici, j'ai le droit de manger au lit. On a eu du poisson pané à midi. D'habitude, je n'aime pas ça mais pour une fois, j'ai trouvé ça bon. Et le dessert, c'était une part de crumble avec de la crème anglaise. Il y avait des grumeaux dans la crème, elle n'était pas aussi bonne que celle de Cook. Enfin, j'ai mangé quand même.

Je souris.

— J'imagine que tu vas bientôt retrouver le foyer et les bons petits plats de Cook.

— Ça ne me dérange pas de rester ici, répondit Haylea.

Je la crus sur parole. Je ne l'avais jamais vue aussi heureuse et détendue, et dans une certaine mesure, je comprenais pourquoi. En étant hospitalisée, elle retrouvait son statut d'enfant : elle était au lit, on lui accordait beaucoup d'attention, on répondait à tous ses besoins sans rien exiger en retour. Mais ce n'était pas sain, et une fois qu'elle sortirait de ce cocon, les raisons qui l'avaient poussée à ce geste reviendraient la hanter.

— Est-ce qu'un médecin spécialisé en santé mentale est passé te voir ? m'enquis-je.

— Une psychiatre, vous voulez dire ?

— Oui, par exemple.

— Une dame est venue ce matin, mais je n'avais pas envie de lui parler.

— Pourquoi pas ? Elle est là pour t'aider.

— Je ne veux pas de son aide. Les repas arrivent sur un chariot, ajouta Haylea, passant encore une fois du coq à l'âne. On me les apporte au lit.

— C'est bien, mais je m'inquiète beaucoup pour toi et je ne suis pas la seule. Pourquoi as-tu avalé tous ces médicaments ? demandai-je.

— Je ne voulais plus vivre.

— Pour quelle raison ?

— Ça me prend parfois : d'un coup, j'ai des idées noires. Je venais de passer le plus bel anniversaire de ma vie. D'habitude, des vilaines choses m'arrivent ce jour-là, mais pas cette année. Et d'un coup, c'était terminé et j'ai su que j'allais devoir attendre un an avant de remettre ça. En y pensant, je me suis sentie très triste.

— Mais il y a d'autres sources de joie dans la vie, soulignai-je, peinée par son discours. Quand tu parles de vilaines choses, tu peux me donner un exemple?

— Non, laissez tomber, j'aurais mieux fait de me taire.

Son visage jusque-là joyeux s'assombrit.

— Haylea, est-ce que quelqu'un t'a fait du mal par le passé? demandai-je en posant une main sur son bras.

Pas de réponse.

— Tu as eu un bébé, ma puce. Comment c'est arrivé?

Nouveau silence, pendant lequel Haylea se mordilla la lèvre inférieure. Je ne voulais pas la brusquer, mais il fallait qu'elle se confie.

— Haylea, si tu ne peux rien me dire, parles-en à la psy ou à ton éducatrice au foyer. Si on t'a fait du mal, c'est important qu'on le sache.

— D'accord, dit-elle, plus pour avoir la paix que par conviction.

Sur ce, elle embraya de nouveau sur la vie à l'hôpital et la gentillesse des infirmières. Au bout d'une heure, je me résolus à lui dire que je devais partir.

— Vous ne pouvez pas rester plus longtemps? demanda-t-elle d'une petite voix triste.

— Encore cinq minutes, et puis il faudra que j'aille récupérer Darcy-May chez Lucy.

Finalement, les cinq minutes se transformèrent en un quart d'heure. Alors que je me levais, l'arrivée de Dylis, l'éducatrice de Haylea à Waysbury, rendit mon départ plus facile.

— Prends soin de toi, ma chérie, dis-je à Haylea.

— Merci d'être venue, répondit-elle d'un ton enjoué. J'ai plein de visites!

Je pris congé et partis, pas plus avancée sur les raisons qui avaient poussé Haylea à attenter à ses jours. Je concevais qu'elle ait eu une baisse de moral après sa belle fête d'anniversaire, mais les hauts et les bas font partie de la vie et on apprend à gérer sa frustration durant l'enfance. Haylea était sujette à des changements d'humeur assez brusques, elle semblait parfois déconnectée, et j'avais la conviction que l'explication était à chercher du côté de ce qu'elle qualifiait de «vilaines choses». À quoi faisait-elle allusion? Au départ de sa mère, peut-être? Cela avait-il un rapport avec son père ou avec celui de l'enfant? Je n'en avais pas la moindre idée.

Alors que Haylea continuait à occuper mes pensées, je retournai chez Lucy et Darren. Ils me proposèrent une tasse de thé que j'acceptai, et je restai avec eux un moment, le temps de papoter et de jouer avec Emma pendant que Darren s'occupait de Darcy-May. De nature sociable, elle acceptait facilement les bras d'autres personnes que moi. Lorsque Lucy s'enquit de Haylea, je lui dis qu'elle se remettait.

— Si jamais tu retournes la voir, je peux garder Darcy-May, proposa Lucy.

— Merci, ma chérie, mais je ne pense pas. Elle devrait sortir bientôt.

— Il est toujours prévu que tu emmènes Darcy-May au mariage?

En effet, le mariage d'Adrian et Kirsty avait lieu dans dix jours.

— Oui. Pourquoi?

— Pour savoir si ça ne pose pas de problème que je vienne avec Emma.

— Bien sûr que non, la mère de Kirsty sait qu'elles seront présentes.

— J'ai cru comprendre qu'elle n'était pas emballée. Elle a peur qu'elles fassent du bruit.

— Kirsty et Adrian ont dit à tous leurs invités que les enfants étaient les bienvenus, alors ne t'inquiète pas. Prévois juste de quoi distraire Emma et tout se passera bien.

Si j'avais l'habitude d'emmener des enfants à ce genre de grands événements formels, je comprenais l'appréhension de Lucy.

— Prends quelques jouets dans un sac, ajoutai-je. Rien de trop bruyant, bien sûr.

— Donc pas le canard qui fait coin-coin, le nounours qui chante ou le livre qui parle? lança Darren avec un sourire taquin.

— Non, ni ce poulet qui couine, dis-je en pressant le jouet en question.

Comme Emma éclatait de rire, je l'embrassai et lui fis un gros câlin. Elle était décidément adorable.

Dans la soirée, une fois Darcy-May couchée à l'étage, j'écrivis un e-mail à Shari et Joy pour leur raconter en deux mots ma visite à l'hôpital, que je consignai également dans mon carnet de bord. Je précisai que Haylea s'était sentie déprimée après un si bel anniversaire et que cette journée était associée à de mauvais souvenirs qu'elle n'avait pas voulu raconter. Avant de cliquer sur «envoyer», je modifiai cette dernière phrase en «que Haylea n'a pas réussi à raconter», ce qui semblait plus fidèle à la réalité. Elle m'avait donné l'impression d'en avoir la volonté mais pas la force.

Le samedi suivant, c'était l'enterrement de vie de garçon d'Adrian avec, au programme, paintball entre copains et dîner bien arrosé. Heureusement, tout avait été organisé de sorte qu'il n'ait pas à prendre le volant. Alors que d'habitude, je ne l'entends jamais rentrer en pleine nuit, cette fois, il réussit à nous réveiller, Paula et moi, d'abord lorsqu'il ouvrit la porte d'entrée en riant et en discutant au téléphone, puis lorsqu'il trébucha dans les escaliers et ne put retenir un juron, et enfin lorsqu'il tira la chasse d'eau au moins dix fois. Je ne lui dis rien. Ce n'est pas tous les jours que son fils se marie.

Le lendemain, je le laissai faire la grasse matinée et il finit par émerger aux alentours de 15 heures.

— Alors, c'était sympa? lui demandai-je.

— Repose-moi la question demain. Là, j'ai la migraine.

Sachant que Kirsty et ses amies avaient prévu de leur côté une sortie en boîte de nuit, je lui demandai par texto si elle avait passé une bonne soirée. Elle me répondit en fin d'après-midi par ce message : *Oui, merci,* accompagné d'un émoji patraque.

La semaine qui suivit, dernière ligne droite avant le mariage, fut bien sûr dominée par l'approche du grand jour. Le groupe WhatsApp que la mère de Kirsty avait créé pour tous les invités quelques mois plus tôt était plus actif que jamais. Elle se lança dans un compte à rebours émaillé de rappels sur l'organisation, y compris en cas de pluie et de parking bondé. Comme d'autres membres du groupe répondaient, les notifications n'arrêtaient plus sur mon téléphone qui vibrait à chaque commentaire. Je finis par les désactiver, tout en veillant à consulter les messages de temps en temps. John, mon ex-mari, serait présent au mariage, même s'il ne participait pas au groupe. Sa compagne avait également été invitée, mais il viendrait seul. J'ignorais pourquoi et je ne posai pas la question. Appréhendais-je de le revoir? Non. Il m'avait quittée quand les enfants étaient encore tout petits, c'était de l'histoire ancienne et rien ne m'empêcherait de profiter pleinement du mariage de mon fils.

10

«Je vous aime tellement»

Le témoin d'Adrian passa le prendre en voiture le matin du mariage de façon à arriver à l'église avant nous. Ils étaient tous deux très élégants dans leur costume trois-pièces gris sombre acheté tout spécialement pour l'occasion. À mon tour, je partis avec Paula et Darcy-May pour l'église, où je retrouvai Lucy et sa famille. Le temps était idéal, le soleil brillait dans un ciel bleu sans nuages et il n'y avait pas de vent, soit les conditions parfaites pour les photos en extérieur. Après avoir fait manger Darcy-May sur la banquette arrière et pris un biberon de secours dans mon sac à main, j'entrai dans l'édifice en admirant le portail d'entrée, l'allée centrale et les rebords de fenêtres décorés de fleurs.

Un bedeau nous accompagna à nos places, au premier rang à droite, tandis que la famille de Kirsty s'installait à gauche, conformément à la tradition. Adrian et son témoin patientaient, debout devant l'autel. Lucy, Darren et Emma nous rejoignirent. Emma portait la même robe que Darcy-May, rose avec des dentelles – pas pratique du tout mais très mignonne. Ce n'était pas une coïncidence, nous avions choisi leur tenue ensemble. Puis John arriva et fut invité à s'asseoir en bout de rangée, car il était le père du marié. Il nous sourit, dit quelques mots à Adrian et à son témoin avant de s'asseoir et de discuter un peu avec Darren. Puis, lorsque la musique retentit, signalant l'entrée de la mariée, l'assemblée se tut, se leva et regarda Kirsty qui marchait vers l'autel au bras de son père.

Elle était sublime, on aurait dit une princesse de conte de fées dans sa robe sirène blanche rehaussée de dentelle. Elle portait un bouquet de fleurs couleur pêche, comme les robes des demoiselles d'honneur, ses cheveux étaient joliment relevés et rehaussés d'un diadème. Il y avait quatre demoiselles d'honneur – deux adultes, les cousines de Kirsty et leurs enfants – ainsi qu'un petit page absolument craquant avec son pantalon gris clair, son gilet et son nœud papillon. Pas timide pour un sou, il sourit à tout le monde en remontant l'allée centrale. Lorsque Kirsty rejoignit Adrian devant l'autel, ils échangèrent un sourire radieux, puis le vicaire ouvrit le service par ces mots :

— Chers parents et amis, bienvenue et merci d'être venus assister à ce jour si important. Nous allons célébrer l'amour entre Kirsty et Adrian en les unissant par les liens du mariage…

Tout au long de la cérémonie, je ressentis une grande fierté et une intense émotion, en particulier au moment des vœux : « Je promets de t'aimer et de te chérir tous les jours de ma vie, pour le meilleur et pour le pire, dans la richesse et dans la pauvreté, dans la santé et dans la maladie, jusqu'à ce que la mort nous sépare, selon la volonté de

Dieu. » Je jetai un coup d'œil discret à John, mais celui-ci regardait droit devant lui.

— Kirsty et Adrian, vous avez consenti aux liens sacrés du mariage, vous vous êtes juré amour et fidélité et vous avez consacré votre engagement par l'échange des alliances. Par les pouvoirs qui me sont conférés, devant vos parents et vos amis, je vous déclare mari et femme.

Les jeunes mariés s'embrassèrent sous les applaudissements de l'assemblée, puis s'éclipsèrent dans la sacristie avec leurs témoins et le photographe le temps de signer le registre. Après être sortis de l'église au son de *Your Love Keeps Lifting Me Higher and Higher*, les invités s'attroupèrent autour d'eux pour prendre la pose.

Les enfants avaient eu un comportement irréprochable ; seul un vieux monsieur avait quelque peu perturbé la cérémonie en se raclant la gorge à intervalles réguliers. À coup sûr, Andrea, la mère de Kirsty, serait ravie de l'enregistrement vidéo de la cérémonie. Sur le parvis, le photographe nous répartit en plusieurs groupes et nous mitrailla. Certaines photos furent prises sans Darcy-May, à la demande d'Andrea, et sur les portraits de famille, on plaça John à côté de moi.

— Tout s'est bien passé, lui glissai-je poliment.

— Oui, acquiesça-t-il.

J'en avais énormément voulu à John lors de notre divorce, mais son départ remontait à plusieurs années et l'animosité que j'avais ressentie pendant un temps avait fini par s'envoler. Toutefois, je devais l'admettre, je n'étais pas sûre de lui pardonner un jour d'avoir laissé les enfants en plan.

Après la séance photos, place à la réception organisée dans un hôtel niché au cœur d'un cadre champêtre. Andrea me proposa de monter dans l'une des limousines, mais je lui expliquai que ce serait plus simple que je prenne ma voiture, où était déjà installé le siège auto de Darcy-May. Sous les vivats de la foule, Kirsty et Adrian partirent les premiers dans une Rolls-Royce ancienne blanche décorée avec des fleurs et des rubans. Les demoiselles d'honneur et les parents de Kirsty montèrent dans une limousine, et les autres invités suivirent dans leurs voitures respectives.

J'entrai dans la salle de réception avec le siège auto pour ne pas avoir à porter Darcy-May en permanence. On nous servit un apéritif de bienvenue et les convives firent plus ample connaissance tandis que le photographe continuait à s'affairer. Je discutai notamment avec des membres de la famille de Kirsty, que j'avais rencontrés lors des fiançailles. Ensuite, on nous fit entrer dans la salle à manger parée de fleurs magnifiques, de ballons et d'éléments de décoration rappelant le code couleur pêche et blanc du mariage. Il y avait une table d'honneur prévue pour Adrian et Kirsty, et le reste des invités était réparti sur des tables rondes elles aussi joliment apprêtées. J'étais assise avec Paula, Lucy et le reste de la famille ainsi que quelques amies de Kirsty, dont une, venue seule, qui engagea la conversation avec Lucy.

Une fois le repas terminé, place aux toasts. Malcolm, le père de Kirsty, prit la parole en premier avec un discours à la fois drôle et émouvant dans lequel il exprima sa joie d'avoir Adrian comme gendre. Ensuite, mon fils se lança. Je ne pouvais m'empêcher d'avoir le trac par procuration, alors qu'il était confiant et bien préparé. Il parla de sa chance d'avoir rencontré Kirsty, remercia ses parents pour le mariage – en particulier sa mère, Andrea, qui s'était pliée en quatre pour tout organiser, avec un résultat superbe. Il dit que son seul regret était que sa chère mamie ne soit plus là pour assister à cette journée parfaite, qu'elle aurait tant appréciée. Lorsqu'il proposa de porter un toast en sa mémoire et en celle de mon père, qu'il qualifia de «meilleurs grands-parents du monde», je sentis les larmes me monter aux yeux.

Le témoin d'Adrian prononça lui aussi un discours dans lequel il mentionna quelques anecdotes parfois gênantes qui remontaient à leur vie d'étudiants. Puis on nous invita à poursuivre la fête dans une autre salle où un animateur proposait déjà des activités aux enfants. Lorsque la soirée dansante commença, John ne s'attarda pas, il vint prendre congé et dit qu'il verrait bientôt Adrian et Paula. Paula et moi restâmes jusqu'à la fin, ainsi que Lucy et sa famille, pour danser, discuter, rire, bref, passer une soirée mémorable. Si Darcy-May dormit la majeure partie du temps, les invités étaient nombreux à vouloir la prendre et la distraire dès qu'elle ouvrait les yeux. Emma resta au contraire éveillée pendant quasiment toute la soirée, et Darren dansa avec Lucy tout en tenant leur fille dans ses bras. Emma apprécia notamment la boule à facettes suspendue au plafond qui projetait des motifs de toutes les couleurs sur le sol et les murs.

Alors que la soirée touchait à sa fin, Adrian et Kirsty partirent les premiers sous les applaudissements des convives. Ils avaient réservé une chambre dans le même hôtel pour la nuit et retrouveraient leur appartement le lendemain matin. Ils n'avaient pas terminé les travaux mais les lieux étaient habitables et Adrian, comme Kirsty, y avait déménagé ses vêtements et autres effets personnels progressivement. Comme Kirsty était enseignante, la lune de miel attendrait le mois de juillet et les vacances scolaires.

Je repris le chemin de la maison absolument ravie avec Paula, qui somnolait sur le siège passager, et Darcy-May qui dormait à poings fermés sur la banquette arrière. Il n'y avait eu aucun couac au niveau de l'organisation, tout le monde s'était bien amusé et mon fils avait désormais une merveilleuse épouse en la personne de Kirsty. J'étais sur un petit nuage, mais la réalité ne tarda pas à me rattraper.

*

Le lendemain, Darcy-May se réveilla à 7 heures pour son premier biberon de la journée puis se rendormit, ce dont je profitai pour traîner un peu au lit, comme Paula. Vers 11 heures, je pris une douche puis descendis dans la cuisine pour préparer mon petit-déjeuner en lisant les nouvelles publications sur le groupe WhatsApp du mariage. Tous les invités ou presque se fendirent d'un message pour dire combien ils s'étaient amusés et partager leurs photos. Après avoir nourri Darcy-May, je l'installai dans son transat et m'assis pour manger un morceau. J'étais en train de déguster mon toast et mon café lorsque j'entendis le clapet de la boîte

124

aux lettres s'ouvrir et se refermer : je supposai qu'il s'agissait d'une publicité car le facteur ne passait pas le dimanche. Lorsque je finis par aller voir ce qu'on avait déposé, je trouvai non pas un prospectus mais une enveloppe manuscrite à mon nom.

Intriguée, je l'ouvris tout en retournant auprès de Darcy-May. Sur la feuille qu'elle contenait, visiblement déchirée dans un cahier d'écolier, je lus ces mots :

> *Chère Cathy,*
>
> *Merci pour votre visite à l'hôpital. Vous êtes tellement gentille, presque comme une mère. Je vous aime. Est-ce que je pourrai passer bientôt chez vous ? J'espère que vous direz oui. Appelez-moi ou envoyez-moi un texto n'importe quand et je répondrai. Mon numéro est le 07*** *****. Merci encore. Je vous aime tellement. Haylea.*

Comme Darcy-May était en sécurité dans son transat, j'allai vite ouvrir la porte d'entrée et regardai des deux côtés de la rue, mais aucun signe de Haylea. Mon Dieu, quelle lettre ! songeai-je en retournant dans la cuisine. Cet appel de détresse à la fois touchant et alarmant témoignait des carences affectives de Haylea. Ce n'était pas la première fois qu'un enfant confié aux services sociaux s'attachait à moi et se lançait dans de grandes déclarations, mais elle était de loin la plus âgée à se conduire ainsi. Haylea avait quinze ans, je ne l'accueillais même pas chez moi ; à vrai dire, elle me connaissait à peine. C'était plus cette soif désespérée d'amour qui me préoccupait que sa présence dans ma rue.

Inquiète pour la sécurité et le bien-être de Haylea, je m'installai avec Darcy-May dans le salon et appelai le foyer de Waysbury.

— Bonjour, Dan à l'appareil, répondit un jeune homme.

— Ici Cathy Glass, je suis assistante familiale et je voudrais parler à Fran, la directrice.

— C'est son jour de congé. Est-ce que je peux vous aider?

— Peut-être. C'est à propos de Haylea Walsh, l'une de vos résidentes. Elle est passée à l'instant pour glisser un mot dans ma boîte aux lettres.

— D'accord, répondit Dan d'une voix posée. Elle a prévenu son éducatrice qu'elle vous rendait visite, il me semble. Une minute, je vais vérifier.

Je patientai le temps qu'il revienne en ligne.

— Je vous le confirme, elle a dit à Dylis qu'elle allait vous voir, indiqua-t-il, visiblement pas très au fait des problèmes de Haylea.

— Je suis l'assistante familiale de son bébé et je sais qu'elle n'est pas censée se présenter chez moi comme ça. Quelqu'un en a-t-il d'abord discuté avec son assistante sociale?

— Je ne pense pas, on est dimanche et les assistantes sociales ne sont pas joignables sur leur ligne professionnelle. Si vous voulez bien me passer Haylea, je vais lui parler.

— Elle n'est pas là, répondis-je, un peu agacée. Elle a juste déposé une lettre chez moi il y a un quart d'heure avant de repartir.

— Bien.

Non, ce n'était pas «bien», mais je sentais que je n'allais pas obtenir grand-chose de Dan. De plus, comme j'entendais des voix à l'arrière-plan, je supposai qu'il était occupé.

— J'imagine que Haylea n'est pas encore rentrée? demandai-je.

— Je ne crois pas, je ne l'ai pas vue.

— Quand elle arrivera, quelqu'un pourra-t-il m'assurer qu'elle va bien, s'il vous plaît? Et merci d'informer Fran de ce qui s'est passé. De mon côté, je vais prévenir l'assistante sociale de Haylea.

— Bien, répéta Dan.

— Merci.

Je raccrochai en n'étant pas persuadée qu'on me rappellerait pour me confirmer le retour de Haylea, or je m'inquiétais pour elle. Comme c'était dimanche, Shari ne travaillait pas et je ne pouvais pas lui parler. Il y avait bien une assistante sociale d'astreinte à qui j'aurais pu demander conseil en cas d'urgence, mais ce n'en était pas une. Je voulais seulement être sûre que Haylea allait bien. Comme Darcy-May commençait à s'agiter dans son transat, je l'en sortis, l'installai sur une couverture posée par terre et envoyai un texto à Haylea.

Bonjour, Haylea. J'ai bien eu ta lettre. Est-ce que tu rentres à Waysbury?

Elle répondit aussitôt.

Bonjour, Cathy, et merci pour votre texto. Oui, je suis dans le bus. Est-ce que je pourrai vous rendre visite bientôt? Je vous embrasse. Haylea.

Il va falloir en discuter avec Shari, indiquai-je.

Si elle dit oui, je pourrai passer chez vous? S'il vous plaît.

Bien que j'aie de la peine pour Haylea, je ne pouvais pas faire des promesses que je risquais de ne pas tenir.

Voyons d'abord ce que dit Shari, répondis-je. *Bonne journée.*

Merci, vous aussi. Je vous aime tellement.

Fais bien attention à toi.

Une demi-heure plus tard, nouveau texto de Haylea :

Je suis rentrée. Je vous embrasse très fort.

Merci de m'avoir prévenue.

C'est gentil de vous inquiéter pour moi.

Bon après-midi.

Je rangeai mon téléphone pour me consacrer à Darcy-May et ma liste de choses à faire, mais il n'arrêta pas de vibrer car Haylea m'inondait de textos.

C'est Haylea. Vous faites quoi ? Moi, je regarde la télé dans ma chambre…

J'aime vous avoir comme mère d'accueil. Enfin, je sais que vous ne l'êtes pas vraiment, mais ça me plaît de l'imaginer.

Je regarde toujours la télé. Je vous embrasse. Haylea.

Et ainsi de suite jusqu'au soir. Je répondais parfois, pas systématiquement. Pour ne pas l'encourager, je me contentai de messages concis et distants, mais elle persévéra.

Je vais aider Cook. On se parle plus tard. Je vous aime…

Cook vous dit bonsoir.

Donc Cook savait que Haylea était en contact avec moi par SMS.

Qu'est-ce que vous mangez ce soir ? Moi, ce sera une tourte, de la purée et des petits pois.

Puis plus tard : *Je suis dans le salon avec les autres. Tout le monde est sur son téléphone.*

À 22 h 30, je lui écrivis : *J'éteins mon portable parce que je vais me coucher. Bonne nuit.*

Vous aussi, Cathy. Je vous aime.

Évidemment, impossible de fermer l'œil. Avais-je eu tort d'envoyer un texto à Haylea pour m'assurer qu'elle ne courait aucun danger et qu'elle rentrait à Waysbury ? Non seulement mon geste semblait avoir ouvert une vanne, mais je ne pouvais m'empêcher de relever qu'à aucun moment Haylea ne mentionnait Darcy-May. Même si ses messages laissaient transparaître une personnalité vulnérable et en carence affective, il fallait voir le bon côté des choses : elle communiquait avec quelqu'un comme jamais auparavant, et ses textos avaient un ton enjoué et positif. Elle s'était jointe aux autres résidents dans le salon, et même si chacun était absorbé par son portable, peut-être qu'ils avaient fini par sympathiser. La prochaine étape serait qu'elle parle à quelqu'un de ce qui lui était arrivé. C'est impossible d'aller mieux tant qu'on fuit le passé, même si l'affronter se révèle parfois très douloureux.

Hélas, le lendemain, j'allumai mon portable au saut du lit et trouvai ma boîte vocale saturée de messages vocaux et de textos de Haylea. Mes collègues et moi insistons pour que les portables et autres objets électroniques soient éteints ou laissés au rez-de-chaussée pour la nuit, mais il était plus difficile de réguler leur utilisation dans une structure telle qu'un foyer. Au fil des messages que je lus et écoutai, je constatai que Haylea semblait sombrer de plus en plus – de quoi renforcer encore mon inquiétude.

J'aurais voulu que vous soyez ma mère. Je n'ai jamais eu de vraie maman…

Je n'aime pas ma vie…

Je vous aime mais je ne sais pas si c'est réciproque…

J'aurais préféré ne jamais voir le jour…

Je déteste ma vie…

À quoi bon continuer ?

Tout le monde me hait…

Si seulement je pouvais ne plus me réveiller le matin…

Et ainsi de suite jusqu'au dernier SMS, envoyé à 4 heures du matin : *Je veux m'endormir pour toujours.*

Mon ventre se tordit. Il était 6 h 20, je venais de donner le biberon à Darcy-May. Haylea était-elle toujours réveillée ? Je lui écrivis : *Je viens d'avoir tes messages et je me fais du souci pour toi. Est-ce que ça va ?*

Pas de réponse. J'étais malade d'angoisse en imaginant Haylea toute seule dans sa chambre au milieu de la nuit, désespérée au point de ressasser des idées suicidaires. Je lui avais dit que j'éteignais mon téléphone, donc elle savait que je ne lirais pas mes messages de la nuit – et voilà que ce matin, il était peut-être trop tard. Le cœur battant, j'appelai le foyer de Waysbury en supposant qu'il y aurait quelqu'un d'astreinte, pour finalement être renvoyée sur un répondeur. Je laissai un message.

— Ici Cathy Glass, je suis assistante familiale. Haylea Walsh m'a envoyé des textos toute la nuit. Quelqu'un peut-il monter dans sa chambre et vérifier qu'elle va bien? Elle m'a paru très déprimée et je suis inquiète.

Si personne ne me recontactait, je réessayerais dans quelques minutes. En attendant, je m'efforçai de me concentrer sur Darcy-May. Je l'installai dans son berceau le temps de m'habiller et pris mon téléphone dans la salle de bains au cas où un employé de Waysbury chercherait à me joindre.

En l'absence de nouvelles, je téléphonai de nouveau et tombai encore une fois sur le répondeur.

— Rebonjour, Cathy Glass à l'appareil. J'espère que vous avez eu le message que je vous ai laissé à propos de Haylea. Quelqu'un peut me dire comment elle va, s'il vous plaît?

Personne ne me rappela. Ne sachant pas quelle était la meilleure conduite à tenir, je réitérai mon appel à 8 heures et, à mon grand soulagement, quelqu'un décrocha.

— Allô? dit une voix de femme – peut-être celle de Fran?

— C'est Cathy Glass, j'ai laissé deux messages sur votre répondeur au sujet de Haylea Walsh.

— Oui, bonjour Cathy, c'est Fran à l'appareil. En effet, j'ai écouté vos messages. Je viens d'arriver et j'ai parlé à Haylea. Elle dit qu'elle est désolée d'avoir envoyé des textos toute la nuit, mais elle n'arrivait pas à dormir.

— Elle n'a pas à s'excuser. Je me suis inquiétée, ses messages étaient tellement noirs… Elle a besoin d'aide.

— Je sais. Elle a dit à Cook qu'elle n'en pouvait plus de la vie qu'elle menait et qu'elle aimerait vous avoir comme mère. Aujourd'hui, j'ai rendez-vous avec son assistante sociale et un intervenant spécialisé en santé mentale. Nous réussirons peut-être à la convaincre de voir une psychologue.

— D'accord, merci. J'ai bon espoir.

11

«JE DÉTESTE MA VIE»

Ce lundi-là, je n'eus pas de texto de Haylea ni de nouvelles de Shari, à qui j'avais pourtant envoyé par e-mail une mise à jour de mon carnet de bord. Sur le groupe WhatsApp, la mère de Kirsty remercia tous les invités pour leur venue et leurs gentils messages. Elle posta également un lien vers le site Internet du photographe pour les personnes qui souhaitaient commander des tirages. Puis Kirsty publia à son tour un commentaire où, parlant en son nom et en celui d'Adrian, elle remercia tout le monde d'avoir fait de cette journée une réussite et de les avoir couverts de cadeaux.

Shari ne me téléphona que le mardi après-midi. Comme à son habitude, elle me confirma tout d'abord qu'elle avait lu mon e-mail.

— Comment va Darcy-May? s'enquit-elle.

On aurait pu facilement oublier que c'était Darcy-May dont j'avais la charge, avec tous les événements impliquant Haylea.

— Elle se porte à merveille, répondis-je. Je l'emmène une fois par semaine à la clinique de quartier pour qu'elle soit pesée et mesurée. Elle est parfaitement dans les courbes, son carnet de santé est à jour. Je prends beaucoup de photos et j'ai commencé un album de naissance.

— Merci. Le service d'adoption devrait me contacter prochainement. Et j'avais rendez-vous à Waysbury hier. Haylea a accepté d'entamer une thérapie.

— Excellente nouvelle.

— Elle a aussi demandé à vous voir. Nous pensons que deux heures par semaine, ça pourrait être une bonne idée.

— Oh, d'accord, dis-je après une hésitation.

— Elle aimerait que ces visites aient lieu chez vous.

— Vous savez que Darcy-May sera là? Je ne vais pas pouvoir la cacher.

— Nous n'y voyons pas d'objection. Haylea avait la possibilité de maintenir le lien avec sa fille, et si elle avait accepté, elle l'aurait vue au moins une fois par semaine jusqu'à son adoption.

— Vous ne craignez pas qu'elle s'attache à Darcy-May et que la séparation soit d'autant plus douloureuse?

Je posai la question tout en me rendant compte que c'était peu probable, d'après ce que j'avais vu jusqu'à présent.

— Haylea sait que Darcy-May sera chez vous, mais elle a dit qu'elle l'ignorerait.

— En effet, c'est l'attitude qu'elle a eue au centre familial et quand elle est passée chez moi.

— Oui, ça figurait dans le compte rendu de la médiatrice. Je vais donc donner mon feu vert à Haylea pour une visite hebdomadaire de deux heures à votre domicile. Y a-t-il un jour qui vous arrange plus qu'un autre? Haylea n'étant pas scolarisée pour l'instant, elle peut venir n'importe quand. Elle a proposé le mercredi.

— C'est d'accord. Donc à compter de demain?

— Oui.

— Et est-ce que vous avez abordé le sujet des textos?

— Elle a le droit de vous en envoyer, si vous n'avez pas d'objection.

— Haylea doit simplement comprendre que si je suis occupée, il m'est impossible de répondre tout de suite et que j'éteins mon téléphone la nuit. J'ai paniqué quand je l'ai rallumé l'autre jour et que je suis tombée sur cette série de messages désespérés.

— Nous en avons parlé hier. Haylea a compris que, vu son état, elle aurait dû s'adresser à l'éducatrice qui était d'astreinte cette nuit-là.

— Bien.

— Et s'il vous plaît, pensez à mentionner les visites de Haylea dans le carnet de bord de Darcy-May. Je vais informer Joy de ce qui a été convenu.

Ce fut comme si le terrain d'entente concernant Haylea devenait soudain officiel.

— Je sais que ça va de soi, ajouta Shari, mais si Haylea se confie à propos de violences qu'elle aurait subies ou de tout autre élément important, merci de nous prévenir.

— Bien entendu.

Une assistante familiale se doit de transmettre toute information concernant l'enfant à l'assistante sociale en charge du dossier.

Une heure plus tard, soit le temps qu'il fallut à Shari pour prévenir Haylea, celle-ci m'envoya un texto.

Shari vient d'appeler et j'ai le droit de vous voir toutes les semaines ! Je suis super contente que vous soyez ma mère d'accueil. Merci. Je vous adore !

J'étais certaine que Shari n'avait pas présenté la nouvelle organisation ainsi, et bien sûr, la réaction de Haylea était disproportionnée, mais il y avait fort à parier que Shari et les autres professionnels qui avaient donné leur accord connaissaient le ton de ses messages. Cependant, je ne manquerais pas d'archiver tous ses textos et de prendre des notes sur ses visites. Cela pouvait se révéler utile à l'avenir, soit pour les services sociaux, soit pour moi – je préférais me couvrir.

À demain, écrivis-je à Haylea.

Aussitôt, nouveau texto : *Si vous saviez comme je suis contente ! Plein de bisous.*

Jusqu'au soir, Haylea m'envoya encore six SMS pour me raconter le déroulement de sa journée et me dire combien elle avait hâte de me revoir. Je reçus également un message vocal dans lequel son euphorie était palpable. Je lui répondis par texto et non de vive voix, confirmant sobrement que je la verrais à 14 heures. Elle ne se manifesta plus après dîner, mais dès le lendemain matin, nouvelle avalanche de messages, soit pour me décrire le menu du petit-déjeuner, soit pour me répéter qu'elle était toute contente de passer chez moi, soit pour me prévenir qu'elle n'allait pas tarder à monter dans le bus. Elle m'envoya un dernier texto pour me prévenir qu'elle serait en avance, ce que j'avais déjà compris vu l'heure à laquelle elle s'était mise en route.

Cependant, lorsqu'elle se présenta sur le pas de ma porte à 13 h 30, sa joie s'était envolée. Dès que j'ouvris la porte, je vis à sa mine qu'elle était déprimée.

— Qu'est-ce qui se passe? lui demandai-je alors qu'elle entrait dans le vestibule.

Elle haussa les épaules. Alors qu'elle me suivait jusqu'au salon, je lui proposai une boisson qu'elle refusa. Darcy-May était à l'étage, dans son berceau, pour sa sieste de l'après-midi, et je la surveillai grâce à l'écoute-bébé. Haylea alla s'asseoir sur le canapé, la tête basse. Comme d'habitude, elle portait un gilet long et une robe à fleurs qui cachait ses genoux.

— Qu'est-ce qui se passe? répétai-je en m'asseyant dans un fauteuil.

Nouveau haussement d'épaules.

— Je ne peux pas vous le dire.

— Tu en as parlé à quelqu'un de Waysbury ou à ton assistante sociale?

Elle secoua la tête.

— Je pensais que tu avais le moral, vu les messages que tu m'as envoyés. Pourquoi ce changement?

— Il faut que j'aille chez le médecin, lâcha-t-elle d'un ton sombre.

— Tu es malade?

— Je ne sais pas.

— Tu as mal quelque part?

— Non.

— Tu ne te sens pas bien?

— Non.

— Dans ce cas, pourquoi penses-tu avoir besoin de consulter un médecin?

— Quelqu'un de l'hôpital a téléphoné pour me dire de prendre rendez-vous, murmura Haylea en fuyant mon regard.

— Quel hôpital?

— Celui où j'ai accouché.

Je n'y comprenais rien.

— Tu as besoin d'un traitement? demandai-je.

— Je crois.

— Haylea, trésor, j'ai vraiment du mal à suivre. Je ne peux pas t'aider si tu ne m'expliques pas le problème.

— Si je vous le dis, vous allez me prendre pour une salope.

— Bien sûr que non.

L'idée que Haylea puisse être de nouveau enceinte me traversa l'esprit un bref instant.

— En plus des nombreux enfants et adolescents que j'accueille, j'ai deux filles et un fils, poursuivis-je. Crois-moi, je sais quels problèmes les jeunes de ton âge sont amenés à rencontrer, y compris les plus intimes.

Elle hésita, continua à fuir mon regard et se mordilla la lèvre.

— L'hôpital a fait des analyses quand j'ai eu le bébé, dit-elle enfin. J'avais une infection. Ils m'ont donné des antibiotiques et je devais reprendre rendez-vous pour vérifier que c'était terminé.

— Ça m'a l'air tout à fait normal, alors où est le problème?

— Il faut qu'ils mettent une espèce de bâton… là, en bas. C'était horrible, la dernière fois. Je ne veux pas y retourner.

— Tu as une IST? Une infection sexuellement transmissible? demandai-je en restant pragmatique.

— Oui. Vous voyez bien que je suis une salope.

— Arrête de dire ça, répliquai-je fermement. Tu n'es pas la première adolescente que je connais qui contracte une IST, mais en effet, c'est important que tu prennes rendez-vous. Comme ça, on sera sûr que tu es guérie. Autrement, la maladie peut s'aggraver et entraîner d'autres problèmes ailleurs dans ton corps, y compris des cancers.

— C'est ce que l'infirmière a dit, mais si j'y retourne, ils vont refaire des analyses et me demander avec qui j'ai couché.

— C'est pour que ton partenaire se fasse soigner aussi et qu'il ne contamine pas d'autres personnes, expliquai-je.

— Je ne peux pas leur dire, il me tuerait, balbutia Haylea, le visage tordu par l'angoisse.

— Tu veux parler du père du bébé? demandai-je.

Elle hocha la tête. Je l'aurais volontiers prise dans mes bras, mais comme je n'étais pas sûre qu'elle en ait envie, je me contentai de la rejoindre sur le canapé.

— Haylea, ma puce... Je comprends que tu sois inquiète, mais il ne saura pas qui a donné son nom. Il sera contacté, on lui demandera de prendre rendez-vous pour se faire tester et c'est tout. Les gens de l'hôpital ne diront pas que l'information vient de toi. Comme il ne sait sans doute pas qu'il a une infection, il risque de la propager.

Je trouvai triste d'avoir une conversation pareille avec une adolescente de quinze ans, mais elle était nécessaire.

— Je ne peux pas leur donner ses coordonnées, je ne les connais pas, dit Haylea. Enfin, je sais à quoi il ressemble mais je n'ai pas son adresse.

— Donc tu ne le vois plus?

Elle secoua la tête.

— Ce n'était pas du sérieux.

— Très bien. Dis à l'infirmière ce que tu sais, mais ça reste important que tu ailles à ton rendez-vous de suivi pour t'assurer que tu es guérie.

Haylea acquiesça faiblement.

— Et personne d'autre n'est au courant? Ni Shari, ni un employé de Waysbury? demandai-je.

— Non.

— Alors il va falloir les prévenir, et quelqu'un ira avec toi.

— Vous ne pouvez pas, vous? demanda Haylea.

— Non, trésor, je m'occupe de Darcy-May. Mais je suis sûre qu'un employé de Waysbury t'accompagnera. Peut-être ton éducatrice, Dylis?

— Vous voulez bien leur en parler?

— Si c'est ce que tu souhaites.

— Oui.

Grâce à l'écoute-bébé, j'entendis que Darcy-May commençait à se réveiller.

— Il faut que je monte la chercher, indiquai-je.

— Si je m'en vais maintenant, ça ne vous dérange pas de téléphoner à Fran pour qu'elle soit au courant avant mon retour? demanda Haylea.

— D'accord, ma puce. Mais surtout, ne sois pas gênée. Je suis sûre que Fran et Shari ont déjà eu à s'occuper de ce genre de choses.

Elle me lança un regard apeuré.

— Ne t'inquiète pas, je vais leur parler, la rassurai-je.

Comme elle préférait partir, je la raccompagnai à la porte. Puis je montai dans ma chambre, changeai Darcy-May et redescendis avec elle pour lui donner le biberon, avant de téléphoner au foyer.

Je tombai directement sur Fran.

— Bonjour, Cathy Glass à l'appareil. Haylea est partie de chez moi il y a un quart d'heure à peu près. Elle m'a demandé de vous appeler pendant qu'elle était sur le chemin du retour. Elle est gênée parce qu'elle a une IST. Apparemment, il y a eu des analyses quand elle était à l'hôpital pour l'accouchement, on lui a prescrit des antibiotiques et on lui a dit de reprendre rendez-vous pour vérifier que l'infection avait été correctement traitée. Seulement elle ne veut pas retourner à l'hôpital, d'une part parce qu'elle appréhende le prélèvement, d'autre part parce qu'elle a peur qu'on l'interroge sur ses partenaires sexuels. Je l'ai rassurée comme j'ai pu, mais serait-il possible que quelqu'un lui parle et l'accompagne à ce rendez-vous?

— Oui, bien sûr. La pauvre, elle aurait dû nous le dire. Son assistante sociale est-elle au courant?

— Je ne pense pas. Haylea ne lui a rien dit non plus.

— Et l'hôpital ne l'aura pas prévenue non plus. À son âge, Haylea a le même droit à la confidentialité sur ces sujets qu'une adulte.

Je le savais pour l'avoir appris en formation. Tant que le médecin estime que son patient est en mesure de comprendre les informations et les décisions à prendre, le secret médical s'applique vis-à-vis des parents ou des tuteurs légaux.

— Haylea m'a aussi confié qu'elle ne pouvait pas donner d'informations sur le père du bébé, sinon il allait la tuer, pour reprendre ses mots.

— Charmant, dit Fran d'un ton sombre.

— Je me suis dit la même chose. Haylea ne veut plus le voir.

— C'est noté, je lui en parlerai à son retour. Et je demanderai à Dylis de prendre rendez-vous pour elle et de l'accompagner.

— Merci. Je reverrai donc Haylea mercredi prochain.

Dix minutes après que j'eus raccroché, Haylea m'envoya un texto.

Je suis presque arrivée. Vous les avez prévenus?

Oui, répondis-je, *j'ai eu Fran au téléphone. Tout va bien, ne t'inquiète pas. Elle attend que tu rentres pour t'en parler.*

Qu'est-ce qu'elle a dit? Elle est fâchée contre moi?

Bien sûr que non. Elle comprend la situation et va t'aider. Ce sera sans doute Dylis qui t'accompagnera au rendez-vous.

J'ai peur.

Ça va bien se passer.

Une heure plus tard, Haylea me prévint par texto qu'elle avait vu Fran.

Elle a été très gentille. Tout le monde est aux petits soins pour moi alors que je ne le mérite pas.

Bien sûr que si, tu le mérites, insistai-je. *Tu es quelqu'un de bien. Passe une bonne soirée.*

Lorsque Haylea m'écrivit un peu plus tard pour raconter qu'elle donnait un coup de main à Cook, le moral semblait un peu meilleur. Sauf qu'à

21 heures, je reçus le message suivant: *Je déteste ma vie.*

Tu es dans ta chambre? m'enquis-je.

Oui.

Il faut que tu parles à quelqu'un. S'il te plaît, ne reste pas toute seule, descends.

Je ne peux rien dire. Si ça se sait, on va me détester.

Je suis sûre que non. Et si quoi se sait?

Rien.

Quand vois-tu la psychologue? demandai-je.

Vendredi.

Tu ne dois pas t'isoler comme ça. Il n'y a personne dans le salon qui pourrait te tenir compagnie?

Je ne sais pas.

Ensuite, silence radio. Je m'inquiétai à l'idée qu'elle reste seule dans sa chambre à tourner en rond et à broyer du noir. D'un autre côté, venir aux nouvelles régulièrement en lui envoyant des textos, c'était la conforter dans sa dépendance vis-à-vis de moi. Elle pouvait compter sur son assistante sociale et l'équipe de Waysbury, le premier rendez-vous avec sa psychologue approchait. Mais forcément, je me faisais du mauvais sang. Si j'avais été son assistante familiale, je l'aurais mieux connue, j'aurais pu évaluer son état d'esprit et me tenir à sa disposition pour l'aider le cas échéant. Là, j'imaginais toutes sortes de scénarios. À 22 h 30, alors que je m'apprêtais à aller me coucher, je finis par lui envoyer un texto.

Est-ce que ça va?

Haylea répondit au bout d'une demi-heure.

Oui. Merci de vous soucier de moi.

Je ne suis pas la seule, répondis-je. *J'espère que tu vas bien dormir. Comme je vais me coucher, mon téléphone sera éteint. Bonne nuit.*

Haylea dut dormir tard le lendemain matin car son premier texto arriva vers midi.

Je m'excuse d'être aussi pénible. Vous devez en avoir marre.

Je n'en ai pas marre, répondis-je, *mais je m'inquiète pour toi.*

C'est gentil. Personne ne s'était jamais inquiété pour moi avant.

Je la crus sur parole.

Pendant le reste de la journée et jusqu'à la fin de la semaine, Haylea continua à m'envoyer régulièrement des messages pour me raconter sa vie. *Je m'ennuie, tout le monde est sorti... On dit que je dois aller marcher un peu... Je suis dans ma chambre... Je dîne... J'en ai ras le bol...*, etc. C'était surtout le soir, quand elle se retrouvait seule dans sa chambre, qu'elle avait une grosse baisse de moral. Je l'encourageais à s'adresser à l'employé d'astreinte, sans savoir si cela servait à quelque chose. À partir du moment où elle était dans sa chambre, l'équipe partait peut-être du principe qu'elle dormait. Je notai cette remarque dans le journal de bord de Darcy-May, comme Shari me l'avait demandé.

Le vendredi matin, Haylea m'envoya ce message : *Je vais bientôt voir la psychologue. Je vous embrasse.*

Bon courage.

J'étais consciente que la thérapie par la parole ne convenait pas à tout le monde. Le moment doit être propice et le patient se sentir suffisamment en confiance pour exposer ses souffrances et ses peurs les plus intimes. Cependant, comme Haylea avait accepté de consulter, j'espérais que ce rendez-vous serait une première étape sur le chemin de la guérison.

Je me trompais.

12

Une chambre de libre

Vous allez me détester.

Ce fut le message que Haylea m'envoya le vendredi à 13 heures, sans doute après son rendez-vous avec la psychologue. J'étais sur le point de rejoindre Lucy et Emma, car il faisait beau et nous voulions en profiter pour aller dans un parc près de chez elles. J'étais en train de vérifier que le sac à langer contenait tout le nécessaire – c'est toute une aventure de sortir avec un bébé – tandis que Darcy-May m'observait en souriant depuis son transat. Je m'interrompis le temps de répondre au texto de Haylea.

Je ne vais pas te détester. Qu'est-ce qui t'arrive? Tu as vu la psychologue? Peut-être qu'elle n'était pas allée au rendez-vous.

Oui.

Et ça s'est mal passé?

Je ne lui ai pas parlé.

Ne t'inquiète pas, elle doit avoir l'habitude. Tu seras peut-être plus à l'aise la prochaine fois.

J'aurais dû lui parler. J'ai eu tort. Je suis un monstre.

Bien sûr que non.

Vous ne savez pas ce que j'ai fait. Vous me détesteriez si vous saviez.

Je m'assis sur le canapé et regardai Darcy-May tandis qu'un frisson me parcourait l'échine.

Si je savais quoi, Haylea ? répondis-je. *C'est sans doute moins grave que tu le penses.* J'hésitai à l'appeler, elle ne m'en laissa pas le temps.

Si, c'est très grave.

Tu en as parlé à quelqu'un ?

Non. Je ne peux pas.

Même à moi ?

Je déteste ma vie. Je veux mourir.

Je lui téléphonai mais elle ne décrocha pas. Après avoir attendu puis réessayé, je prévins Lucy par texto que je serais en retard. Comme j'étais toujours sans nouvelles de Haylea, je la relançai par texto : *Si tu es au foyer, va parler à un employé, s'il te plaît.*

Impossible.

Alors dis-moi ce qui ne va pas.

Pas de nouveau texto, mais mon téléphone se mit à sonner et le numéro de Haylea s'afficha à l'écran. Je pris aussitôt la communication.

— Coucou, ma puce, dis-je gentiment.

Je n'entendis que des sanglots pour toute réponse.

— Haylea, qu'est-ce qui se passe ? Où es-tu ?

J'attendis. Elle pleurait toujours.

— Haylea, s'il te plaît, parle-moi.

— Oh, Cathy, je préférerais être morte.

— Non. Il n'y a pas de problème, il n'y a que des solutions.

— C'est trop grave…

— Explique-moi.

S'ensuivit un silence, puis Haylea demanda :

— Je peux vous poser une question ?

— Oui, bien sûr.

Darcy-May, qui avait cessé de sourire, me regardait à présent avec un air grave, comme si elle ressentait la détresse de sa mère.

— Je t'écoute, trésor.

Nouveau silence, puis :

— Ça vous est arrivé de connaître quelqu'un à qui on fait du mal et de ne rien dire par peur que ça vous retombe dessus ? On est un monstre, dans ce cas-là ?

Je tentai d'y voir plus clair dans ses propos.

— Non, mais je tâcherais d'aider cette personne et d'empêcher que ça se reproduise, en prévenant quelqu'un, par exemple. Haylea, cette situation dont tu parles, c'est la tienne ?

Silence.

— Haylea ?

— Oui, murmura-t-elle.

— À qui est-ce qu'on fait du mal ?

Pas de réponse.

— Haylea, à qui est-ce qu'on fait du mal ? insistai-je.

— À quelqu'un comme moi.

— Comme toi ? Tu veux dire une personne mineure ?

— Oui.

Mon sang se glaça.

— Qui ?

— Je ne peux pas vous le dire.

— Où vit cette personne ?

Nouveau silence.

— Haylea? Où vit cette personne?

— Ça s'est peut-être arrêté, dit-elle.

— Haylea, si tu connais un enfant ou un adolescent à qui on fait ou on a fait du mal, tu dois le dire à quelqu'un. À moi, sinon à ton assistante, à un employé de Waysbury ou à la police.

— Non, je ne peux pas!

Sur ce, Haylea coupa la communication.

J'essayai de la rappeler mais pas de réponse, alors j'envoyai un texto : *Haylea, s'il te plaît, décroche. Il faut que je te parle.*

Après avoir rongé mon frein quelques minutes, je téléphonai au foyer de Waysbury.

— Est-ce que Fran est là, s'il vous plaît?

— Non. Qui la demande?

— Cathy Glass.

— Bonjour, Cathy. C'est Dylis, l'éducatrice de Haylea.

— Est-ce que Haylea est au foyer?

— Non, je l'ai déposée en ville ce matin après son rendez-vous avec la psychologue. Pourquoi?

— Je viens de l'avoir au téléphone, elle est bouleversée.

Je rapportai ses propos sur la situation qu'elle avait évoquée.

— En effet, c'est inquiétant, murmura Dylis. Je vais l'appeler.

— Elle m'a aussi dit qu'elle n'avait pas réussi à se confier à la psychologue ce matin.

— Je ne sais pas comment s'est passé le rendez-vous, j'ai attendu dans le couloir. Elle est restée quasiment une heure et elle y retourne la semaine prochaine.

— Dans quel état d'esprit était-elle en sortant?

— Elle m'a à peine parlé, mais elle n'est de toute façon pas du genre loquace. Nous faisons tout notre possible pour la sortir de sa réserve et l'intégrer.

— Il y a peut-être eu un incident après que vous l'avez déposée, hasardai-je.

— Je vais lui téléphoner tout de suite.

— Merci.

Comme je ne pouvais rien faire de plus, j'envoyai un texto à Lucy pour lui dire que je me mettais en route. Puis, perdue dans mes pensées, je quittai la maison avec le sac à langer et Darcy-May, que j'installai dans son siège auto. À vrai dire, Haylea n'avait pas révélé grand-chose, mais sa façon de s'exprimer avait quelque chose de particulièrement alarmant – la combinaison de ses sous-entendus à propos de quelqu'un à qui l'on faisait du mal et sa situation personnelle d'adolescente très perturbée. Il n'était pas exclu que Haylea exagère, qu'elle tire des conclusions hâtives, voire qu'elle fabule, mais le sixième sens que j'avais développé à force de côtoyer des enfants maltraités me poussait à la croire. J'espérais que Dylis aurait plus de succès que moi s'agissant d'encourager Haylea à dévoiler ce qu'elle savait. Et cette manie de se traiter de monstre était tout de même étrange.

Même si j'étais contente de voir Lucy et Emma, pour être honnête, mes inquiétudes au sujet de Haylea ne m'aidèrent pas à passer un bon moment. Je m'abstins d'en parler à Lucy pour ne pas l'inquiéter. Si Haylea disait vrai et qu'un enfant était maltraité, il était fort possible que les violences soient encore d'actualité et cette idée me tarauda tout l'après-midi. Je vérifiai mon téléphone régulièrement : pas de nouvelles de Haylea, et je doutai d'avoir des informations par Dylis étant donné que je n'intervenais pas officiellement sur ce dossier.

À presque onze mois, Emma aimait être poussée sur la balançoire, descendre le toboggan avec Lucy ou jouer sur le tourniquet, et elle arrivait à faire quelques pas si sa mère la tenait par la main. Darcy-May, qui avait trois mois, était trop petite pour l'imiter, mais elle aimait la regarder.

Il était 16 heures lorsque nous quittâmes le parc. Comme je m'étais garée au pied de l'immeuble de Lucy, je la raccompagnai, récupérai ma voiture et rentrai à la maison. Puis ce fut l'heure de la routine du soir : après m'être occupée de Darcy-May, je préparai à dîner pour Paula et moi. La table paraissait un peu vide, étant donné qu'Adrian et Lucy avaient quitté la maison et que je n'accueillais pas d'enfants en âge de manger avec nous.

Dans la soirée, au moment de remplir le carnet de bord, je retranscrivis les messages de Haylea ainsi que la discussion que nous avions eue par téléphone. J'en informai également Shari par e-mail avec Joy en copie. C'était maintenant à Shari d'aviser à partir de ces nouveaux éléments. Dans un registre plus positif, Adrian téléphona pour nous inviter à dîner le dimanche suivant.

Le mercredi, j'emmenai Darcy-May à la clinique pour son rappel de vaccin. Comme la première fois, j'appréhendai le rendez-vous. Et comme la première fois, elle se mit à pleurer lorsque l'aiguille s'enfonça dans son bras puis se calma très vite. La troisième injection était prévue dans un mois.

N'ayant pas de nouvelles de Haylea, je me demandai si sa visite prévue dans l'après-midi était maintenue. À 14 h 30, ne la voyant toujours pas arriver, je lui envoyai un texto : *Tu viens aujourd'hui ?* En cas de réponse négative, j'avais de quoi m'occuper.

Elle ne se manifesta qu'une demi-heure plus tard et je reçus un coup au cœur à la lecture de son message : *Je connais quelqu'un à qui on fait du mal, mais je n'ai pas le droit d'en parler.*

Forcément, je me posai la question : disait-elle vrai ou était-elle en train de me manipuler ?

Comme elle ne décrocha pas lorsque je tentai de l'appeler, je lui écrivis : *Il faut que tu en parles à quelqu'un. Dylis est là ?*

Non, répondit-elle aussitôt.

Et Fran ou un autre membre de l'équipe ?

Je ne peux pas leur dire. Vous voulez bien le faire à ma place ?

Oui, seulement je vais devoir préciser d'où je tiens mes informations. À qui fait-on du mal ?

Quelques minutes plus tard, nouveau texto : *Ils sont peut-être à…* m'indiquant une adresse à environ cinq kilomètres à l'autre bout de la ville.

Qui est là-bas ? insistai-je.

Un frère et une sœur.

Et tu penses qu'on les maltraite ?

Oui.

Il fallait que je parle directement à Haylea, mais elle ne prit pas mon appel. Je ne savais vraiment pas si je devais la croire ou non.

Comment s'appellent-ils ?

Je ne suis pas sûre. Mes doutes se renforcèrent.

Quel âge ont-ils ?

Cinq et sept ans, je crois.

Pourquoi dis-tu qu'on leur fait du mal ?

Nouvelle pause, puis : *Je le sais, c'est tout.*

À partir de là, plus de messages. Je tentai à nouveau de la rappeler, mais en l'absence de réponse, je m'interrogeai sur les raisons qui pouvaient éventuellement pousser Haylea à me manipuler. Je contactai le foyer et demandai à parler à Fran ou à Dylis, mais ni l'une ni l'autre n'étaient disponibles. Alors j'expliquai à la personne au bout du fil qui j'étais, que Haylea et moi correspondions par texto, qu'elle m'avait indiqué une adresse à laquelle vivaient deux enfants potentiellement victimes de mauvais traitements, mais que je n'en savais pas plus.

— Elle est quelque part dans le foyer, me répondit-on. Je vais la voir et lui en toucher un mot.

— Merci.

Je téléphonai ensuite à Shari pour lui répéter ce que Haylea m'avait dit.

— Quelle adresse a-t-elle donnée ? demanda Shari.

Je la lui dictai.

— Et elle ne vous a pas précisé l'identité de ces enfants ?

— Non.

— Comment est-ce qu'elle les connaît ?

— Je ne sais pas, elle n'a pas voulu m'en dire plus.

— Je vais lui parler.

À ce stade, j'avais toujours des doutes sur la véracité des propos de Haylea, que je trouvais trop vagues. Il n'était pas exclu qu'elle cherche ainsi à attirer l'attention et recevoir l'amour dont elle avait été privée durant l'enfance. Il arrive que des enfants ou des adolescents profèrent de fausses accusations, et des vies s'en retrouvent détruites. Mais il est à noter que d'habitude, ils se disent eux-mêmes victimes, ils ne désignent pas d'autres personnes.

Joy me téléphona le lendemain pour planifier sa prochaine visite. Comme elle n'était pas au courant des derniers événements, je résumai la situation et lui lus les textos de Haylea. Elle promit de se renseigner auprès de Shari sur ce qui allait être mis en œuvre et de me tenir informée.

Le jour suivant, je reçus un texto de Haylea : *La police est allée à l'adresse que je vous ai donnée ?*

Je ne sais pas. Les autorités ont été prévenues ?

Des agents sont venus me voir.

Je n'ai pas d'autres informations. Demande plutôt à Shari. Tu as bien fait de parler à la police. Comment tu te sens ?

J'ai peur.

J'essayai de l'appeler mais en l'absence de réponse, je poursuivis à l'écrit : *Qu'est-ce que je peux faire pour t'aider ?*

Rien. Personne ne peut rien pour moi.

Si, on est nombreux à te tendre la main. Tu es à Waysbury ?

Oui.

Dylis est disponible pour t'écouter ?

Non, mais merci de vous intéresser à moi.

Et la conversation en resta là. Plus de messages, et Haylea ne répondait pas au téléphone. Je n'étais plus qu'une boule de nerfs tant je m'inquiétais pour elle. Si elle avait parlé à la police, c'était sans doute qu'elle disait vrai. Dans la soirée, je prévins Shari par e-mail que Haylea était angoissée, puis je mis mes notes à jour. Je n'en appris pas davantage jusqu'à la visite de Joy la semaine suivante.

— Les policiers se sont rendus à l'adresse indiquée par Haylea, m'annonça-t-elle. Mais il n'y a pas d'enfants là-bas, ils n'ont trouvé qu'un homme vivant seul. Ils ont essayé d'obtenir d'autres informations de Haylea, mais elle a dit qu'elle n'en savait pas plus. Sans l'identité des victimes ou davantage de précisions sur les violences présumées, les autorités sont dans l'impasse.

Joy demanda à voir les textos de Haylea et je lui remis mon téléphone.

— Je ne pense pas qu'il soit possible de faire plus pour l'instant, soupira-t-elle après avoir tout lu.

Ensuite, nous nous concentrâmes sur Darcy-May, la raison première de la venue de Joy. Je lui montrai le carnet de santé puis nous discutâmes de son rythme quotidien et de son développement général. Joy dit que le service d'adoption ne s'était pas manifesté et termina sa visite par une inspection de la maison, avec une attention particulière portée à la partie de ma chambre où dormait Darcy-May. Satisfaite, elle redescendit au rez-de-chaussée.

— Est-ce que l'homme domicilié à l'adresse indiquée par Haylea a un casier judiciaire ? demandai-je en retournant au salon avec Joy pour qu'elle récupère ses affaires.

— Je ne sais pas, mais les policiers ont certainement vérifié. Quand ils ont suggéré à Haylea qu'elle s'était peut-être trompée dans l'adresse, elle n'a pas bronché.

— À votre avis, ce serait possible qu'elle ait tout inventé? hasardai-je.

— Je pense qu'elle est sans doute très perturbée.

— Je m'inquiète pour elle.

— Je sais bien, Cathy.

Je raccompagnai Joy à la porte puis me concentrai sur Darcy-May. Tous les jours, j'étalais une couverture par terre et j'y plaçais la petite sur le ventre pour qu'elle puisse se dégourdir les bras et les jambes, gigoter à loisir et se retourner. Ces petites séances contribuaient à renforcer les muscles de la nuque et à développer la coordination des membres, d'ailleurs elle n'allait plus tarder à ramper. Conformément aux recommandations en vigueur, je mettais Darcy-May dans cette position deux ou trois fois par jour. Elle appréciait, quelques minutes tout du moins, puis réclamait mes bras.

— Cathy, vous disposez d'une chambre de libre et d'un agrément pour accueillir des adolescents.

Lorsque Joy me téléphona deux jours plus tard en commençant par ces termes, je crus deviner la suite.

— C'est exact, répondis-je. Mais je me plais bien avec seulement Darcy-May pour l'instant.

— Oui, ça se voit et vous faites du bon travail. Mais je viens d'avoir une longue conversation avec Shari. Elle voudrait savoir si vous pouviez également héberger Haylea.

— Comment? m'écriai-je. Elle vivrait sous le même toit que son bébé?

— Oui. Shari pense que Haylea se sentirait mieux dans une famille d'accueil, et Haylea demande à vivre chez vous.

Toutes sortes de scénarios inquiétants se bousculèrent dans mon esprit.

— Mais qu'en est-il de Darcy-May? Elles vont cohabiter, Haylea la verra tous les jours. Il y a un risque d'attachement.

— Nous en avons discuté, mais la plupart des mères qui sont prises en charge par les services sociaux vivent avec leur bébé dans un premier temps, même quand il n'est pas prévu qu'elles le gardent.

Ce que je savais, mais nous n'avions manifestement pas la même vision des choses. Pourquoi risquer de créer un lien qui serait forcément brisé un jour, s'il était possible de l'éviter?

— Haylea insiste pour être placée chez vous, répéta Joy. Elle a l'impression que vous êtes la seule personne avec qui elle se sent suffisamment à l'aise pour se confier.

— Oui, enfin… Elle a aussi une psychologue à qui parler.

— Haylea honore ses rendez-vous, mais elle n'a pas encore abordé les sujets qui la tourmentent.

Cela ne m'aidait pas à me décider.

— Shari m'a dit que la famille de Haylea était connue des services sociaux. Est-ce qu'on a plus d'informations là-dessus?

Comme on me demandait d'accueillir Haylea, j'étais en droit de poser la question.

— C'était après le départ de sa mère, quand son père s'est mis en couple avec une autre femme. Une voisine a téléphoné à la police pour signaler des négligences à l'encontre de Haylea. Elle a précisé que les faits remontaient à l'époque où la mère vivait encore au domicile mais qu'elle avait préféré ne pas s'en mêler sur le moment. Une assistante sociale – ce n'était pas Shari – est passée deux fois chez la famille. À première vue, le père et la belle-mère ont donné l'impression de bien s'occuper de Haylea et de faire passer ses besoins en priorité même si, au quotidien, elle vivait un peu en décalé. Lors de la visite de contrôle, l'assistante sociale a noté une amélioration et estimé qu'il n'y avait plus lieu de s'inquiéter. Je peux vous faire suivre le dossier si vous le souhaitez.

— Oui, je veux bien. Haylea a-t-elle déjà eu affaire à la police? demandai-je. Je sais que son père a un casier judiciaire et que son frère est actuellement en prison.

— Non, jamais. Elle est introvertie et manque de confiance en elle, mais un placement en famille d'accueil lui permettrait de s'épanouir. Elle s'intègre difficilement à Waysbury.

— Oui, je sais. Et qu'est-il envisagé au niveau de sa scolarité?

— Nous sommes en train de lui chercher un nouvel établissement, et dans l'intervalle, nous organiserons des cours à domicile plusieurs fois par semaine.

Je restai silencieuse quelques instants, le temps de mettre un peu d'ordre dans mes pensées.

— Si j'accepte, combien de temps Haylea vivra-t-elle chez moi?

— Jusqu'à ses dix-huit ans, quand elle ne sera plus sous la tutelle des services sociaux.

— Donc son placement se prolongera après l'adoption de Darcy-May?

— C'est ce qui est prévu, oui.

— Et que se passera-t-il si je ne l'accueille pas chez moi?

— On lui trouvera une autre assistante familiale, mais Haylea insiste pour que ce soit vous.

— Est-ce que je peux y réfléchir?

— Oui. Je vous rappellerai demain.

Non seulement j'avais besoin de peser le pour et le contre, mais je devais consulter Paula. Si les placements en urgence se décidaient parfois en quelques heures, concernant Haylea, il s'agissait d'une décision planifiée et je préférais en discuter d'abord avec ma famille. Enfin, avec Paula, maintenant qu'Adrian et Lucy avaient quitté la maison. L'accueil de Haylea n'aurait pas le même impact sur leur vie que sur celle de ma petite dernière. Si Haylea venait habiter ici, je le leur annoncerais en temps voulu.

Paula n'y vit pas d'objection, et dès le lendemain, Haylea s'installa chez nous.

13

Excès de reconnaissance

Joy téléphona dans la matinée pour connaître ma décision, puis Haylea arriva vers 16 heures avec Shari et deux énormes sacs cabas qui contenaient ses effets personnels.

— Merci d'être ma maman d'accueil, dit Haylea dès que j'ouvris la porte.

À peine eut-elle franchi le seuil qu'elle me sauta au cou, me prenant au dépourvu, alors qu'elle s'était refusée à tout contact physique jusqu'à présent. C'était sans doute l'arrivée la plus chaleureuse que j'aie connue. D'habitude, les enfants ou adolescents placés chez moi sont tristes et en colère, au moins les premiers jours, d'avoir dû quitter leurs parents ou leur précédente famille d'accueil.

— C'est un bon début, dit Shari en entrant à son tour.

Préférant remettre le rangement des affaires de Haylea à plus tard, je précédai ma nouvelle protégée et Shari dans le couloir puis dans le salon. Darcy-May était installée dans le transat, près du fauteuil que je venais de quitter.

— Coucou, ma jolie, dit Shari en se penchant sur elle.

Spontanément, je guettai la réaction de Haylea mais celle-ci resta de marbre. Sans un regard pour Darcy-May, elle s'assit sur le canapé et se perdit dans la contemplation du patio. Par cette belle journée ensoleillée, la porte-fenêtre était entrouverte et nous voyions Pammy qui somnolait dans un coin ombragé.

— Les gens du foyer m'ont offert un cadeau de départ, dit Haylea en sortant de sa rêverie et en me montrant l'écrin qu'elle tenait. C'est un collier.

Elle souleva le couvercle pour me montrer.

— Il est très joli, dis-je.

— Ils m'ont aussi écrit une carte pour me souhaiter bonne chance. Elle est dans l'un des sacs qu'on a laissés dans le couloir.

— Super. Nous la poserons dans la bibliothèque de ta chambre quand nous rangerons tes affaires.

Shari avait sorti son ordinateur portable de sa sacoche et attendait qu'il s'allume pour remplir les formulaires de placement. J'en profitai pour reprendre ma place auprès de Darcy-May.

— Joy vous a-t-elle envoyé tous les documents de prise en charge ? me demanda Shari.

— Oui, merci.

— Elle espère se joindre à nous.

J'acquiesçai. Dans l'idéal, la référente de l'assistante familiale est présente à l'arrivée d'un enfant placé, mais ce n'est pas toujours possible.

— J'ai déjà un certain nombre d'informations étant donné que vous accueillez Darcy-May, dit Shari en consultant l'écran de son ordinateur. Il n'y a plus que Paula et vous qui résidez ici de façon permanente?

— Oui.

— Et le chat, ajouta Haylea comme le ferait une petite fille.

— Tout à fait, souris-je.

La sonnette retentit et j'allai ouvrir. C'était Joy.

— Désolée pour le retard, j'ai été retenue. Est-ce qu'elles sont là?

— Elles viennent d'arriver.

Elle me suivit dans le salon. Je la présentai à Haylea puis proposai une boisson à tout le monde. Joy accepta un verre d'eau, Shari et Haylea déclinèrent.

— Je peux vous aider? demanda Haylea.

— Ça va aller, ma puce, merci.

Lorsque je quittai le salon, Joy était en train de babiller devant Darcy-May, mais cette dernière ne tarda pas à protester, soit parce qu'elle en avait assez d'être dans le transat, soit parce qu'il y avait dans la pièce trop de visages inconnus à son goût.

— Vous voulez que je la prenne? me lança Joy alors que je versais de l'eau dans un verre.

Je retournai au salon et posai le verre de Joy à portée de main. Comme Darcy-May continuait à s'énerver, Joy me la passa, tandis que Haylea semblait totalement indifférente. Je remarquai que Shari aussi scrutait sa réaction.

Joy sortit un calepin et un stylo, Darcy-May se calma une fois sur mes genoux et Shari commença à passer en revue les différents points qui sont discutés lors du placement d'un enfant. Elle vérifia auprès de Haylea qu'elle n'avait aucun traitement à prendre – elle avait terminé sa cure d'antibiotiques.

— Y a-t-il d'autres rendez-vous de suivi prévus à l'hôpital? demandai-je.

— Non, la guérison de Haylea est confirmée, dit Shari.

Elle poursuivit en indiquant que Haylea n'avait pas d'allergies alimentaires ni de régime spécifique, puis aborda la question de l'allocation hebdomadaire. J'indiquai que je la verserais à Haylea tous les samedis.

— A-t-elle un compte en banque? demanda Joy.

Quand un enfant est placé, il est habituel qu'on lui ouvre un compte d'épargne sur lequel une somme d'argent est virée chaque semaine.

— Pas encore, répondit Shari en s'arrêtant de pianoter. L'équipe de Waysbury n'a pas eu le temps de s'en occuper.

— Je m'en chargerai, intervins-je. Et quel est le montant du forfait téléphonique?

Ce sujet est parfois sensible quand l'adolescent utilise beaucoup son portable.

— Il me semble que tu ne l'as quasiment pas utilisé, dit Shari à Haylea.

— Non, j'ai encore de quoi faire.

— Alors nous le rechargerons au fur et à mesure, répondis-je.

Shari et Joy notèrent l'information. Quand un adolescent se retrouve trop souvent à court de forfait, on peut lui demander qu'il le finance lui-même avec son allocation.

— Tu aimes ton téléphone? demanda Joy à Haylea, sachant que l'adolescente n'en avait pas jusqu'à son arrivée à Waysbury.

— Oui, et mon répertoire commence à se remplir, répondit-elle fièrement. Certains résidents m'ont donné leur numéro avant que je parte. Ils vont m'envoyer des textos.

— C'est bien, sourit Joy.

La réponse de Haylea et ses manières étaient désuètes, elle ne semblait pas habituée aux moyens de communication modernes.

— Qu'est-il convenu pour les affaires de toilette et les produits de beauté de Haylea? Va-t-elle les acheter elle-même ou est-ce inclus dans votre budget?

— C'est inclus, indiquai-je. Haylea m'accompagnera et choisira ce qu'elle veut.

Quand un adolescent s'occupe lui-même de ces achats, son allocation est revue à la hausse.

— Je n'ai pas de produits de beauté, murmura Haylea. Je ne suis pas belle.

— Mais bien sûr que tu es belle, protestai-je. Et tu n'as pas besoin de produits pour ça, c'est la beauté intérieure qui compte.

— Tout à fait, renchérit Joy.

— Cathy t'achètera ce qu'il te faut, clarifia Shari, comme si elle s'adressait à une enfant plus jeune. Des articles de toilette, des serviettes périodiques et tout ce dont tu as besoin. Tu n'as qu'à lui demander.

— Merci, dit Haylea. Vous êtes toutes si gentilles avec moi. Je me plais ici.

Cette fois encore, je surpris une expression de perplexité sur le visage de Joy; elle peinait à cerner Haylea, comme moi quand je l'avais rencontrée. L'adolescente avait les manières, l'attitude et l'apparence d'une femme bien plus âgée, mais la maturité d'une petite fille. Elle détonnait avec les jeunes de son âge.

— Pourrez-vous inscrire Haylea dans votre clinique de quartier? demanda Shari.

Il était habituel que l'enfant placé soit enregistré dans la structure médicale fréquentée par sa famille d'accueil.

— Oui, ce sera la même que pour Darcy-May.

— Parfait, dit Shari en prenant note.

Elle me donna ensuite les informations concernant les séances hebdomadaires de Haylea chez sa psychologue. Lorsque je proposai à celle-ci de l'y conduire, elle refusa, disant qu'elle ne voulait pas me déranger et qu'elle s'y rendrait en bus.

— Ça ne me dérange pas, insistai-je.

— Cathy est là pour t'aider, rappela Joy.

Haylea semblait indécise.

— Bon, je vous laisse vous arranger toutes les deux, finit par dire Shari, ce à quoi j'acquiesçai.

Une fois que Shari eut terminé de remplir les différents formulaires, elle me demanda de procéder à une signature électronique par laquelle je m'engageais à accueillir Haylea conformément aux recommandations des services sociaux. Puis elle referma son ordinateur portable et annonça qu'elle souhaitait inspecter la maison avant de partir. Comme Darcy-May s'était endormie dans mes bras, je les laissai commencer la visite toutes les trois pendant que je montais l'installer dans son berceau. Même si Haylea était déjà venue chez moi, elle n'avait pas vu toutes les pièces de la maison. J'entendis Joy, qui connaissait bien les lieux pour être venue plusieurs fois, diriger la visite.

— Là, c'est le salon, où on peut regarder la télévision…

Je redescendis et les rejoignis dans la cuisine, où nous prenions également nos repas.

— Haylea se demandait si vous accepteriez son aide pour la cuisine, comme elle le faisait à Waysbury, m'indiqua Shari.

— Oui, bien sûr. J'aime bien quand on me donne un coup de main, dis-je à Haylea en souriant.

— Mais vous cuisinerez pour toute la famille? préféra s'assurer Shari. Haylea n'aura pas à préparer ses propres repas?

— Non. Le plus souvent, nous mangeons ici, répondis-je en désignant la table. Et ce sera agréable de nous retrouver à trois. Depuis quelque temps, il n'y a plus que Paula et moi, même si les autres membres de ma famille viennent parfois partager un repas avec nous. Ou alors, c'est nous qui leur rendons visite.

— Et lors de ces sorties, Haylea vous accompagnera? demanda Shari.

— Oui, si elle en a envie, bien sûr. Elle fait partie de la famille le temps de son séjour ici.

Je ne me rendis pas compte de l'effet de mes paroles sur Haylea jusqu'à ce que je l'entende renifler.

— Merci, Cathy, vous êtes si gentille avec moi, dit-elle les larmes aux yeux. Une famille...

Sa voix se brisa.

Joy me lança un regard en coin tout en tendant à Haylea la boîte de mouchoirs que je gardais dans la cuisine. Elle devait penser, comme moi, soit que Haylea souffrait de graves carences affectives, soit qu'elle cherchait à gagner ma sympathie. En tout cas, sa réaction était à la fois touchante et problématique.

Lorsque Haylea se fut ressaisie, nous poursuivîmes la visite de la maison par le bureau, situé à l'avant de la maison près de la porte d'entrée, puis l'étage, où je montrai d'abord la chambre de Haylea.

— Elle sera plus agréable une fois que tu auras rangé toutes tes affaires et que tu te la seras appropriée, la rassurai-je.

La pièce était peinte dans des couleurs neutres de manière à convenir à la plupart des âges et des goûts. Alors que Shari admirait la vue depuis la fenêtre – cette pièce était située à l'arrière de la maison et donnait sur le jardin –, le regard de Haylea se posa sur la porte de la chambre.

— Est-ce qu'il y a un verrou? me demanda-t-elle.

— Non, ma puce, aucune chambre de la maison ne ferme à clé, répondis-je. C'est pour des raisons de sécurité. Il y en avait un à ta porte quand tu vivais chez ton père?

Elle secoua la tête.

— Personne ne rentrera dans ta chambre sans ta permission, précisai-je. C'est l'une des règles de la maison. Chacun respecte l'espace des autres. Si je veux te voir, je frapperai d'abord, et j'attends la même chose de toi.

Haylea n'avait pas l'air convaincue.

— Cathy et sa fille Paula sont les seules à vivre ici, rappela Joy, percevant le malaise de la jeune fille.

— Tu rencontreras Paula plus tard, ajoutai-je. Elle a vingt-quatre ans et elle a hâte de faire ta connaissance.

— Y a-t-il un verrou à la porte de la salle de bains? demanda Shari.

— Oui, mais il est actionnable de l'extérieur en cas d'urgence, répondis-je – c'était l'usage.

— C'est comme à Waysbury, chaque porte peut être ouverte de l'extérieur si nécessaire, souligna Shari. Haylea, tu as d'autres questions?

— Non. Désolée, je suis un boulet.

— Tu n'es pas un boulet, trésor. C'est important que tu poses des questions.

Je voulus lui toucher le bras pour la rassurer mais son mouvement de recul ne m'échappa pas. Alors qu'elle avait pris l'initiative d'un contact physique à son arrivée, elle refusait à présent que j'essaie de la toucher.

De retour sur le palier, je montrai où se trouvait la chambre de Paula puis avançai jusqu'à la mienne, où Darcy-May dormait dans son berceau. Shari et Joy entrèrent sans bruit tandis que Haylea attendait sur le seuil à côté de moi.

— Si tu as besoin de quelque chose durant la nuit, appelle-moi et je viendrai, lui chuchotai-je pour ne pas déranger Darcy-May. Même si je laisse une veilleuse allumée sur le palier, je préfère que tu ne sortes pas de ta chambre, car tu risquerais de trébucher ou de tomber. Tu m'entendras peut-être me lever pour nourrir et changer Darcy-May, mais je serai aussi discrète que possible. En général, Paula ne se réveille pas.

— Vous devez vous lever toutes les nuits pour vous en occuper? demanda Haylea.

— Eh oui.

Je relevai qu'elle venait de poser une question sur Darcy-May; à ma connaissance, c'était la première fois. Jusqu'à présent, elle semblait à peine se rendre compte de son existence.

— Je suis souvent réveillée la nuit, ajouta Haylea, ce que je savais vu l'heure de ses textos lorsqu'elle vivait à Waysbury.

— À quoi sont dus tes problèmes de sommeil?

Elle s'apprêtait à répondre lorsque Joy et Shari ressortirent de ma chambre.

— Merci, dit Shari.

Et nous redescendîmes au rez-de-chaussée.

Shari vérifia avec Haylea que celle-ci ne manquait de rien, puis elle et Joy prirent congé. Lorsque je les raccompagnai, Haylea m'emboîta le pas.

— Merci de m'accepter chez vous, dit-elle sitôt la porte refermée.

— Je suis contente de t'accueillir, répondis-je. Ça va forcément te faire drôle dans un premier temps, mais tu vas rapidement prendre tes marques. Si tu as besoin de quoi que ce soit, n'hésite pas à demander.

— D'accord. Merci.

Elle ne bougea pas d'un pouce et me regarda d'un drôle d'air.

— Bon, je vois qu'il est 17 heures passées, enchaînai-je. Il faut que je prépare à manger pour ce soir.

— Je vais vous aider.

— Ou alors, tu peux commencer à ranger tes effets personnels, suggérai-je en jetant un œil aux deux grands sacs cabas restés dans le couloir. Tu te sentiras plus chez toi une fois que tu seras entourée de tes affaires.

— Oui, je peux commencer à ranger mes effets personnels, répondit-elle de son ton désuet, répétant ma phrase mot pour mot.

— Très bien. Je vais t'aider à monter les sacs.

Je joignis le geste à la parole puis, une fois dans la chambre, je montrai à Haylea l'armoire, la commode et la bibliothèque à sa disposition.

— Si tu me cherches, je suis dans la cuisine, lui dis-je. Et si tu n'arrives pas à tout ranger d'un coup, je t'aiderai plus tard.

— Merci, Cathy. Merci pour tout.

— Je t'en prie.

Je lui souris et sortis.

J'étais en bas de l'escalier lorsque j'entendis Darcy-May qui se réveillait. Comme c'était effectivement l'heure de lui donner le biberon, je remontai dans ma chambre, la changeai et redescendis avec elle pour la faire manger. Lorsqu'elle fut rassasiée, je l'installai dans la cuisine à côté de moi, le temps de préparer les légumes qui accompagneraient le gratin de pâtes prévu pour le dîner. Ainsi que j'en avais pris l'habitude, je lui décrivis ce que je faisais au fur et à mesure : « Ça, c'est une carotte. Oh, elle a l'air bonne. Je la découpe… » En retour, elle produisit des petits sons, comme si elle répondait. En plus d'être mignon, bien sûr, c'est ainsi que les enfants acquièrent le langage oral – en entendant les gens autour d'eux parler encore et encore. Darcy-May était toujours dans la même pièce que moi, et Haylea allait devoir s'y habituer. Encore une fois, je m'interrogeai sur l'impact qu'aurait cette cohabitation entre mère et fille. Il serait probablement limité, si Haylea continuait à interagir aussi peu avec son bébé. C'était moi qui m'occupais de Darcy-May, c'était à moi qu'elle s'attachait, et si Haylea persistait à l'ignorer, il n'y avait pas de raison que cela change. Et si elle commençait à communiquer avec Darcy-May ? Et si elle changeait d'avis au sujet de l'adoption? Aurait-elle une chance de se voir confier la garde de son bébé?

Vingt minutes plus tard, alors que j'enfournais le gratin, j'entendis Haylea qui descendait. Je l'appelai et elle me rejoignit dans la cuisine. Par précaution, j'avais placé le transat de Darcy-May loin des plaques de cuisson et du plan de travail. Haylea dut la contourner pour entrer mais ne lui accorda pas la moindre attention.

— J'ai rangé mes affaires, dit-elle.

— C'était rapide. Bravo.

— Vous voulez voir ma chambre? J'ai essayé de faire quelque chose de joli.

Elle avait visiblement très envie de me la montrer.

— D'accord.

Je pris Darcy-May et suivis Haylea à l'étage. Sa chambre était en ordre, elle avait rangé toutes ses affaires et disposé des cartes dans la bibliothèque – non seulement celle qu'on lui avait remise à son départ de Waysbury, mais aussi les cartes d'anniversaire qui l'avaient tant touchée. Il y en avait quatre en tout, dont la mienne.

— Les trois autres sont de la part de qui?

— Celle-ci, c'est de l'équipe de Waysbury, celle-ci, c'est des autres résidents, et celle-ci, c'est de Shari, dit-elle en les désignant tour à tour.

— Donc ta famille ne t'a rien envoyé?

Parfois, le courrier arrive plus tard car il transite par l'assistante sociale.

— Non, je ne pense pas qu'ils sachent où je suis.

Je hochai la tête en songeant que j'avais connu des parents dans une situation similaire qui avaient tout de même apporté des cartes et des cadeaux au siège des services sociaux pour qu'ils soient ensuite remis à l'enfant.

— Maman me donnait une carte quand elle vivait encore avec nous, mais elle a dû m'oublier depuis.

— Tu ne communiques pas du tout avec tes frères et ta sœur?

D'après le formulaire de placement, Haylea n'avait aucun contact avec eux, mais ces informations étaient susceptibles d'évoluer.

— Non.

— Et ton père? Tu recevais une carte et un cadeau de sa part quand tu vivais à la maison?

— Oui, mais je n'aimais pas ça. Je ne veux plus rien recevoir, répondit Haylea, tandis que son visage s'assombrissait.

— D'accord. J'étais curieuse, c'est tout. En tout cas, tu as été très efficace.

— Merci. Qu'est-ce que je fais des sacs vides?

— Je vais les ranger, car tu n'en auras pas besoin avant un long moment.

— Un très long moment. Merci, Cathy. Merci de m'accueillir.

— Je t'en prie.

Cependant, dans mon esprit, tous les voyants étaient au rouge. Jamais je n'avais pris en charge un enfant aussi reconnaissant d'avoir quitté la maison et de vivre avec moi. Même les enfants souffrant des pires négligences et maltraitances ressentaient une forme de loyauté et de nostalgie à l'égard de leur ancien foyer, surtout quand ils venaient d'arriver – tout le contraire de Haylea.

14

Idées noires

De retour au rez-de-chaussée, lorsque Haylea me demanda ce qu'elle devait faire, je répondis qu'elle avait quartier libre.

— Comment tu t'occupes d'habitude à cette heure-ci?

Elle haussa les épaules d'un air gêné.

— Je tourne en rond.

— Nous dînons à 18 heures, quand Paula rentre du travail, lui expliquai-je. Est-ce que tu as envie de lire? J'ai plein de livres à te prêter.

— Non, merci. Je peux vous aider pour le dîner?

— C'est quasiment prêt, trésor. Le plat est au four.

— Alors est-ce que je peux regarder la télé?

— Évidemment.

— J'aime bien ça.

En effet, je l'avais lu dans le formulaire de placement, à la rubrique «Loisirs et centres d'intérêt».

Au salon, après que j'eus montré à Haylea comment se servir de la télécommande, elle choisit une chaîne destinée aux enfants de six à sept ans.

— J'adore cette émission, dit-elle alors que son visage s'illuminait.

Je m'assis dans l'un des fauteuils avec Darcy-May sur les genoux et observai Haylea, qui était complètement absorbée par le dessin animé.

— Je vais travailler un peu dans le bureau, si tu as besoin de moi, dis-je au bout d'un moment.

Elle opina sans quitter l'écran des yeux.

Je sortis du salon et installai Darcy-May dans le transat le temps de consulter mes e-mails et les pièces jointes, que je trouvais plus faciles à lire sur l'ordinateur que sur mon téléphone. J'étais toujours dans le bureau lorsque Paula rentra à 17 h 45. Je levai la tête et lui demandai si elle avait passé une bonne journée, pendant qu'elle babillait avec Darcy-May.

— Tu vas faire connaissance avec Haylea, lui annonçai-je.

Paula prit Darcy-May dans ses bras et entra dans le salon où je la présentai à Haylea, qui continuait à regarder des dessins animés.

— Bonsoir, tu vas bien ? demanda Paula.

— Oui, lui répondit timidement Haylea avant de se concentrer de nouveau sur la télévision.

— Ça sent bon, remarqua Paula en humant l'air.

— Ce soir, c'est gratin de pâtes aux légumes. Je vais faire réchauffer le pain à l'ail, maintenant que tu es rentrée.

— Je vais me changer.

Paula, qui aimait retirer sa tenue de travail avant de se mettre à table, monta avec Darcy-May. Je laissai Haylea au salon le temps de mettre le pain à l'ail au four. Dix minutes plus tard, le dîner était prêt et j'appelai Paula et Haylea. Paula redescendit avec la petite et la posa dans le transat près de la table pour qu'elle puisse toutes nous voir.

Paula, qui est d'un caractère facile, a l'habitude de voir arriver de nouvelles têtes chez nous, car j'étais déjà assistante familiale à sa naissance. Donc, au cours du repas, elle s'efforça de mettre Haylea à l'aise et veilla à l'inclure à la conversation, comme moi, mais l'adolescente resta en retrait, crispée et timide. Elle ne savait visiblement pas comment se comporter face à quelqu'un qu'elle ne connaissait pas – et même face à quelqu'un qu'elle connaissait, d'ailleurs. Cela expliquait sans doute en partie pourquoi elle avait eu autant de mal à sympathiser avec les autres adolescents de Waysbury.

En plus de tenter de discuter avec Haylea, Paula et moi n'oubliâmes pas de distraire Darcy-May au cours du dîner. Il fallait attendre encore deux mois avant de la sevrer et de passer à une alimentation solide. Pendant que nous mangions, elle babillait, souriait et ses jambes gigotaient, sans que Haylea la regarde une seule fois, préférant rester concentrée sur son assiette. Paula, qui connaissait la situation, fit comme si de rien n'était.

Après le dîner, au cours duquel Haylea mangea avec appétit, elle et Paula débarrassèrent la table et remplirent le lave-vaisselle. Puis Paula annonça qu'elle montait dans sa chambre.

— Paula est gentille, dit Haylea lorsque ma fille se fut éclipsée.

— Oui, c'est vrai.

— Je l'aime bien.

— Tant mieux.

— Et elle, est-ce qu'elle m'aime bien?

— Oui.

— Je peux vous donner un coup de main?

— Ça va aller, merci, répondis-je. Comment tu occupes ton temps libre, à part en regardant la télévision?

Elle réfléchit un instant.

— J'aime préparer des gâteaux.

— On peut prévoir ça demain. Autre chose? Tu écoutes de la musique?

— Ça m'arrive. Dylis en a mis sur mon téléphone, mais j'aimerais bien regarder la télé encore un peu.

— D'accord.

Je passai un moment avec elle au salon, puis la laissai le temps de donner son bain à Darcy-May et de la coucher. Une fois que je l'eus allongée dans son berceau, je redescendis au salon, où Haylea était toujours devant la télévision. Paula nous rejoignit.

— Ça te tente, une partie de Uno? proposa-t-elle à Haylea.

Si ce jeu de cartes était une valeur sûre dans notre famille comme dans beaucoup d'autres, je savais que Paula le proposait avant tout pour essayer de sortir Haylea de sa réserve. Ce n'était pas dans ses habitudes de jouer aux cartes le soir en rentrant du travail.

— Je ne connais pas les règles, dit Haylea.

— Je vais t'expliquer.

Paula alla chercher le Uno dans notre armoire à jeux. Lorsqu'elle revint avec la boîte, Haylea la reconnut.

— J'en ai vu qui y jouaient à Waysbury.

— Oui, c'est très répandu, confirmai-je.

Après que Haylea eut coupé le son de la télévision, Paula expliqua les règles et nous commençâmes par une partie pour du beurre au cours de laquelle j'aidai Haylea à s'y retrouver. La deuxième partie fut plus facile pour elle, et lorsque la troisième débuta, elle avait compris le principe et se détendait un peu. Certes, il n'y avait pas les rires, les exclamations et la camaraderie caractéristiques de nos parties en famille, mais au moins, Haylea ne restait pas seule dans son coin. Les jeux de société et les activités communes contribuent à souder une famille. Nous jouâmes une trentaine de minutes puis Haylea dit qu'elle était fatiguée et qu'elle allait se coucher. Il n'était que 20 heures, je supposai qu'elle accusait le coup après cette journée riche en émotions. Pendant que Paula rangeait le jeu, je demandai à Haylea si elle préférait se laver tout de suite ou le lendemain.

— Demain, dit-elle.

Je montai avec elle pour m'assurer qu'elle ne manquait de rien, puis la laissai se préparer à aller au lit. Après l'avoir entendue regagner sa chambre, j'allai lui dire bonne nuit.

— C'est Cathy. Je peux entrer? demandai-je en toquant à la porte.

— Oui, répondit-elle de sa voix enfantine.

Lorsque je la trouvai au lit, elle avait remonté la couette jusque sous ses yeux comme l'aurait fait une petite fille. Les rideaux étaient fermés et il faisait encore jour.

— C'est comme ça que tu préfères dormir? demandai-je. Avec les rideaux bien tirés?

— Oui.

— OK, très bien.

La première nuit, je demande toujours à l'enfant ou à l'adolescent quelles sont ses préférences : veilleuse allumée ou éteinte, rideaux et porte ouverts ou fermés. C'est par des détails de ce genre qu'on aide le nouvel arrivant à s'habituer à une chambre qu'il ne connaît pas. Haylea avait peut-être quinze ans, mais elle mettrait du temps à se sentir chez elle. Elle voulut que la veilleuse reste allumée et que la porte soit fermée.

— Est-ce que tu peux éteindre ton téléphone pour la nuit, s'il te plaît ? dis-je en avisant l'appareil posé sur la table de chevet. Comme ça, tu dormiras mieux.

Elle obéit et se pelotonna sous la couette.

— Tu veux un bisou de bonne nuit ?

— Je ne sais pas, répondit Haylea. Vous en faites un, d'habitude ?

Je souris.

— Ça dépend. Certains enfants réclament un câlin et un bisou, d'autres non. Je pose toujours la question avant.

— Maman ne m'embrassait pas quand elle vivait encore chez nous, dit Haylea – ce que je trouvai incroyablement triste.

— Tu veux un bisou sur le front ?

Comme elle opinait, je m'exécutai.

— Bonne nuit, ma chérie. Fais de beaux rêves.

— Vous aussi. Et merci encore de m'accueillir. Vous voudrez bien souhaiter bonne nuit à Paula de ma part et lui dire que je l'apprécie ?

— Je n'y manquerai pas.

Je quittai la pièce, fermai la porte derrière moi et allai voir Paula dans sa chambre pour lui passer le message. Elle fut aussi touchée que moi mais surprise par l'absence d'intérêt que Haylea avait témoigné envers son bébé. Même si j'avais prévenu Paula, il fallait le voir pour le croire.

— Peut-être qu'elle n'aime pas le père du bébé, hasarda Paula. Ou qu'elle a été violée, ajouta-t-elle avec une grimace.

— J'y ai pensé, répondis-je. Ça expliquerait pourquoi elle rejette complètement Darcy-May. Mais elle n'en parle pas pour l'instant.

— Bien qu'elle ait quinze ans, il y a quelque chose qui me pousse à vouloir la prendre sous mon aile.

— Oui, je vois parfaitement ce que tu veux dire.

Après avoir discuté encore un peu avec Paula, je retournai dans le bureau et travaillai sur l'ordinateur jusqu'à ce qu'il soit l'heure d'aller me coucher.

Je ne dors jamais bien à l'arrivée d'un nouvel enfant. Je me contente de somnoler et je tends l'oreille au cas où il se réveillerait, pris de peur, désorienté et en manque de réconfort. Cela ne changeait rien que Haylea soit une adolescente, elle passait sa première nuit dans une maison qu'elle ne connaissait pas. Mais comme je n'entendis aucun bruit jusqu'au matin, je crus que la nuit s'était relativement bien passée.

Vers 8 h 30 le lendemain, je la croisai sur le palier alors qu'elle sortait de sa chambre, encore en pyjama. Paula était partie au travail. Quand je lui demandai si elle avait bien dormi, elle répondit :

— Non, je ne dors jamais bien.

— Oh, tu m'en vois désolée. Pourquoi ?

— Ce n'est pas votre faute, Cathy. Je suis dans une jolie chambre, mais j'ai des idées noires plein la tête et je n'arrive pas à me calmer la nuit.

— Quel genre d'idées noires? m'enquis-je. Tu arriverais à détailler ce qui t'angoisse?

Elle haussa les épaules.

— Je me sens sombrer, je n'arrive pas à chasser les pensées qui tournent en boucle. Pendant la journée, ça va mieux. Si je regarde la télévision ou que je m'occupe, ça m'empêche de réfléchir.

— Parce que tu te distrais. Quand on a des angoisses, elles sont souvent pires la nuit. Tu devrais peut-être commencer à en parler avec la psychologue. Qu'est-ce que tu en penses?

— Dylis m'a dit la même chose. Est-ce que je me lave tout de suite? demanda Haylea pour changer de sujet.

— Oui. Bain ou douche, comme tu veux.

— Alors ce sera bain. J'aime barboter dans l'eau chaude.

— C'est réconfortant, confirmai-je.

Je vérifiai qu'elle avait tout ce qu'il lui fallait et la laissai prendre son bain pendant que je m'occupais de Darcy-May. Haylea y resta quasiment une heure. De temps à autre, j'entendais un robinet couler car elle réchauffait l'eau au fur et à mesure. J'allai deux ou trois fois aux nouvelles, toquant à la porte pour m'assurer qu'elle ne s'était pas endormie. Elle se sentait manifestement bien dans son bain, et même si je n'avais pas d'objection à ce qu'elle prenne son temps pour se prélasser ainsi le matin, cela risquait de poser problème à la reprise des cours.

Lorsque Haylea descendit vers 10 heures, propre et habillée, je lui préparai l'œuf au plat et les toasts qu'elle m'avait demandés pour le petit-déjeuner, et elle se servit un verre de jus de fruits. Je la rejoignis à table avec un café car j'avais déjà mangé, tandis que Darcy-May nous observait de son transat.

— Tu as essayé d'écouter de la musique quand tu n'arrives pas à dormir? demandai-je, repensant aux insomnies qu'elle avait évoquées. Quelque chose de doux, ça peut aider. J'ai un CD de chants de baleine, c'est censé servir à se relaxer.

Haylea s'arrêta de manger et me regarda.

— Mais je ne suis pas une baleine, Cathy.

J'éclatai de rire.

— Et pourtant, on pourrait le croire vu le temps que tu as passé dans ton bain ce matin!

Elle rit à son tour. Malgré tous ses problèmes, elle avait le sens de l'humour et je sus alors que nous allions bien nous entendre.

À la demande de Haylea, nous passâmes la matinée à préparer des cupcakes et ensuite, après déjeuner, nous allâmes nous promener dans le parc près de chez moi. C'était une belle journée de juillet, je conduisais la poussette où Darcy-May était installée et Haylea marchait à côté de nous. Une fois sur place, elle joua sur les balançoires, le tourniquet et la bascule puis s'amusa à nourrir les canards avec les graines que j'avais apportées. Le lendemain, nous préparâmes de quoi pique-niquer, je nous conduisis à un endroit connu dans la région pour sa jolie vue et nous mangeâmes près de la rivière. Le jour suivant, nous nous rendîmes dans un marché réputé d'une ville voisine. Ainsi se succédèrent nos journées à un rythme tranquille et dans une atmosphère relativement enjouée au regard du fardeau que portait Haylea. Quand elle n'était pas pleinement concentrée sur une tâche, je voyais souvent son visage s'assombrir à mesure que ses démons revenaient la hanter. À l'évidence, elle était une adolescente très perturbée, seulement il m'était impossible de lui venir en aide tant qu'elle refusait de se confier.

Comme nos sorties étaient un peu limitées à cause de Darcy-May, je ne pouvais pas par exemple emmener Haylea au cinéma alors que j'aurais bien aimé. Cependant, ce n'étaient pas les activités qui manquaient, et nous organisâmes même une visite au zoo un week-end pour que Paula puisse se joindre à nous. Cette sortie était une première pour Haylea, dont l'enthousiasme enfantin était à la fois touchant et triste à voir. C'est l'un des aspects les plus gratifiants de mon métier : je donne aux enfants qui ont eu un départ difficile dans l'existence l'occasion de vivre de nouvelles expériences, et je mesure d'autant plus ma chance d'avoir grandi au sein d'un foyer équilibré.

Bien que Haylea n'arrive toujours pas à me confier ses angoisses, je la sentais plus en confiance, et dans l'ensemble, elle s'attachait à moi plus rapidement que les autres jeunes de son âge. Comme elle n'avait pas d'amis avec qui sortir et qu'elle était déscolarisée, elle passait toutes ses journées avec moi. À part Dylis et Cook, aucune personne qu'elle avait croisée à Waysbury ne s'était manifestée. La seule fois de la semaine où elle sortait seule, c'était quand elle prenait le bus pour se rendre à sa séance de thérapie et en revenir. D'après le peu qu'elle me racontait ensuite, elle discutait avec la psychologue, mais seulement de sujets anodins.

— C'est trop difficile d'en parler, me dit-elle un jour.

Je n'insistais pas, le déroulement des séances étant couvert par le secret médical, et j'espérais qu'avec le temps, les choses évolueraient dans le bon sens.

Si Haylea se montrait plus détendue en présence de Paula, lorsqu'elle rencontra Adrian et Kirsty pour la première fois, puis Lucy et sa famille, elle se ferma comme une huître. Lucy, qui connaissait bien sa situation pour avoir été elle-même placée en famille d'accueil, se plia en quatre pour dérider Haylea mais se heurta à son tour à sa méfiance. Sans doute Haylea avait-elle vécu des épreuves qui lui avaient appris à tenir les inconnus à distance. Quand je m'arrêtais pour parler à quelqu'un dans la rue et que je la présentais, elle murmurait un «bonjour» timide puis allait m'attendre un peu plus loin. Je ne discutais jamais longtemps et je rappelais régulièrement à Haylea qu'elle n'avait rien à craindre des personnes de mon entourage.

Joy et Shari vinrent rendre visite à Haylea, passèrent en revue les points habituels visant à s'assurer que mon accueil répondait à ses besoins, et je les tins informées des derniers développements. Shari annonça que l'entretien de suivi de Haylea aurait lieu la semaine suivante. Quand un enfant est placé en famille d'accueil, un point est prévu dans les quatre semaines suivant son arrivée. Comme le prochain bilan de Darcy-May était fixé à fin juillet et que les deux réunions se tiendraient chez moi, Shari décida de les programmer l'une à la suite de l'autre – nous commencerions par Haylea puis nous enchaînerions sur Darcy-May. Comme Haylea avait déjà eu un entretien de suivi à Waysbury, elle savait à quoi s'attendre. Shari espérait être alors en mesure de nous confirmer quel établissement scolaire accueillerait Haylea à la rentrée et d'avoir de nouvelles informations concernant l'adoption de Darcy-May. *A priori*, tout se déroulait comme prévu. Joy et Shari remarquèrent toutes les deux que Haylea s'était bien adaptée à son nouvel environnement – grâce à moi, souligna Joy – et je fus ravie de l'entendre.

Même si Haylea nouait des liens avec Paula et moi, elle réussissait à occulter totalement Darcy-May. J'abordai le sujet avec Joy et Shari en citant cet exemple : un soir, je les avais laissées toutes les deux au salon le temps de vérifier la cuisson du plat que j'avais mis au four. Pendant les quelques instants qu'avait duré mon absence, Darcy-May s'était mise à pleurer et Haylea, visiblement prise de panique, m'avait tout de suite rejointe.

— Ça pleure, m'avait-elle dit, l'air de croire que Darcy-May risquait de s'en prendre à elle.

J'avais trouvé son attitude et son emploi du pronom « ça » pour désigner le bébé assez perturbants. Joy et Shari abondèrent dans mon sens.

Au programme de la semaine suivante, j'avais noté dans mon agenda les deux bilans le mercredi et le rappel de vaccination de Darcy-May le jeudi. Le reste de la semaine étant libre, je planifiai une sortie par jour avec Haylea ainsi que les différentes tâches ménagères et l'écriture de mon article. Seulement lorsque nous nous levâmes le lundi matin, il pleuvait à verse, alors au lieu de sortir comme prévu, Haylea et moi passâmes la matinée à préparer des gâteaux. Comme il faisait toujours aussi mauvais après déjeuner, Haylea regarda des dessins animés pendant que Darcy-May dormait dans son berceau. Pour limiter le temps que Haylea passait devant la télévision, j'essayai de l'ouvrir à d'autres activités, par exemple en lui proposant de lire les magazines qu'elle avait choisis lors d'un passage en ville. Je n'avais pas encore réussi à lui faire lire un livre.

Cependant, cela m'arrangeait parfois de laisser Haylea devant un écran quand j'étais occupée ailleurs. Ainsi, ce lundi après-midi, je profitai de ce que Darcy-May était à la sieste pour travailler sur mon ordinateur. Les portes entre le salon et le bureau étant ouvertes, le son de la télévision me parvenait de loin, et je posai l'écoute-bébé à portée de main.

J'étais en train de pianoter sur mon clavier lorsque je remarquai qu'il n'y avait plus un bruit dans le salon. Je m'arrêtai de taper et tendis l'oreille, mais je n'entendis ni la télévision ni Haylea. D'habitude, elle me prévenait avant de changer de pièce, par exemple quand elle montait dans sa chambre.

— Haylea ? Ça va ? lançai-je, les mains en suspens au-dessus du clavier.

Pas de réponse.

— Haylea ?

Rien, pas un bruit.

À la fois inquiète et intriguée, je me levai, avançai dans le couloir et entrai dans le salon par la porte restée ouverte. Haylea était assise sur le canapé, là où je l'avais laissée, et regardait dans une autre direction. Elle tenait la télécommande, la télévision était éteinte.

— Il y a un problème, Haylea?

Ce fut seulement au moment où elle se tourna vers moi que je vis les larmes qui coulaient sur ses joues.

— Oh, ma chérie, qu'est-ce qui se passe?

15

Des révélations épouvantables

Comme Haylea ne répondait pas, je m'assis à côté d'elle et pris sa main dans la mienne.

— Qu'est-ce qu'il y a, ma puce? Explique-moi ce qui te met dans cet état.

Je m'abstins de passer un bras autour de ses épaules, comme j'aurais pu le faire avec un autre enfant: Haylea demeurait mal à l'aise avec les contacts physiques quand j'en étais à l'initiative.

— Raconte, trésor. Qu'est-ce qui t'arrive?

Elle renifla, et je lui tendis la boîte de mouchoirs posée sur la table.

— Il y avait un dessin animé qui montrait une fête entre enfants, dit-elle en s'essuyant les yeux.

— D'accord, et pourquoi ça t'a fait pleurer?

— Vous vous souvenez de l'adresse que je vous ai donnée quand j'étais à Waysbury?

— Oui. Les policiers y sont allés et n'ont pas trouvé d'enfants domiciliés là-bas.

— Je sais, Shari m'a raconté. C'était la bonne adresse, mais les enfants n'y sont pas tout le temps. Ce n'est pas leur maison, ils y vont seulement quand il y a une fête. Mais pas une fête sympa comme on en voit à la télé.

— Tu veux bien préciser, ma puce? demandai-je tandis que mon sang se glaçait.

— Oh, Cathy, je ne peux pas vous le dire! s'écria-t-elle. Vous allez me prendre pour un monstre!

— Non. Si quelque chose t'inquiète, et c'est manifestement le cas, il faut que tu en parles.

Elle tritura le mouchoir qu'elle tenait dans les mains jusqu'à le réduire en lambeaux puis inspira profondément.

— L'homme qui vit à cette adresse organise des fêtes. Des enfants sont emmenés là-bas et d'autres hommes leur font des vilaines choses.

Elle ne pleurait plus et s'exprimait avec détachement, sur un ton monocorde.

— Je vous le dis parce que je veux que vous les aidiez, mais je ne peux en parler à personne d'autre, sinon on me tuera. Ces hommes nous faisaient des choses, on devait leur en faire aussi, c'était douloureux… Moi, je m'en fiche, mais quand je pense aux enfants plus jeunes…

Je la regardai fixement, le cœur battant, tandis que tout se bousculait dans mon esprit. Devais-je la croire? Oui, d'après son attitude et sa façon de raconter. Je savais depuis le début qu'elle avait des secrets, mais rien ne m'avait préparée à cela. J'avais le cœur au bord des lèvres, cependant je savais que je devais garder mon sang-froid pour le bien de Haylea. Cela ne l'aiderait pas de me voir craquer.

— Est-ce que vous allez prévenir quelqu'un pour que ces enfants soient sauvés? demanda-t-elle.

Ne dites pas que vous tenez ça de moi, ou ils vont me faire encore plus de mal.

Je sentis sa main trembler dans la mienne.

— Plus personne ne s'en prendra à toi, répondis-je le plus posément possible. Il t'a fallu beaucoup de courage pour te confier. Je vais prévenir ton assistante sociale par téléphone, mais elle et la police devront t'entendre directement. Est-ce que ça arrivait souvent? demandai-je pour avoir plus d'informations à fournir à Shari.

— Toutes les deux ou trois semaines. Je détestais aller là-bas mais il me forçait.

— Qui?

— Mon père, articula Haylea avec difficulté. Je sais que je suis une petite salope. Vous allez me détester, maintenant que vous savez. Il disait que j'aimais ça, mais c'était faux.

De nouvelles larmes jaillirent de ses yeux et elle posa la tête sur mon épaule.

— Oh, trésor, évidemment que je ne te déteste pas. Tu as subi des sévices, c'est toi la victime de ces monstres. Ton père et les autres hommes impliqués doivent être arrêtés et punis.

— C'est parce que je pense à ces petits enfants que je vous en parle.

— Je comprends, et tu fais bien.

— Ils appelaient ça des fêtes, mais ce n'étaient pas de vraies fêtes, hein?

— Non.

— Il a fallu que j'y aille à mon anniversaire l'année dernière et aussi il y a deux ans. Mon père a dit qu'on m'offrirait des cadeaux, qu'on jouerait à des jeux, mais on ne m'a rien offert et les jeux en question étaient horribles. Le jour de mon anniversaire, c'était encore pire. C'est pour ça que je n'aime pas cette date.

En effet, Haylea avait mentionné par le passé que des «vilaines choses» s'étaient produites le jour de son anniversaire, sans plus de précisions. Pour ma part, j'en avais assez entendu. Selon moi, elle disait la vérité et cela signifiait qu'elle et d'autres enfants avaient été abusés sexuellement par plusieurs pédocriminels. Même si je n'avais pas besoin de davantage de détails, maintenant que Haylea avait enfin commencé à se confier, c'était un flot de paroles quasi continu.

— Ils nous obligeaient à boire de l'alcool, poursuivit-elle sur le même ton monocorde et détaché, y compris les enfants les plus jeunes. Ils nous emmenaient dans les chambres, ils se relayaient… Les petits pleuraient mais moi, j'ai appris à me retenir, sinon c'était encore pire. Il me mettait des trucs dans la bouche et me la recouvrait de Scotch pendant qu'il me faisait des choses.

— Qui?

— Mon père. Les autres hommes regardaient, puis ils prenaient sa place. Parfois, il y avait un autre enfant dans la pièce et on nous faisait du mal en même temps. Mon père disait qu'à mon âge, je devais arrêter de me faire prier, mais c'était toujours aussi douloureux. Je crois qu'ils m'ont complètement déglinguée, Cathy. Parfois, j'ai tellement mal quand je vais aux toilettes…

J'avais déjà recueilli les confidences d'enfants victimes d'abus sexuels – comme la plupart des assistantes familiales, malheureusement –, mais cela faisait longtemps que je n'avais pas entendu un récit aussi sordide. J'étais à la fois sidérée, bouleversée et révulsée.

— Parfois, la nuit, j'entends ces enfants pleurer comme quand on était dans la maison, poursuivit Haylea. Mon père disait que ses amis préféraient les petits parce qu'ils les trouvaient plus serrés.

Je peinais à masquer mon dégoût et mon effroi.

— Ce sont des monstres, assenai-je. Est-ce que tu sais qui sont ces enfants et où ils vivent?

— Non, mais j'ai entendu une fille qui appelait le propriétaire de la maison «tonton». Elle pleurait, elle le suppliait d'arrêter. «S'il te plaît, tonton, non, je promets d'être sage…» Je voulais prévenir quelqu'un, Cathy, vraiment, mais je savais qu'ils me tueraient s'ils l'apprenaient. J'ai peur. Est-ce que vous me détestez?

— Non, bien sûr que je ne te déteste pas. Loin de là. Ces enfants et toi avez subi des sévices très graves.

— J'ai été violée, Cathy? demanda naïvement Haylea.

— Oui.

La violence avait imprégné sa vie à tel point qu'elle peinait à poser des mots sur ce qu'elle avait subi.

— Mon père disait qu'il faisait ça parce qu'il m'aimait.

— Ce n'est pas de l'amour, trésor, c'est de la perversité, affirmai-je avec véhémence. Maintenant, il faut que j'appelle Shari.

— Vous allez rester avec moi, hein? demanda Haylea en m'agrippant le bras.

— Oui, ma chérie.

D'une main tremblante, je pris mon portable sur la table basse et sélectionnai le numéro de Shari. Comme elle était sur répondeur, je laissai un message.

— C'est Cathy Glass. Haylea vient de me confier des agressions sexuelles extrêmement graves. Je vais essayer de vous contacter sur votre fixe au bureau.

Je joignis le geste à la parole et tombai sur l'un de ses collègues.

— C'est Cathy, l'assistante familiale de Haylea Walsh. Il faut que je parle à Shari, c'est urgent.

— Elle n'est pas au siège, dit mon interlocuteur. Je crois qu'elle avait un rendez-vous à l'extérieur.

— Savez-vous pour combien de temps elle en a? J'ai laissé un message sur son répondeur. C'est urgent, répétai-je.

— Vous voulez que je la contacte et que je lui dise de vous rappeler?

— Oui, s'il vous plaît, dès que possible.

À peine eus-je raccroché que j'entendis Darcy-May pleurer dans son berceau à l'étage. D'habitude, je montais la voir dès qu'elle émergeait du sommeil, mais l'écoute-bébé était resté dans le bureau et mon attention avait été accaparée par Haylea.

— Il faut que je monte voir Darcy-May. Je peux te laisser seule deux minutes?

Haylea acquiesça. Mon cœur se serra alors que je la voyais absolument dévastée et dans le même temps très courageuse. Je pris mon téléphone au cas où Shari me recontacterait directement et me dépêchai de monter dans ma chambre. Comme je n'avais pas répondu immédiatement aux appels de

Darcy-May, celle-ci, cramoisie, piquait une belle colère.

— Chut, tout va bien, dis-je d'une voix douce.

Dès que je la sortis du berceau, elle s'arrêta de pleurer.

— Ah, j'aime mieux ça.

Comme sa couche était pleine, je la changeai. Une fois qu'elle fut toute propre et calée contre moi, je descendis quelques marches puis me figeai avec horreur en comprenant soudain pourquoi Haylea rejetait sa fille. Ce bébé n'était probablement pas le fruit d'une relation suivie ou même d'une rencontre d'un soir, mais le résultat de viols à répétition perpétrés par un réseau pédophile auquel, selon toute vraisemblance, appartenait son père. À cette idée déjà révoltante en soi s'ajouta une hypothèse plus alarmante encore : il ne fallait pas exclure que Darcy-May soit née d'un viol incestueux et qu'elle et Haylea aient donc le même père biologique. Luttant pour faire bonne figure, je resserrai mon étreinte autour de Darcy-May et rejoignis Haylea au salon.

— Ça va, trésor ? demandai-je, le souffle un peu court. Je vais juste chercher un biberon pour Darcy-May.

Elle n'avait pas bougé du canapé et regardait dans le vide.

— Oui, dit-elle.

— Tu veux quelque chose à boire ?

— Non, merci.

Je trouvai qu'elle réagissait remarquablement bien, mais la violence marquait son quotidien depuis… combien de temps ? Elle avait mentionné deux anniversaires, donc au moins deux ans, sans doute plus longtemps.

Après avoir réchauffé le biberon dans la cuisine, je retournai au salon et m'assis à côté de Haylea.

— Tu tiens bien le coup, lui dis-je en commençant à nourrir Darcy-May.

— Je n'en ai pas l'impression.

Mon portable sonna : c'était Shari. Je pris l'appel, calant le téléphone entre le creux de mon cou et mon épaule de façon à parler tout en donnant le biberon à la petite.

— Qu'est-ce qui s'est passé ? demanda Shari. J'ai eu votre message.

Alors qu'elle était d'habitude très calme, je sentis une tension qui affleurait dans sa voix.

— Haylea vient de me confier qu'elle a subi des abus sexuels effroyables aux mains d'un réseau pédophile auquel appartiendrait son père.

— Oh non. Est-ce qu'elle va bien ?

— Elle est assise à côté de moi et je la trouve très courageuse. Elle a évoqué d'autres jeunes victimes susceptibles de subir encore des violences à l'heure actuelle. Les faits se sont produits à l'adresse que Haylea nous a indiquée, mais les enfants ne vivent pas sur place. On les emmène dans cette maison pour qu'ils y soient abusés.

— Merde, la police est manifestement passée à côté. Puis-je m'entretenir avec Haylea ?

— Shari veut te parler, dis-je à l'adolescente en lui tendant mon téléphone.

Je n'entendis pas les propos de Shari, mais Haylea répondit à ses questions toujours de sa petite voix monocorde.

— Oui... Non... Je ne sais pas... Je ne crois pas...

Pendant ce temps, je continuai à nourrir Darcy-May.

Après quelques minutes de discussion, Haylea murmura un «au revoir», raccrocha et posa le téléphone sur la table basse.

— Shari m'a demandé de vous dire qu'elle allait venir avec la police.

— Elle t'a donné une heure?

— D'ici ce soir.

— D'accord, ma chérie.

— J'ai peur, dit Haylea.

— Je sais, mais tu es en sécurité maintenant. Tu n'auras qu'à répéter à Shari et aux policiers ce que tu m'as raconté.

— Il y a d'autres choses, ajouta Haylea. Je n'ose pas vous en parler.

— Je comprends, mais c'est important que tu donnes le maximum de détails pour que ces monstres soient arrêtés et traduits en justice.

Elle opina puis resta assise en silence à regarder dans le vide, l'air complètement ailleurs.

Pour ma part, je n'avais pas besoin d'en entendre davantage pour savoir que Haylea avait été soumise à de terribles sévices. J'avais suivi une formation qui m'avait sensibilisée aux atrocités commises dans le cadre d'affaires de pédophilie, et les contenus qu'on nous avait montrés, notamment une audition filmée où un pédocriminel tentait de justifier ses actes, m'avaient hantée pendant des mois. Cette formation m'avait également préparée à recueillir le plus sereinement possible les confidences d'un enfant placé chez moi. La pédophilie existe dans toutes les sociétés, et la prise de conscience sur ce sujet contribue à protéger les enfants les plus vulnérables.

Cet après-midi fut l'un des plus longs de ma vie. Les minutes s'égrenaient lentement alors que nous attendions l'arrivée de Shari et de la police.

— Je peux regarder la télé? finit par demander Haylea.

— Bien sûr, ma puce.

Elle alluma le poste et choisit une émission pour enfants. Je lui tins compagnie avec Darcy-May, qui était installée sur mes genoux.

Pendant ce temps, je m'interrogeai. Y avait-il une ressemblance entre le bébé de Haylea et l'un des violeurs? Je ne pouvais décemment pas lui poser la question. Selon moi, mère et fille avaient des traits communs, en particulier au niveau des yeux. Mais Haylea, que voyait-elle? Son père? Un autre de ces monstres? C'était tout juste si elle avait posé les yeux sur Darcy-May depuis notre première rencontre au centre familial. Elle avait manifesté le désir de la voir pour prendre des photos, avant de changer d'avis. Avait-elle reconnu son violeur sur le visage de sa fille? Était-ce la raison pour laquelle elle l'avait totalement rejetée et ne supportait même pas de la regarder? Si oui, il était surprenant qu'elle ait réclamé de vivre chez moi, mais encore une fois, elle parvenait à complètement occulter sa fille, tout comme elle avait occulté des années d'abus dans un réflexe de survie. Haylea réussirait-elle un jour à percevoir le bébé adorable qu'était Darcy-May, sans penser à son tortionnaire? Je n'en avais pas la moindre idée.

Je touchai le bras de Haylea qui, pour une fois, ne tenta pas de se dégager.

— Est-ce que ça va? Je te trouve admirable.

— Vraiment, Cathy? murmura-t-elle en tournant la tête vers moi.

— Oui, ma puce. Tu es très courageuse.

— Ah bon? J'ai surtout l'impression d'être bonne à rien.

Elle se concentra de nouveau sur l'émission, que je regardai aussi pendant quelques minutes. Je comprenais pourquoi les programmes pour enfants, leur montage haché et leurs couleurs vives constituaient pour elle une telle échappatoire vis-à-vis de la réalité. Ils avaient quelque chose d'hypnotisant.

Darcy-May se mit à babiller pour essayer d'attirer l'attention de Haylea, mais celle-ci l'ignora. Cette petite fille si fragile, si innocente, connaîtrait-elle un jour les circonstances terribles de sa conception? Je n'en savais rien, mais en aucun cas elle ne devrait avoir honte. J'avais de l'affection pour Darcy-May et je me sentais très protectrice envers elle, tout comme envers Haylea. J'étais prête à soulever des montagnes pour leur venir en aide.

À 17 h 30, alors que nous étions sans nouvelles de Shari, je proposai à Haylea de nous atteler à la préparation du dîner. Comme elle aimait bien cuisiner, je me dis que ce serait une bonne distraction.

— Je n'ai pas faim, dit-elle.

— Moi non plus mais il faut bien manger, répondis-je. Et puis Paula va rentrer dans une demi-heure.

— Vous allez lui répéter ce que je vous ai dit?

— Je lui expliquerai seulement que tu t'es confiée à propos de violences que tu as subies. Est-ce que tu es d'accord? Sinon, elle va tiquer en voyant la police chez nous.

— Oui, ça me va.

Après l'avoir finalement convaincue de venir avec moi dans la cuisine, j'installai Darcy-May dans son transat, puis j'ouvris et refermai successivement les placards, le frigo et le congélateur à la recherche d'inspiration. En réalité, j'avais l'esprit ailleurs.

— Allez, Haylea, donne-moi une idée de menu. Qu'est-ce que Cook vous cuisinait de bon le soir?

— Plein de choses, répondit-elle.

— Par exemple? C'était quoi, ton plat préféré?

À ce moment-là, la sonnette retentit et Haylea se figea.

— Ça va bien se passer, respire à fond.

Je pris Darcy-May dans mes bras et allai ouvrir. Shari et deux policiers, un homme et une femme, me saluèrent. Après les avoir invités à entrer au salon, je dis à Haylea, restée dans la cuisine, de nous rejoindre.

— Je crois qu'on s'est déjà vues, dit la policière à Haylea.

— C'est vous qui êtes passée chez moi? demanda-t-elle.

— Oui.

— J'espérais que vous alliez m'aider et vous ne l'avez pas fait.

— Je suis désolée, répondit la policière.

Et elle avait l'air sincère.

16

Un père monstrueux

Une fois que tout le monde fut installé au salon pour discuter, j'appris que l'inspectrice Jo Spar était passée au domicile de Haylea deux ans plus tôt. À l'époque simple agente, elle était venue interroger le père de Haylea au sujet d'une voiture volée. Lorsqu'elle s'était étonnée de trouver l'adolescente dans le salon à une heure où elle aurait dû être en cours, son père avait prétexté qu'elle était malade puis l'avait envoyée dans sa chambre à l'étage. Ainsi se résumait le seul contact que Jo ait eu avec Haylea; celle-ci se revoyait en haut de l'escalier, tentant de puiser en elle-même le courage d'alerter Jo au sujet de ce qu'elle subissait, mais la peur avait finalement repris le dessus. Elle avait espéré que la policière comprendrait et lui viendrait en aide d'elle-même, mais bien sûr Jo n'avait eu aucune raison de soupçonner des abus sexuels.

— Tu n'as pas réussi à en parler à un professeur, à un camarade ou à un adulte en qui tu avais confiance? demanda Jo à Haylea.

— Je n'avais pas d'amis et je n'allais pas beaucoup à l'école, répondit-elle.

Souvent, c'est un enseignant qui tire la sonnette d'alarme s'il pense que l'un de ses élèves est victime de négligences ou de maltraitances au sein du foyer.

— Et je n'avais confiance en aucun adulte, ajouta-t-elle.

Jo acquiesça d'un air grave. Même si sa visite qui remontait à deux ans pouvait être considérée comme une occasion manquée, ce n'était pas sa faute, et pourtant elle réitéra ses excuses.

— Je suis désolée.

Elle interrogea ensuite Haylea sur les «fêtes» et les viols qu'elle disait avoir subis, et l'adolescente lui répéta ce qu'elle m'avait raconté, tandis que le coéquipier de Jo prenait des notes. Jo demanda à Haylea de lui donner plus d'informations sur la maison où les «fêtes» étaient organisées, les dates, les horaires et les personnes présentes, adultes comme enfants. Haylea répondit du mieux qu'elle put et révéla d'autres détails sur les sévices qu'elle avait subis – des détails trop choquants pour être retranscrits ici. Je tâchai de me concentrer sur Darcy-May qui dormait dans mes bras, pendant que Haylea racontait les nombreuses fois où son père l'avait violée et livrée à d'autres hommes. Elle s'exprimait d'une voix atone et dépourvue d'émotion alors qu'elle déroulait un récit cauchemardesque. C'était à se demander par quel miracle elle avait survécu. Les viols s'étaient apparemment étalés sur une période de sept ans, ils avaient donc commencé quand elle en avait huit, et son père avait tout orchestré. Jamais je n'avais été confrontée à des faits d'une telle gravité, et le seul terme qui me venait à l'esprit pour qualifier cet individu était celui de «monstre».

Jo et son collègue, très professionnels, arrivèrent à ne rien laisser transparaître de leurs émotions tandis que Haylea décrivait les horreurs qu'elle et les autres enfants avaient subies. Quant à Shari, elle était visiblement bouleversée et s'éclipsa le temps d'aller chercher un verre d'eau.

À 18 heures, j'entendis la porte d'entrée s'ouvrir : c'était Paula qui rentrait du travail. Je m'excusai et allai à sa rencontre dans le couloir.

— La police est en train d'interroger Haylea, chuchotai-je. Je ne sais pas quand nous aurons terminé.

— Tu veux que je prenne Darcy-May ? proposa Paula en la voyant dormir dans mes bras.

— Merci, chérie, tu peux la coucher dans son berceau.

Après avoir confié la petite à Paula, je retournai au salon où Haylea poursuivait le récit des souffrances terribles endurées aux mains de son père et de ses acolytes.

Jo chercha à en apprendre davantage au sujet des autres enfants, mais hormis le fait que l'un d'eux appelait le propriétaire de la maison «tonton», Haylea n'était pas en mesure de donner d'autres éléments ni de les décrire.

— Quand ils étaient dans la chambre, on me mettait un sac sur la tête pour que je ne les voie pas, précisa-t-elle.

Cette précision me retourna l'estomac.

— Soit ils ont effectivement un lien de parenté, soit c'est un terme que l'enfant avait pour consigne d'employer. Est-ce que toi, tu devais appeler l'un de ces hommes «tonton»? demanda Jo.

— Non, on m'avait dit de ne pas parler et d'obéir. Sinon, on me punissait et c'était encore pire.

Haylea décrivit alors les punitions qui n'étaient rien de moins qu'une autre forme de viol. Ces actes étaient horribles, d'une perversité sans nom, et j'avais peine à croire qu'un être humain puisse infliger de tels traitements à un autre, sans parler d'un enfant.

Il était presque 19 heures lorsque les policiers annoncèrent qu'ils avaient terminé.

— Qu'est-ce qui va se passer maintenant? leur demanda Haylea alors qu'ils s'apprêtaient à partir.

— Nous allons entendre ton père et l'homme qui vit à l'adresse que tu nous as donnée, dit Jo. Ensuite, nous aviserons.

— Est-ce qu'ils vont être arrêtés?

— Probablement. Il faudra que tu viennes au commissariat pour faire une déposition.

— Et je ne serai pas obligée de les voir, hein?

— Non.

Lorsque je raccompagnai les policiers, j'entendis à l'étage Paula qui s'occupait de Darcy-May, à présent réveillée. Je retournai dans le salon où Shari s'employait à convaincre Haylea que son père ne pouvait plus lui faire aucun mal.

— Et les autres? demanda-t-elle.

— Si tu croises l'un d'entre eux à l'extérieur, préviens Cathy ou appelle la police, dit Shari.

— Et je te conduirai moi-même chez la psychologue, renchéris-je.

C'était en effet la seule fois de la semaine que Haylea sortait sans moi.

— Je n'ai pas rendez-vous cette semaine, elle est en vacances, indiqua Haylea.

— C'est noté, dit Shari. Et il faut que tu retournes à l'hôpital pour un rendez-vous de contrôle. Je m'en occupe.

— Je ne veux pas y retourner! L'infection est guérie.

— Mais tu as évoqué des douleurs quand tu vas aux toilettes, rappelai-je à Haylea.

— Oui, ça m'arrive.

— Je pense donc que tu dois consulter.

— Je ne veux pas. Le médecin de l'hôpital m'a dit que j'avais attrapé ça au moment de l'accouchement, mais je n'ai pas tout compris.

— Tu veux que j'appelle l'hôpital et que je parle au médecin? proposa Shari.

Comme Haylea opinait, Shari prit note.

— Mais si ton état empire, tu devras consulter, insista l'assistante sociale.

— D'accord.

— Y a-t-il des questions que tu souhaites me poser? demanda Shari.

Haylea secoua la tête.

— Tu ne manques de rien ici?

— Non.

— Je te téléphone dès que j'ai du nouveau, assura Shari en rangeant son calepin et son stylo.

En raccompagnant cette dernière, je remarquai sa pâleur et ses traits tirés, qui n'avaient rien d'étonnant au regard des toutes dernières révélations de Haylea. Alors que je refermais la porte,

Paula descendit avec Darcy-May et un biberon à moitié vide.

— Je lui ai donné à manger, j'espère que j'ai bien fait.

— Oui, merci, ma chérie.

Heureusement que je pouvais compter sur elle, ma routine était sens dessus dessous.

— Est-ce que ça va? s'enquit Paula.

Moi aussi, je devais paraître éprouvée.

— Pauvre Haylea, murmurai-je. Quand je pense à ce qu'elle a subi…

Paula n'avait pas à connaître les détails sordides des sévices endurés par Haylea, et elle ne chercha pas à en savoir plus.

— Tu veux que je m'occupe du dîner? proposa-t-elle.

— Oui, on va faire simple.

Haylea sortit du salon.

— Je vais dans ma chambre.

— D'accord, ma puce. Je t'appelle quand le dîner est prêt.

Elle salua Paula et monta l'escalier d'un pas lent. Dans la cuisine, après avoir installé Darcy-May dans son transat, je sortis du congélateur un curry que j'avais préparé à l'avance et le réchauffai pendant que Paula mettait du riz à bouillir. Au moment de passer à table, je montai chercher Haylea. Je frappai à la porte de sa chambre, qui était entrebâillée, puis entrai et la trouvai assise sur son lit, absorbée par son téléphone.

— Dylis m'a envoyé un texto, dit-elle.

— Ah oui?

— Elle voulait me rappeler de tout bien raconter aux policiers. Mais comment elle a su qu'ils venaient ?

— Tu ne lui en as pas parlé ?

— Non.

— Je suppose que les policiers ou Shari ont contacté l'équipe de Waysbury, comme c'était ton dernier domicile avant de venir chez moi. Ils rassemblent des informations. Tu as parlé à Dylis ou à quelqu'un d'autre des agressions ?

— Non, juste à vous.

— D'accord. Ne t'inquiète pas. De toute façon, Dylis sait que toutes ces informations sont confidentielles.

Je relevai toutefois un manque de tact et de professionnalisme dans la démarche de Dylis qui, par ce texto, indiquait à Haylea qu'elle était au courant des viols. Bien sûr, je ne savais pas ce que la police lui avait dit et dans quel contexte. En tout cas, Haylea sembla rassurée et descendit avec moi au rez-de-chaussée pour dîner.

Comme tous les soirs, nous nous installâmes à la table de la cuisine sous le regard de Darcy-May, installée à côté de nous. Pour ma part, je n'avais pas beaucoup d'appétit, j'étais préoccupée et je gardai un œil sur Haylea pour m'assurer qu'elle encaissait le choc. Il ne fut pas utile de faire la conversation car Darcy-May, reposée après sa sieste, était d'humeur bavarde et gazouillait en continu. Alors que Paula et moi sourions et lui répondions, Haylea, ainsi qu'elle en avait l'habitude, l'ignora complètement. Son visage ne laissait rien transparaître, or je savais à présent qu'il masquait une souffrance indicible provoquée par des années de sévices. Il fallait maintenant que Haylea trouve le moyen de l'exprimer pour espérer entamer un processus de guérison. Je déplorais que sa séance hebdomadaire chez la psychologue ait été annulée au moment où elle en avait plus que jamais besoin.

Après dîner, je laissai Haylea devant la télévision et montai avec Darcy-May pour lui donner le bain, dont l'heure avait été repoussée à cause de la venue de la police. Lorsque je redescendis après l'avoir installée dans son berceau, Haylea annonça qu'elle voulait se coucher tôt. Je lui demandai comment elle se sentait et elle me répondit d'un simple «Ça va». Je trouvai son attitude incroyable, après tout ce qu'elle avait traversé.

Une fois Haylea couchée, j'allai la voir.

— Est-ce que tu tiens le coup? m'enquis-je.

— Oui, répondit-elle. Mais Dylis m'a envoyé d'autres messages. Elle veut savoir ce que j'ai dit à la police.

— Tu n'as pas à lui répondre. C'était différent quand tu vivais à Waysbury et qu'elle était ton éducatrice.

— Je lui ai dit que je ne voulais pas en parler, murmura Haylea. Est-ce qu'elle va trouver ça grossier?

— Non, ma puce. Ça ne la regarde pas. Si elle continue à t'envoyer des textos et que ça te perturbe, préviens-moi et je téléphonerai à Fran. En attendant, je veux que tu éteignes ton portable pour que tu dormes. Et n'hésite pas à appeler si tu as besoin de quelque chose.

Elle s'exécuta sans protester. Après lui avoir souhaité une bonne nuit, je sortis et fermai la porte de sa chambre. Je doutais qu'elle dorme beaucoup et moi aussi, je risquais de ne pas fermer l'œil avec tous ces événements encore frais dans mon esprit. Je rejoignis Paula au salon et nous bûmes un thé devant les informations, puis nous nous couchâmes à notre tour.

Bien sûr, je n'arrivai pas à trouver le sommeil et Darcy-May, dont le rythme avait été perturbé, se réveilla trois fois au cours de la nuit. Lorsque j'entendis également Haylea se lever pour aller aux toilettes, je sortis sur le palier et lui demandai comment elle se sentait.

— Ça va, merci. Vous êtes toujours si gentille avec moi.

Je ne pus qu'être touchée par sa réponse.

Finalement, Darcy-May se réveilla sur les coups de 6 h 30 et réclama son biberon. Après l'avoir nourrie et changée, je la reposai dans son berceau le temps de prendre ma douche et de m'habiller. Ne sachant pas ce que cette nouvelle journée nous réservait, je préférais être parée à toute éventualité. En descendant, j'entendis Paula qui se levait. Après avoir rempli la gamelle de Pammy, j'allumai la bouilloire et mis du pain à griller car en semaine, Paula et moi prenions des toasts et une boisson chaude au petit-déjeuner. Darcy-May s'était assoupie dans son berceau et je supposai que Haylea dormait encore. Cependant, quelques minutes plus tard, alors que je venais de sortir les toasts du grille-pain, je perçus du mouvement dans sa chambre, située juste au-dessus de la cuisine. Elle ouvrit la porte et descendit l'escalier.

— Tu te lèves tôt, ma puce, dis-je lorsqu'elle entra dans la cuisine.

Je me figeai en voyant son visage décomposé.

— Qu'est-ce qui se passe, ma chérie? demandai-je en allant à sa rencontre.

— C'est l'angoisse. Je viens de rallumer mon téléphone et Dylis m'a envoyé des textos horribles.

— Quoi? Montre.

Elle me passa son portable et je consultai les messages. En effet, Dylis lui avait écrit tout au long de la soirée. Je remontai jusqu'au texto de la veille dans lequel elle lui demandait ce que la police savait. Haylea avait répondu qu'elle n'avait pas envie d'en parler, mais cela n'avait pas empêché Dylis d'insister.

Pourquoi tu ne veux rien me dire?

En l'absence de réponse – Haylea avait éteint son téléphone –, Dylis s'était entêtée.

Pourquoi? Raconte.

Pourquoi tu ne réponds pas?

C'est à se demander si tu n'as pas tout inventé.

Tu essaies juste d'attirer l'attention.

On a tous des problèmes. Les tiens ne sont pas pires que ceux des autres.

Pourquoi tu ne réponds pas?

Et dernier message : *Tu es une mytho.*

Je levai les yeux, choquée.

— Je n'arrive pas à y croire. C'est déplacé et surtout, c'est mensonger.

Je me demandai si Dylis avait consommé de l'alcool ou de la drogue. Quand bien même, ce n'était pas une excuse. Non seulement son attitude était tout sauf professionnelle, mais on pouvait se demander si elle ne souffrait pas elle aussi de troubles mentaux, auquel cas sa place n'était pas auprès d'adolescents en souffrance !

— Je vais appeler Fran, dis-je à Haylea. Tu n'as pas à t'en vouloir. Des propos de ce genre en disent plus sur Dylis que sur toi. Ignore-la et ne lui réponds pas.

— Je n'ai pas menti, insista Haylea.

— Je sais. Je te crois, tout comme Shari et la police. Comment Dylis se comportait avec toi quand tu vivais à Waysbury? demandai-je.

Haylea haussa les épaules.

— Elle était normale. Quand je suis arrivée, elle m'a posé plein de questions sur ma vie, elle voulait savoir comment je m'étais retrouvée au foyer. Mais comme je ne lui disais rien, elle en a eu marre et elle a préféré s'occuper d'autres jeunes.

Je trouvai tout cela très inquiétant.

— J'en toucherai un mot à Fran.

— Est-ce que je supprime les messages? demanda Haylea alors que je lui rendais son téléphone.

— Non, garde-les au cas où quelqu'un voudrait les voir.

Elle se servit un verre d'eau et remonta dans sa chambre. Quant à moi, j'étais toujours abasourdie par ce que je venais de lire. Quelle mouche avait piqué Dylis? Bien qu'il ne soit que 7 h 30, je contactai Waysbury sans attendre. Je tombai sur le répondeur et laissai un message.

— Cathy Glass à l'appareil. Fran peut-elle me rappeler dès que possible? C'est important.

Je réessaierais toutes les demi-heures jusqu'à ce que je parle à Fran ou toute autre personne responsable. J'avais à cœur de protéger les adolescents de Waysbury dont Dylis avait la charge.

Même si Haylea était bouleversée, elle n'avait plus affaire directement à Dylis, elle avait compris que ses messages étaient complètement déplacés, qu'elle pouvait compter sur moi – et je veillerais à le lui rappeler –, mais *quid* des autres résidents de Waysbury? Dylis avait-elle envoyé ces textos pendant sa permanence de nuit?

La journée démarrait fort, songeai-je, comme si nous n'avions pas suffisamment de problèmes à régler.

Lorsque Paula descendit prendre son petit-déjeuner, je décidai de ne pas l'inquiéter avec ce dernier rebondissement. Je m'attablai à côté d'elle pour boire mon café tandis qu'elle dégustait ses toasts et son thé, avant de remonter vers 8 heures pour se préparer en prévision de sa journée de travail. Je rappelai Waysbury, mais cette fois encore, je tombai sur le répondeur et laissai un message. Cinq minutes plus tard, Fran me contacta sur mon portable.

— Bonjour, Cathy. Je viens d'avoir vos messages. Ça avait l'air urgent.

— En effet. Dylis était-elle d'astreinte cette nuit?

— Oui, pourquoi?

Je lui dis tout ce que je savais sur les messages qu'avait reçus Haylea.

S'ensuivit un silence, que Fran rompit d'une voix grave.

— Je vais m'entretenir avec elle tout de suite. Non, attendez, je voudrais d'abord parler à Haylea.

— Un instant, elle est dans sa chambre.

Je montai avec mon portable.

— Fran veut te parler, dis-je à Haylea après avoir frappé à la porte. C'est à propos de Dylis, précisai-je en lui tendant le téléphone.

Je restai sur le palier au cas où Fran me redemanderait, pendant que Haylea répondait à ses questions et lui lisait les textos. Paula, qui partait au travail, me dit au revoir depuis le vestibule.

— À ce soir, ma chérie. Passe une bonne journée, lançai-je depuis la première marche de l'escalier.

— Toi aussi, répondit-elle en me soufflant un baiser.

Comme Darcy-May était réveillée, j'allai dans ma chambre. Alors que j'étais en train de changer sa couche, Haylea parut sur le seuil.

— Fran a dit qu'elle vous rappellerait après avoir parlé à Dylis.

— Merci, ma puce. Ça va, toi?

— Fran me croit.

— Bien sûr, et moi aussi. Dylis a très mal agi en t'envoyant des messages pareils. Vraiment!

— Qu'est-ce qui lui a pris, à votre avis?

— Aucune idée, mais si elle te recontacte, préviens-moi immédiatement.

— D'accord. Merci de vous occuper de moi.

— Je t'en prie, trésor.

Cependant, ce ne fut pas sur Haylea que Dylis se défoula, mais sur moi, même si je ne le compris pas tout de suite.

17

Faire comme si

J'étais dans le salon avec Darcy-May lorsque je reçus un SMS d'un numéro inconnu.

Vous avez foutu ma vie en l'air! Je vous hais, sale conne.

Je fus stupéfaite et bouleversée que l'on m'insulte de la sorte. Je pris le temps de la réflexion : qui était l'expéditeur de ce message et comment réagir au mieux? Au bout d'un moment, je me décidai à rédiger cette réponse d'une main tremblante : *Qui êtes-vous?*

La réponse ne se fit pas attendre, et je la sentis pleine de rage. *Dylis. J'ai perdu mon travail à cause de vous. J'espère que vous allez crever, salope.*

Je préférai contacter directement Waysbury, effarée à l'idée que Dylis puisse être aux côtés d'adolescents en ce moment même. Fran prit l'appel et je lui lus les messages que l'éducatrice venait de m'écrire.

— Mon Dieu... Je me suis entretenue avec elle au sujet des textos reçus par Haylea, dit Fran. Elle est partie en claquant la porte et j'essaie de contacter l'un de ses proches. Elle n'est pas renvoyée, mais je lui ai dit de consulter un médecin pour qu'il la mette en arrêt maladie. De toute évidence, elle ne va pas bien.

— Très bien. Je ne vous retiens pas plus longtemps.

Même si le problème était réglé, je me demandai comment Dylis avait eu mon numéro. En sa qualité d'éducatrice, elle avait certainement accès aux dossiers des résidents, ou alors Haylea le lui avait transmis. Enfin, ce n'était pas très important ; j'espérai surtout que Dylis allait consulter, comme Fran le lui avait demandé.

Lorsque Haylea redescendit après s'être habillée, je lui servis son petit-déjeuner et m'assis à côté d'elle. Je n'évoquai pas le nouvel incident impliquant Dylis, c'était inutile.

— Qu'est-ce qu'on a de prévu aujourd'hui ? demanda-t-elle tout en mangeant.

— Est-ce que tu as une envie particulière ? Nous allons éviter de trop nous éloigner, au cas où Shari ou les policiers auraient besoin de nous parler.

— Et si on allait nourrir les canards au parc avec Lucy ? Ce serait une sortie en famille.

Je souris.

— Bonne idée.

— On pourrait aussi pique-niquer.

— Oui.

Haylea paraissait bien plus enjouée maintenant qu'elle avait réussi à confier ce qu'elle avait vécu, comme si elle s'était délestée d'un poids énorme. Pendant qu'elle finissait son petit-déjeuner, je téléphonai à Lucy pour lui transmettre la proposition de Haylea. Elle dit qu'elle serait à la maison dans une demi-heure.

— Au fait, maman, je voulais justement t'appeler à propos du premier anniversaire d'Emma. On a décidé d'organiser une petite fête chez nous dimanche prochain.

— Super. Dis-moi ce que je peux faire pour t'aider.

— Rien, à part venir. À tout de suite!

Comme Haylea tenait à s'occuper elle-même du pique-nique, je l'aidai à sortir tout le nécessaire du frigo et des placards – fromage, jambon, pain, chips, salade, etc. –, puis je la laissai se débrouiller. De mon côté, je préparai des biberons puis vérifiai que j'avais ce qu'il fallait dans le sac à langer. Je pris également une grande nappe à étaler par terre.

Lucy arriva à 11 h 30 et nous nous mîmes en route.

— C'est une sortie en famille, dit Haylea plus d'une fois, sans doute parce qu'elle avait peu l'habitude de ce genre d'occasions.

Elle avait eu une excellente idée, c'était une journée d'été idéale pour pique-niquer. Elle demanda à Lucy si elle pouvait conduire la poussette d'Emma, puis elle papota avec la petite tout en marchant. Une fois dans le parc, elle la poussa sur la balançoire puis monta avec elle sur le tourniquet.

— Haylea a l'air d'aller un peu mieux, remarqua discrètement Lucy.

— Oui. Elle s'est confiée sur les sévices terribles qu'elle a subis. La pauvre, rien ne lui a été épargné. La police est en train d'enquêter.

— Oh non.

Lucy ne s'étendit pas et moi non plus.

Comme à son habitude, Lucy veilla à discuter avec Haylea d'émissions télé, de *boys bands*, entre autres – même si, à vrai dire, elles avaient peu de points communs. Cette fois, Haylea se montra bien plus à l'aise et répondit autrement que par monosyllabes. Elle avait encore du mal à communiquer, même si elle progressait. Cependant, il ne m'échappa pas qu'elle témoignait de l'intérêt pour Emma mais aucun pour Darcy-May. Cela pouvait en partie s'expliquer par le fait qu'une petite fille d'un an était plus réactive qu'un bébé de quatre mois, mais bien sûr, je savais que ce n'était pas la vraie raison. Quand Haylea regardait Emma, elle voyait simplement un bébé tout mignon qui n'avait aucun lien avec son passé traumatique.

Lorsqu'il fut l'heure de déjeuner, j'étalai la grande nappe à l'ombre d'un arbre et Haylea disposa fièrement au centre la nourriture qu'elle avait préparée. Elle distribua ensuite les assiettes en plastique, les serviettes et les mini-briques de jus. Lucy se munit d'une cuillère et donna la becquée à Emma, pour qui elle avait prévu un petit pot. En dessert, la petite eut droit à un fruit coupé en tranches qu'elle réussit à manger toute seule. Lucy profita du repas pour m'expliquer en quoi consisterait la première fête d'anniversaire d'Emma.

— Ce sera à 14 heures chez nous, j'ai prévu un buffet. J'ai prévenu Adrian, Kirsty et Paula par texto. La famille de Darren sera là aussi.

— Je peux venir? demanda Haylea.

— Bien sûr, si tu es disponible.

— Je suis toujours disponible, répondit l'adolescente avec une pointe de tristesse. Je n'ai pas d'amis avec qui sortir.

— Ça viendra, lui assurai-je. Quand tu reprendras les cours, tu rencontreras de nouvelles personnes. Tu pourras les inviter à la maison pour prendre le goûter ou passer la nuit, si tu veux.

— D'accord! s'exclama-t-elle, tandis que son visage s'illuminait.

C'étaient des moments comme celui-ci qui me confortaient dans ma vocation d'assistante familiale. Je contribuais à infléchir le cours des choses et j'aidais Haylea à se construire un plus bel avenir. Je savais néanmoins que le chemin à parcourir était encore long. Haylea avait réussi à parler des viols terribles qu'elle avait subis, mais cela ne lui suffirait pas à exorciser son passé. Ce ne serait possible qu'avec des années de thérapie et, c'était à espérer, la condamnation des responsables. Mais elle avait d'ores et déjà franchi une première étape.

Nous profitâmes du parc jusqu'à 15 heures puis nous rentrâmes à la maison. Lucy resta encore un peu et repartit vers 16 heures. Je n'avais pas de nouvelles des services sociaux ni de la police, et les bilans de Haylea et de Darcy-May étaient prévus pour le lendemain. Ne sachant pas s'ils étaient toujours d'actualité, j'envoyai un e-mail à Shari et elle me confirma que cela tenait toujours. Puis Joy m'appela. Elle s'excusa de ne pas m'avoir recontactée – elle avait dû s'occuper d'un placement en urgence – puis demanda si Haylea avait été reçue au commissariat pour l'enregistrement de sa déposition. Je lui dis que non.

Cette nuit-là vers 2 heures du matin, je fus réveillée en sursaut par un cri à glacer le sang.

Je bondis hors du lit et sortis sur le palier. Au moment où j'arrivais devant sa chambre, Haylea ouvrit la porte.

— Il est là! hurla-t-elle en m'agrippant le bras.

Elle était tétanisée, elle avait chaud et elle hyperventilait. J'allumai la lumière.

— Il n'y a personne. Regarde, la pièce est vide. Tu es en sécurité.

Haylea se cramponnait à moi, hagarde, comme si elle venait de voir un fantôme.

— C'était un cauchemar, un mauvais rêve, insistai-je.

Mais elle semblait complètement déboussolée et se léchait compulsivement les lèvres.

— Viens voir, il n'y a personne dans ta chambre, répétai-je.

Elle me laissa l'attirer doucement à l'intérieur, tout en restant sur ses gardes, et balaya la pièce du regard.

— Tu es en sécurité, insistai-je. La chambre est vide.

— Il y a qui d'autre dans la maison? demanda Haylea.

— Paula et moi, c'est tout.

— Il n'y a pas d'hommes?

— Non, ma puce.

— Et mon père ne sait pas où je suis?

— Non.

— Il n'est pas ici?

— Non, tu n'as rien à craindre. C'était un cauchemar.

Enfin, Haylea se détendit et me lâcha le bras.

— Ça avait l'air tellement réel, j'ai cru qu'il était là…

— Je sais, trésor.

— J'étais sûre qu'il était là et qu'il me faisait du mal…

Elle s'interrompit, ne parvenant pas à verbaliser ce souvenir trop douloureux.

— Je comprends. Tout va bien maintenant.

Lorsque Haylea se sentit suffisamment rassurée pour retourner au lit, je restai un moment avec elle.

— Essaie de te rendormir. Je serai dans ma chambre, si tu as besoin de moi.

— Merci. Laissez la lumière allumée. Toutes les portes sont fermées à clé?

— Oui, tu ne cours aucun danger. Il ne peut rien t'arriver.

J'attendis encore un peu puis regagnai ma chambre, mais je ne me rendormis pas immédiatement. J'écoutai la respiration légère et régulière de Darcy-May tout en pensant à la terreur nocturne de Haylea. Ce genre d'incident était voué à se reproduire, peut-être pas cette nuit mais plus tard. Maintenant qu'elle avait commencé à parler des viols que son esprit avait refoulés pendant si longtemps afin de lui permettre de survivre, ils remonteraient à la surface tant qu'elle ne se serait pas reconstruite. Le rêve est l'un des outils que le cerveau a à sa disposition pour se réparer.

Heureusement, ni Paula ni Darcy-May n'avaient été réveillées par le cri de Haylea. Lorsque je retournai voir celle-ci une heure plus tard, elle s'était rendormie. Cependant, le lendemain matin au réveil, son cauchemar la hantait encore.

— C'était tellement réel, me confia-t-elle. J'ai cru qu'il était dans ma chambre et que ça allait recommencer. J'avais l'impression qu'il était sur moi, qu'il me faisait des choses...

— Qui?

— Lui... Mon père. Je sentais son odeur, je l'entendais haleter...

Elle frémit.

— C'était horrible.

— Je sais, ma chérie, mais tu es en sécurité ici. Il ne peut plus s'en prendre à toi.

— Vous êtes sûre qu'il ne sait pas où je vis?

— Absolument. N'hésite pas à redemander à Shari quand nous la verrons cet après-midi.

S'il n'y avait pas de raison que le père de Haylea connaisse mon adresse, je n'oubliais pas la bévue de l'hôpital. Je m'abstins de rappeler l'incident à Haylea, partant du principe que son père serait déjà venu nous importuner. Restait à espérer qu'il serait bientôt arrêté par la police.

Les bilans de Haylea et Darcy-May étaient prévus respectivement à 14 et 15 heures. En général, ces rendez-vous durent une heure. Comme nous n'avions plus de lait, je proposai dans la matinée à Haylea de passer à l'épicerie de quartier. Elle était moins loquace que la veille au parc.

— Ça va, ma puce? m'enquis-je.

Haylea haussa les épaules.

— Je pense tout le temps à ce qui m'est arrivé. Je ne veux pas, mais je vois des choses défiler dans ma tête en continu. Des choses que j'avais oubliées. Je n'arrive pas à chasser ces images.

— Maintenant que tu n'as plus rien à craindre, c'est comme si ton cerveau t'autorisait à te souvenir. Ça ira mieux avec le temps, mais il faudra que tu en parles à ta psychologue quand tu la reverras. Elle connaît peut-être des stratégies qui permettent de réguler ces pensées indésirables.

— J'espère.

D'après mon expérience auprès d'enfants victimes de viols, je savais qu'il faudrait des mois sinon des années avant que ces pensées parasites cessent, ou du moins diminuent. L'aide que je pouvais apporter à Haylea en la matière était limitée et elle avait besoin d'un thérapeute qualifié. Encore une fois, il était regrettable que le rendez-vous de cette semaine ait été annulé.

Après nos quelques emplettes, nous rentrâmes à la maison pour déjeuner. Ensuite, je couchai Darcy-May dans son berceau à l'étage, car c'était l'heure de la sieste, puis je plaçai le récepteur de l'écoute-bébé dans le salon où nous allions nous installer pour le bilan.

Si ces réunions s'avèrent parfois assez formelles, la présence de l'enfant contribue à détendre l'atmosphère. En général, elles commencent dans une ambiance calme et carrée ; une fois que toutes les personnes conviées sont assises, le coordinateur indépendant chargé des suivis demande à chacune de se présenter. Or le bilan de Haylea n'obéit pas à ce déroulé.

Shari arriva un quart d'heure plus tôt pour faire le point avec Haylea avant la réunion. Elle entra dans le salon d'un pas décidé, s'assit près de l'adolescente sur le canapé et nous informa que la police s'était de nouveau rendue à l'adresse indiquée par Haylea.

— Ils ont perquisitionné la maison et arrêté l'homme qui y vit, dit-elle.

Je n'en sus pas plus car la sonnette retentit.

Je laissai Haylea et Shari le temps d'aller ouvrir. C'était Joy, qui préférait toujours arriver un peu en avance. Lorsque je l'invitai à entrer dans le salon, Shari interrompit sa discussion avec Haylea et lui demanda confirmation à propos d'un placement d'enfants.

— Oui, je vous ai envoyé les détails par e-mail, répondit-elle.

— Merci, dit Shari, avant de se tourner de nouveau vers Haylea.

Joy s'assit dans un fauteuil tout proche.

— Où est Darcy-May ? me demanda-t-elle.

— À l'étage, pour sa sieste de l'après-midi.

J'ignorais qui étaient les enfants dont Shari venait de parler, mais si l'information avait un lien avec Haylea ou Darcy-May, elle figurerait dans le compte rendu de la réunion.

La sonnette retentit de nouveau : c'était Jasmine Patel, une responsable éducative que je connaissais pour avoir déjà travaillé avec elle auprès d'enfants placés. Son rôle était de veiller à ce que les jeunes en décrochage scolaire, comme Haylea, retournent en classe.

— Comment allez-vous ? lui demandai-je après l'avoir invitée à entrer.

— Bien, merci. Désolée de ne pas vous avoir contactée plus tôt au sujet de Haylea. Je rentre tout juste de vacances.

— J'espère que vous en avez bien profité, dis-je en la précédant au salon.

Shari et Joy connaissaient Jasmine, qui elle-même avait déjà rencontré Haylea à Waysbury. Après qu'elles se furent saluées, je leur proposai quelque chose à boire. Shari accepta volontiers un café, Jasmine demanda un verre d'eau, Joy et Haylea déclinèrent.

Au moment où j'entrai dans la cuisine, Pammy disparut par la chatière. Il restait quand il n'y avait qu'un ou deux visiteurs, sinon il préférait se trouver un coin plus tranquille dehors. Je ne savais pas qui d'autre nous attendions, seulement qu'aucun membre de la famille de Haylea n'avait été convié. Haylea et moi avions reçu nos convocations la semaine précédente et rempli les formulaires d'évaluation en ligne.

Je préparai les boissons puis les apportai au salon où Shari parlait avec Haylea et Joy, tandis que Jasmine les écoutait attentivement. Je supposai qu'il y avait eu de nouveaux développements depuis la venue de la police en début de semaine, et d'après les bribes de conversation que j'avais saisies depuis la cuisine, au moins une personne avait été interpellée. Shari nous communiquerait les dernières informations au cours de la réunion.

Voyant qu'il était 14 heures, je me demandai où était Ashley Main, le coordinateur indépendant chargé des suivis, lorsque quelqu'un sonna ; c'était lui. Il suivait les dossiers de Haylea et de Darcy-May et les avait vues à l'occasion de leur premier bilan. Je lui proposai une boisson qu'il refusa, puis nous rejoignîmes les autres qui discutaient toujours au salon.

— Vous avez commencé sans moi ? plaisanta-t-il en s'asseyant. Content de te revoir, ajouta-t-il à l'intention de Haylea. La dernière fois, c'était à Waysbury.

L'adolescente lui sourit timidement.

— Est-ce que nous attendons encore quelqu'un? demanda Ashley à Shari.

— Non.

Tout le monde se tut et Ashley ouvrit la réunion en allumant son ordinateur portable. J'étais assise près du récepteur de l'écoute-bébé, sur une chaise que j'avais rapportée de la cuisine. Ne sachant pas combien de personnes seraient présentes, j'avais prévu des chaises supplémentaires au cas où.

— C'est donc ton deuxième bilan, indiqua Ashley à Haylea. Comme tu le sais, ces réunions débutent généralement par un tour de table, alors je me lance : je suis Ashley Main, coordinateur indépendant chargé des suivis.

— Joy Philips, référente de Cathy Glass auprès des services sociaux.

Ainsi, chaque intervenante déclina à tour de rôle son nom et sa fonction, pendant que le coordinateur pianotait sur le clavier de son ordinateur.

— Merci à toutes pour votre présence, dit-il une fois les présentations terminées. Haylea, nous sommes réunis pour parler de toi, et il s'est passé beaucoup de choses depuis la dernière fois. Est-ce que tu veux bien commencer par nous dire comment tu te sens et ce que tu penses de la vie chez Cathy?

— C'est sympa, je me plais ici, dit Haylea, intimidée. C'est moi qui ai demandé à venir.

— En effet, et il y a aussi Darcy-May, souligna Ashley en cherchant la petite dans le salon.

— Elle est dans son berceau à l'étage, indiquai-je. Je la descendrai quand elle se réveillera.

— Ah oui, l'écoute-bébé est là, dit Ashley en remarquant le récepteur.

Sur ce, il se tourna de nouveau vers Haylea.

— Alors, qu'est-ce que ça te fait de vivre sous le même toit que Darcy-May? Je dois avouer que j'ai eu des inquiétudes en apprenant ce qui avait été convenu.

Je sentis que tout le monde guettait la réponse de Haylea.

— Ça ne me pose pas de problème, dit-elle. Je l'ignore.

— Tout le temps? demanda le coordinateur, un peu sceptique.

— Oui, je fais comme si elle n'était pas là. Je faisais pareil quand on s'en prenait à moi.

En entendant Haylea résumer ainsi sa situation, je me demandai ce qui allait advenir une fois qu'elle serait confrontée à la dure réalité des faits. Quelle serait sa réaction? Impossible à dire.

18

Gros sur le cœur

Le coordinateur demanda à Haylea de détailler ce qu'elle appréciait dans le quotidien chez moi.

— Plein de choses. J'aime Cathy, sa famille, et je me plais dans cette maison.

— Donc tu te sens bien ici? demanda le coordinateur en notant au fur et à mesure.

— Oui.

— Comment tu occupes ton temps libre?

— Je regarde la télé, je donne un coup de main à Cathy quand elle prépare des gâteaux. Parfois, on sort en famille.

— C'est sympa. Est-ce que tu aides Cathy à s'occuper du bébé? demanda le coordinateur en levant les yeux de son écran.

— Non, répondit Haylea, gênée.

— Je ne la sollicite jamais s'agissant de Darcy-May, précisai-je.

Le coordinateur hocha la tête et s'adressa de nouveau à Haylea.

— Merci d'avoir rempli ton formulaire d'évaluation, je l'ai bien lu. Es-tu contente des décisions qui ont été prises te concernant?

À cette question qui revenait à chaque entretien, Haylea acquiesça.

— Et sur le plan de la santé, est-ce que tout va bien?

— Oui.

— Ton bilan ophtalmologique et dentaire est à jour?

— Oui, on m'en a fait passer un quand j'étais à Waysbury, confirma Haylea.

— Pas d'accident, pas de maladie grave depuis ton dernier entretien de suivi?

— Non.

Le but de la réunion n'était pas de revenir en détail sur les antécédents de Haylea comme la grossesse, l'accouchement, l'infection sexuellement transmissible et les séquelles des sévices qu'elle avait subis. Cela aurait été gênant pour elle, et les personnes concernées en avaient été informées.

— Est-ce que tu communiques avec ta famille? enchaîna le coordinateur.

— Non, répondit Haylea.

— Est-ce que tu vois des amis? Lors de l'entretien précédent, tu as indiqué que tu sympathisais avec d'autres résidents de Waysbury.

— Pas vraiment. Ils n'ont pas gardé contact. Cathy dit que je rencontrerai de nouvelles personnes quand je retournerai au lycée.

— J'en suis sûr.

Le coordinateur sourit puis s'adressa à Jasmine.

— Justement, où en sommes-nous sur le plan de la scolarité?

— Nous avons trouvé un établissement qui accepte d'accueillir Haylea au début du prochain trimestre, répondit Jasmine. Je détaillerai au moment de ma prise de parole.

— Merci.

Mais Haylea avait l'air inquiète, et je savais que cela n'allait pas être facile pour elle de reprendre le chemin des cours.

Le coordinateur finit de noter et se tourna de nouveau vers la jeune fille.

— Comme tu t'en souviens sans doute, je t'ai demandé la dernière fois si tu avais eu des problèmes avec la police. Alors?

— Non.

— Pas de nuit passée à l'extérieur sans autorisation, pas de fugue?

— Non, je ne ferais pas ça. Je me plais ici.

Joy me lança un regard approbateur.

— Parfait, dit le coordinateur. Merci, Haylea, c'est tout pour moi. As-tu des choses à ajouter, des questions à nous poser?

— Oui. Est-ce que mon père sait que je suis ici?

— Non, répondit Shari. On ne lui a communiqué aucune information sur ton placement, même s'il en a demandé.

Alors que cette précision me mettait mal à l'aise, Haylea parut soulagée.

Ce fut à mon tour de prendre la parole, mais à peine eus-je le temps de dire que Haylea était une jeune fille adorable que le récepteur de l'écoute-bébé retransmit les gazouillis de Darcy-May. Tout le monde sourit sauf Haylea qui, comme d'habitude, fit totalement abstraction de sa fille. Maintenant que Darcy-May était réveillée, je savais qu'elle n'allait pas tarder à me réclamer en pleurant.

— Ça ne vous ennuie pas que j'aille chercher Darcy-May avant de poursuivre? demandai-je au coordinateur.

— Bien sûr que non, allez-y.

Je quittai la pièce et me dépêchai de monter dans ma chambre. Darcy-May me sourit et babilla. Après avoir vérifié qu'il était inutile de la changer, je la pris dans mes bras, déposai un baiser sur sa petite joue, redescendis et passai dans la cuisine, où un biberon l'attendait.

Lorsque je repris ma place au salon, tout le monde s'extasia devant Darcy-May, sauf bien sûr Haylea qui regardait fixement par la fenêtre.

— Qu'est-ce qu'elle a grandi! s'exclama le coordinateur, qui ne l'avait pas vue depuis trois mois.

— Oui, elle se porte très bien, répondis-je.

— Elle est toute mignonne, renchérit Jasmine depuis l'autre côté de la pièce en agitant la main.

— Je vous le confirme, souris-je.

— Coucou, trésor, dit Joy en se penchant vers elle pour capter son regard.

— Nous procéderons au bilan de cette petite merveille après celui-ci, rappela le coordinateur. Alors poursuivons et écoutons Cathy, qui va nous raconter comment ça se passe avec Haylea.

En tenant Darcy-May qui tétait goulûment son biberon, j'expliquai que Haylea s'était acclimatée et s'entendait bien avec ma famille.

— Haylea a bon appétit et est autonome au quotidien, ajoutai-je. Elle aime prendre un long bain le matin. Malheureusement, elle ne dort pas bien et souffre d'insomnie. La nuit dernière, elle a fait un cauchemar.

— De quoi as-tu rêvé? demanda le coordinateur en se tournant vers Haylea.

Celle-ci ne répondit pas.

— Des sévices qui lui ont été infligés par son
père et ses acolytes, indiquai-je.

Le coordinateur, qui s'était arrêté de noter,
regarda Haylea avec compassion.

— Est-ce que tu suis une thérapie?

Haylea hocha la tête.

— Je crois savoir que Haylea va aux rendez-
vous mais qu'elle a du mal à se confier à la
psychologue, indiquai-je. J'espère que ça se
passera mieux à partir de maintenant.

— À quel rythme est-ce que tu la vois?
demanda le coordinateur à Haylea.

— Une fois par semaine.

— Mais le prochain rendez-vous a été annulé
car la psychologue est en vacances, ajoutai-je.

— Elle a envoyé son compte rendu en amont
de la réunion, intervint Shari.

— Oui, j'ai vu, merci, dit le coordinateur puis,
se retournant vers Haylea : Est-ce que tu souhaites
poursuivre ces consultations?

— Oui, dit Haylea.

— Elles ont lieu en pleine journée, précisai-
je. Quand Haylea aura repris les cours, sera-t-il
possible de changer l'horaire?

— Oui, dit Shari en prenant note.

Je poursuivis en détaillant le quotidien de
Haylea, ainsi qu'il était d'usage lors d'un bilan.
Je racontai qu'elle aimait les sorties au parc et au
zoo, entre autres.

— Elle peut se montrer timide quand elle
rencontre de nouvelles personnes ou qu'elle

sort de sa zone de confort, mais elle progresse. Je pense qu'elle a confiance en moi et je suis heureuse qu'elle se soit sentie suffisamment à l'aise pour se livrer sur ce qu'elle a subi.

J'aurais pu m'étendre sur la fragilité psycho-logique de Haylea et mes inquiétudes quant à sa façon d'oblitérer complètement Darcy-May, or non seulement j'en avais déjà informé Shari et Joy, mais je jugeai déplacé d'en reparler en sa présence.

— Merci, dit le coordinateur. Espérons que la thérapie fasse avancer les choses. Et Haylea pourra rester chez vous durant toute sa prise en charge par les services sociaux?

— Oui.

— Personne n'a de remarques ou d'objections? demanda-t-il – là encore, une question qui revenait à chaque bilan.

Les autres intervenantes dirent non ou secouèrent la tête.

Ashley me remercia puis se tourna vers Shari.

— Je passe la parole à l'assistante sociale de Haylea. Vous devez avoir beaucoup de choses à nous dire.

Je me détendis un peu, tandis que Darcy-May buvait la dernière gorgée de son biberon.

— En effet, confirma Shari. Suite aux éléments que Haylea a transmis aux policiers, ils se sont rendus chez son père et à l'adresse qu'elle leur avait indiquée. Après la perquisition des deux domiciles et la saisie d'un grand nombre d'objets, les deux hommes ont été arrêtés ce matin. La police est également intervenue chez la nièce et le neveu de l'occupant de la maison, et ils ont été pris en charge par les services sociaux.

Je poussai un énorme soupir de soulagement et déduisis qu'il s'agissait des enfants évoqués par Shari et Joy à leur arrivée. Ils avaient donc bien un lien familial avec l'homme qui avait accueilli ces «fêtes» sordides et ne l'avaient pas appelé «tonton» pour rien, contrairement à ce qui avait été envisagé.

— Je suis fière de toi, Haylea, soulignai-je.

Elle sourit, comme toutes les autres personnes présentes. Cela pouvait paraître incongru au vu des circonstances, mais un immense soulagement prévalait dans la pièce. Grâce au courage de Haylea, deux pédocriminels monstrueux avaient été arrêtés et mis hors d'état de nuire. C'était également une première étape pour que justice soit rendue à Haylea et aux autres victimes.

— Dans les deux maisons, la police a saisi une grande quantité de matériel qui est en cours d'analyse, ajouta Shari. On me communiquera d'autres informations plus tard.

— Du matériel, c'est-à-dire? intervint Jasmine.

Comme elle travaillait dans l'éducation, elle n'était pas forcément au fait des situations rencontrées par les assistantes sociales et familiales.

— Des caméras, des webcams, des ordinateurs portables, des clés USB, des disques durs, ce genre de choses, répondit Shari. Apparemment, les hommes avaient pris l'habitude de filmer les agressions.

— Oh, mon Dieu! s'écria Jasmine, visiblement secouée. J'ai eu M. Walsh au téléphone avant que Haylea soit confiée aux services sociaux, à l'époque où j'essayais de trouver une solution à son décrochage scolaire. C'est immonde.

Je regardai Haylea, mais elle s'était réfugiée dans la bulle qui lui offrait un semblant de protection par rapport à ce qu'elle était en train de vivre.

— La police va auditionner Haylea demain, indiqua Shari.

— À quelle heure? demandai-je. Car Darcy-May a un rappel de vaccination à 10 heures.

— C'est à 10 h 30, je la conduirai au commissariat, dit Shari.

Je hochai la tête et notai l'information, comme Joy et le coordinateur.

— Voilà où nous en sommes, ajouta Shari. J'en saurai plus dans les prochains jours.

Le coordinateur la remercia et s'adressa à Haylea.

— As-tu des questions à poser à ton assistante sociale sur ce qu'elle vient de dire?

Haylea revint parmi nous et secoua la tête.

D'un regard, le coordinateur invita Shari à poursuivre. Elle consulta brièvement ses notes manuscrites, et elle avait aussi calé son ordinateur portable sur ses genoux au cas où elle aurait besoin de s'y référer.

— Je suis en contact avec l'hôpital et j'attends des nouvelles du médecin. Haylea ne veut pas subir d'autres examens, alors j'espère que ce ne sera pas nécessaire. Sur un tout autre sujet, il y a eu un incident impliquant une employée du foyer de Waysbury qui a envoyé des textos déplacés à Haylea et Cathy, mais le problème a été réglé par Fran Pacton, la directrice. J'ai cru comprendre qu'il y avait déjà eu des alertes par le passé.

Je l'ignorais.

— Fran a envoyé un compte rendu succinct avant la réunion, indiqua le coordinateur. Elle y revient sur le séjour de Haylea au foyer et les raisons de son départ. Je ne le lirai pas à haute voix, sauf si l'une de vous le souhaite.

Comme personne ne demandait à entendre le compte rendu, Shari poursuivit.

— Les mesures mises en place par les services sociaux restent inchangées, et dans l'ensemble, Haylea vit très bien son placement ici. Je pense que le retour en cours l'aidera aussi. Elle m'a promis qu'elle essaierait de se confier davantage à sa psychologue quand les séances reprendront la semaine prochaine.

— Merci, dit le coordinateur. Qu'en est-il des cours particuliers? La question a été soulevée lors du premier bilan.

— Les fonds ont été débloqués juste avant les vacances d'été, mais l'organisme ne fonctionne qu'en période scolaire. De toute façon, Haylea reprendra une scolarité dans un établissement général à la rentrée.

— Le projet de cours particuliers n'a donc pas abouti, nota le coordinateur. Autre chose?

— Pas pour l'instant.

— Joy, voulez-vous ajouter un commentaire? demanda le coordinateur à ma référente.

— Je suis en contact régulier avec Cathy, qui est l'une de nos assistantes familiales les plus chevronnées, et je sais qu'elle fournit à Haylea un accueil adapté à ses besoins. Elle n'hésite pas à me demander conseil quand elle le juge utile et me tient informée.

— Merci. Autrement dit, rien à signaler?

— Non.

— Jasmine, voulez-vous prendre la parole?

Jasmine ouvrit son ordinateur portable et se tourna vers Haylea.

— Tu es en décrochage scolaire pour diverses raisons. Je sais que tu veux y remédier et j'ai trouvé l'établissement idéal, avec de petits effectifs et un encadrement excellent. Tu as déjà entendu parler de Turnbridge?

Haylea secoua la tête. Pour ma part, je connaissais de nom mais je n'avais encore jamais accueilli d'enfant qui fréquente ce lycée.

— J'ai rencontré la proviseure et elle te propose une place pour la rentrée de septembre. Je connais l'établissement, j'y ai envoyé d'autres adolescents comme toi. Il est très bon et tout à fait adapté à ta situation. Tu peux consulter le site Internet, tu y trouveras les informations importantes sur les dates de vacances, les boutiques où acheter l'uniforme – c'est un pantalon ou une jupe de couleur grise et un pull bordeaux –, le règlement, les clubs, les activités et j'en passe.

— Merci pour cette bonne nouvelle, dit le coordinateur.

Nous guettâmes la réaction de Haylea. Il fallait qu'elle se montre coopérative pour que la démarche soit un succès.

— Je ne sais pas où c'est, murmura-t-elle, inquiète. Est-ce que je vais devoir prendre le bus?

— Pas si ça t'angoisse, dit Shari. Je suis sûre que Cathy te conduira et ira te chercher, au moins dans un premier temps.

— Bien entendu, confirmai-je. Et nous profiterons des vacances pour aller voir à quoi ressemble le lycée de l'extérieur.

J'avais fait de même avec d'autres enfants qui devaient changer d'école, et cela avait aidé.

— On a le temps, et on pourra aussi tenter le trajet en bus. À mon avis, il faut compter une demi-heure. Je suis à peu près sûre que le 152, qu'on prend sur la rue principale, y va directement, mais on vérifiera. Ne t'inquiète pas.

— Merci, dit Haylea, sans être toutefois convaincue. Je n'ai pas envie de me perdre.

— Ça n'arrivera pas.

Alors que le coordinateur lui adressait un sourire encourageant, je savais que ce n'était pas le trajet en lui-même qui angoissait Haylea, mais l'idée de reprendre les cours après une aussi longue interruption. Heureusement, j'avais un mois pour l'y préparer.

Jasmine parla encore un peu du lycée, soulignant ses atouts qui, selon elle, répondraient parfaitement aux besoins de Haylea.

— Merci, Jasmine, dit le coordinateur lorsqu'elle eut terminé. C'est très positif.

Il se concentra quelques instants sur son ordinateur puis releva la tête vers Haylea.

— Ta psychologue a envoyé un compte rendu que je ne vais pas lire devant tout le monde. Elle mentionne une consœur avec laquelle tu seras peut-être plus à l'aise, mais il faut attendre qu'une place se libère.

— Non, ça va aller, répondit Haylea. Je n'arrivais pas à lui raconter ce qui s'était passé mais je vais le faire, je vous le promets.

— Entendu, dit le coordinateur. Sache en tout cas que ce n'est pas obligatoire. C'est une aide.

— Oui. Je continuerai à y aller.

Le coordinateur prit note et demanda si nous avions quelque chose à ajouter. Comme la réponse fut négative, il annonça que le prochain bilan aurait lieu dans trois mois et conclut l'entretien par ces mots :

— Bonne chance dans ta nouvelle école, Haylea. Je suis sûr que tout va très bien se passer.

— Moi aussi, dit Jasmine en se levant pour partir.

Elle était la seule dont la présence n'était pas requise pour le bilan de Darcy-May, prévu juste après celui de Haylea. Comme la petite venait de s'endormir dans mes bras, je la couchai dans son transat et raccompagnai Jasmine.

— Je vous recontacterai, dit-elle à la porte. Mais si vous ou Haylea avez des questions, n'hésitez pas à m'appeler.

— Merci.

Jasmine avait visiblement conscience que pour Haylea, la démarche était tout sauf anodine.

Je venais de refermer la porte lorsque Haylea me rejoignit dans le vestibule.

— Ce n'est pas la peine que je reste pour la suite, hein ? me demanda-t-elle.

— Non, ma puce. Fais comme tu veux.

— Alors je monte dans ma chambre, dit-elle en se dirigeant vers l'escalier.

De mon côté, je retournai au salon et proposai de nouveau une boisson aux autres intervenants, car nous avions dix minutes de pause avant de passer au bilan de Darcy-May.

— Je ne suis pas contre une tasse de thé, dit le coordinateur. Si je ne me trompe pas, nous attendons Nia, du service d'adoption.

— C'est bien ça, confirma Shari. Elle a trouvé un couple dont le profil pourrait correspondre à celui de Darcy-May et je lui ai demandé de nous fournir plus d'informations. Je veux bien un thé aussi, s'il vous plaît, Cathy.

Quant à Joy, elle demanda un verre d'eau. En allant dans la cuisine, j'en avais gros sur le cœur. Même s'il était important que Darcy-May rencontre ses parents adoptifs au plus vite, nous devions nous attendre à ce qu'elle nous quitte bientôt. En tant qu'assistante familiale, je sais que ce moment arrive tôt ou tard, mais cela ne le rend pas plus facile pour autant.

19

Tout dire à la police

Une fois que Nia, du service d'adoption, nous eut rejoints, comme pour Haylea, le coordinateur ouvrit la réunion en nous demandant de nous présenter.

— Haylea n'assiste pas à la réunion? demanda-t-il ensuite.

— Non, indiquai-je.

— Ça peut se comprendre, dit le coordinateur en notant l'information.

— Où est-elle? s'enquit Shari.

— Là-haut, dans sa chambre.

— Je monterai la voir avant de partir.

On me donna la parole en premier et en guise d'introduction, je dis que c'était un plaisir de m'occuper de Darcy-May. Ensuite, je décrivis son rythme quotidien en termes de nourriture et de sommeil, nos rendez-vous à la clinique de quartier, où elle était pesée et mesurée, son développement, etc. Je n'eus aucun mal à parler d'elle en positif.

— C'est un bébé joyeux et facile à vivre. Ses parents adoptifs auront beaucoup de chance, elle est adorable.

— Son départ va laisser un vide, dit Joy.

— Oui, un grand vide.

— Mais j'imagine que ce sera plus facile pour vous de n'avoir que Haylea, intervint le coordinateur.

— Ce sera différent, nuançai-je. «Plus facile», je ne suis pas sûre.

— Comment Haylea vit-elle la situation? demanda le coordinateur en levant les yeux de son écran.

— Elle me donne l'impression d'être sur le fil du rasoir, répondis-je en toute honnêteté. Je pense qu'elle se sent libérée depuis qu'elle s'est confiée sur ce qu'elle a subi. En revanche, la reconstruction s'annonce difficile.

Le coordinateur opina.

— Je suis d'accord, d'ailleurs j'ai été surpris qu'elle ait eu la force de participer à l'entretien. Elle s'en est bien sortie. Comment se comporte-t-elle avec Darcy-May?

— Elle en fait complètement abstraction en s'enfermant dans sa bulle, y compris quand elles sont dans la même pièce ou en voiture.

— Donc Haylea ne lui donne pas le biberon, ne joue pas avec elle? demanda Nia, qui avait un calepin posé sur les genoux.

— Ça n'est encore jamais arrivé. Et je ne l'y ai pas encouragée, étant donné que le projet de placement prévoit une adoption.

— Donc vous diriez qu'elles n'ont noué aucun lien d'attachement? insista Nia. C'est une question que posent souvent les couples pressentis pour l'adoption.

— Pas à ma connaissance. Haylea doit bien être consciente que Darcy-May est sa fille mais elle arrive à l'occulter complètement, tout comme elle a occulté les viols. C'est ce qu'elle m'a expliqué.

— Quelle tristesse, dit Nia en prenant des notes.

Nous eûmes tous un regard pour Darcy-May, qui dormait dans son transat.

— Je suppose que la psychologue de Haylea va l'aider sur ce point? demanda le coordinateur à Shari.

— Sans doute, oui.

— Cathy, veuillez continuer, dit le coordinateur. Vous avez mentionné un rendez-vous médical demain.

— Oui, ce sera le dernier rappel du vaccin six-en-un. Et j'ai le plaisir de vous annoncer qu'il n'y en aura plus avant ses un an.

— De quelles maladies ce vaccin prémunit-il? demanda Nia.

— Attendez, je vérifie.

Je me penchai pour ramasser le carnet de santé, que j'avais posé par terre à côté du dossier de placement de Darcy-May. Je l'ouvris et cherchai la bonne page.

— Hépatite B, diphtérie, infections à l'*Haemophilus influenzae*, poliomyélite, tétanos et coqueluche.

— Merci, dit Nia en notant le tout.

— Son carnet de santé est à jour et je le transmettrai aux parents adoptifs, ajoutai-je.

— Aurez-vous d'autres documents à leur fournir? demanda Nia.

— J'ai commencé un album de naissance. C'est ce que vous aviez en tête?

— Parfait.

— Donc Darcy-May est en bonne santé ? demanda le coordinateur, reprenant les points à aborder au cours de la réunion.

— Tout à fait.

— D'après le compte rendu du premier bilan, une infirmière était présente mais je ne la vois pas aujourd'hui.

— Je n'ai pas jugé utile de la convoquer, expliqua Shari. Cathy se rend régulièrement à la clinique et voit un professionnel de santé là-bas, ce qui est habituel pour un enfant de cet âge.

— D'accord, merci, dit le coordinateur en pianotant sur son clavier. Cathy, souhaitez-vous ajouter quelque chose ?

— Je ne crois pas. En plus d'avoir un développement tout à fait normal, Darcy-May est un bébé adorable.

Cette fois encore, tous les regards se tournèrent vers la petite.

Le coordinateur passa la parole à Shari, qui commença par indiquer que le projet de placement demeurait inchangé et que Darcy-May resterait avec moi jusqu'à son adoption.

— Nia a des informations à nous communiquer sur ce point, précisa-t-elle. Mais étant donné les révélations récentes de Haylea, on ne peut pas exclure que Darcy-May soit née d'un viol, voire que son géniteur soit le propre père de Haylea. Quand je la conduirai au commissariat demain, j'aborderai avec elle l'éventualité de procéder à un test ADN pour établir la paternité.

— Ce serait utile, dit Nia. Les adoptants veulent souvent avoir le maximum d'informations à propos du bébé.

— Que savent-ils pour l'instant? s'enquit Joy.

— Seulement que la mère de Darcy-May est une adolescente qui a tout de suite décidé de la placer à l'adoption.

— Une décision qui se comprend d'autant plus au vu des circonstances, souligna Ashley, la mine grave.

— En effet, acquiesçai-je. Je me suis demandé si le bébé ressemblait au violeur de Haylea et si c'était la raison pour laquelle elle ne supportait pas de la regarder.

Je vis Nia grimacer à cette idée terrible.

— C'est possible, répondit le coordinateur. Est-ce que Haylea se verra proposer de garder contact avec Darcy-May après son adoption? demanda-t-il à Shari.

— Des échanges par courrier seront envisagés si elle le souhaite. Haylea aura alors la possibilité de lui envoyer des cartes de Noël et d'anniversaire *via* les services sociaux ainsi que des lettres. De leur côté, les parents adoptifs écriront un courrier annuel retraçant le parcours de Darcy-May qui transitera par nous.

— Pensez-vous qu'elle voudra maintenir le lien? me demanda Nia.

— Pas pour l'instant, mais ça peut toujours changer à l'avenir.

— Donc le couple que vous pressentez pour l'adoption ne connaît pas les circonstances dans lesquelles Darcy-May a été conçue? demanda Joy.

— Non, car je viens moi-même d'en être informée. Je leur expliquerai quand je les verrai vendredi.

Lorsque Shari conclut en indiquant que si tout se passait comme prévu, Darcy-May serait confiée à ses parents adoptifs dans trois à six mois, je déglutis avec difficulté. Puis la parole fut donnée à Nia, qui se redressa sur sa chaise.

— Comme je vous le disais, je revois les adoptants vendredi, dit-elle d'un ton enjoué. Cathy, j'aimerais que vous veniez les rencontrer et leur parler de Darcy-May. Les futurs parents ont hâte de vous voir. Je vous ai envoyé les informations par e-mail avant de venir, ainsi qu'à vous, Joy.

S'il était habituel que le couple pressenti pour l'adoption rencontre l'assistante familiale à cette étape du processus, j'aurais aimé être prévenue plus à l'avance de façon à m'organiser pour faire garder Darcy-May et Haylea. Pendant que je réfléchissais, Joy consulta son agenda d'un air pensif.

— Le rendez-vous est à 11 heures au siège des services sociaux, m'indiqua Nia. Vous voudrez bien apporter l'album de naissance de Darcy-May et tout autre document susceptible d'intéresser le couple, s'il vous plaît?

— Je ne viens pas avec Darcy-May, j'imagine? demandai-je en notant l'heure dans mon agenda – je lirais l'e-mail plus tard.

— Non, nous n'en sommes pas encore à la phase d'adaptation, qui débutera seulement lorsque la commission aura donné son feu vert.

— Je vais devoir la confier à quelqu'un, ainsi que Haylea, expliquai-je.

— Très bien, répondit Nia.

Celle-ci ne semblait pas se rendre compte que la chose ne s'annonçait pas simple dans un délai aussi serré. Elle parla ensuite du couple envisagé pour l'adoption : Jessica et Andrew, un couple stérile d'une trentaine d'années qui vivait à environ cent trente kilomètres d'ici.

— Ils travaillent tous les deux à temps plein, dit Nia, mais l'employeur de Jessica sait qu'elle devra prendre un congé parental à l'arrivée du bébé. Jessica et Andrew conviendront parfaitement à Darcy-May, aussi bien physiquement que culturellement. Ils sont en mesure de lui offrir un excellent cadre de vie.

Le coordinateur hocha la tête tout en notant.

— Ils disposent déjà de l'agrément d'adoption, poursuivit Nia, dont l'enthousiasme était palpable. Donc une fois que la commission aura statué, nous commencerons la phase d'adaptation. J'adore cette étape, elle est si gratifiante.

— Je confirme que ce couple me paraît bien choisi, intervint Shari.

Elle avait sans doute eu accès au dossier ; peut-être même qu'elle avait rencontré les postulants.

— Jessica et Andrew sont tous les deux enfants uniques, dit Nia. Leurs parents sont toujours en vie, autrement dit Darcy-May aura deux papys et deux mamies pour la gâter. Je les ai rencontrés aussi, ils ont hâte que leur première petite-fille arrive dans la famille.

Alors que Nia continuait à énumérer les nombreuses qualités de Jessica et d'Andrew, j'entendis Haylea descendre à pas feutrés et se servir un verre d'eau. Je me demandai si elle avait finalement décidé de se joindre à nous, mais elle remonta dans sa chambre. J'irais aux nouvelles une fois le bilan de Darcy-May terminé.

Après avoir redit qu'elle nous verrait, Joy et moi, au rendez-vous du vendredi suivant, Nia conclut son propos sur une note aussi positive qu'elle l'avait commencé.

— Je sais que Jessica et Andrew feront d'excellents parents pour Darcy-May.

— Merci, dit le coordinateur après avoir terminé de taper sa phrase. Joy, avez-vous quelque chose à ajouter?

— Oui, j'aimerais remercier Cathy pour son travail avec Darcy-May. Manifestement, la petite s'épanouit à son contact. Cathy mettra tout en œuvre pour que la transition avec la famille adoptive de Darcy-May se déroule le plus sereinement possible. Je serai présente à la réunion vendredi si j'arrive à déplacer le rendez-vous que j'ai déjà dans mon agenda. Ça ne devrait pas poser de problème.

Puis, se tournant vers moi, elle demanda :

— Aurez-vous besoin d'aide pour trouver une solution de garde?

— Oui.

— D'accord, on en reparle plus tard.

Les autres intervenants n'étaient pas concernés par le sujet. Tous les points ayant été abordés, le coordinateur annonça que le prochain bilan de Darcy-May se tiendrait dans trois mois et conclut la réunion en nous remerciant pour notre présence.

Je confiai Darcy-May aux bons soins de Joy le temps de raccompagner Ashley et Nia. Puis j'allai prendre un biberon dans la cuisine et retournai au salon.

— Haylea est toujours dans sa chambre? demanda Shari en se levant.

— Oui.

— Dans ce cas, je vais monter la voir.

— Vous vous souvenez où c'est?

— Oui, merci.

Alors que je donnai le biberon à Darcy-May, Joy dit :

— Nous avons une nouvelle assistante familiale, Mme Abebe, qui vient d'être agrémentée. Je vais lui demander de garder les filles vendredi.

— Merci. J'étais un peu prise au dépourvu.

— Je sais.

— Vous voulez qu'elle vienne ici? Ce sera moins perturbant pour Darcy-May et Haylea que de les conduire chez elle.

— Oui, bonne idée.

— Je vais lui téléphoner d'ici ce soir et lui donner votre numéro pour que vous puissiez vous organiser.

— Merci, répétai-je, soulagée.

— Je connais le chemin, sourit Joy.

Elle rangea son stylo, son calepin, et partit, pendant que je continuais à nourrir Darcy-May.

Shari passa une quinzaine de minutes avec Haylea puis me rejoignit au salon.

— Comment va-t-elle? m'enquis-je.

— Elle appréhende l'audition au commissariat demain. J'ai essayé de la rassurer, j'espère qu'elle ne va pas renoncer. Je passerai la chercher à 10 heures et je la ramènerai ensuite. J'ai remarqué qu'elle avait mis ses cartes d'anniversaire bien en évidence dans sa chambre, ajouta Shari avec un sourire triste. Elle a de nouveau tenu à me les montrer.

— Oui, je crois que c'est une première pour elle. Je lui ai dit de les laisser là aussi longtemps qu'elle le voudrait.

Après avoir raccompagné Shari, je montai avec Darcy-May, dis à Haylea depuis le couloir que je devais changer la petite et l'allongeai sur le matelas à langer. Quelques instants plus tard, Haylea sortit sur le palier et s'arrêta devant la porte de ma chambre.

— Ça va, ma puce? demandai-je en levant la tête.

— Pas trop, murmura-t-elle. J'angoisse pour demain.

— Je comprends, mais les policiers sont très gentils. Ils ne te mettront pas la pression.

— Mais ils vont me demander des détails sur ce qui s'est passé.

— Oui, certainement.

— Je ne peux pas leur raconter, c'est trop horrible. Il s'est passé d'autres choses que je ne vous ai pas dites.

En effet, Haylea y avait fait allusion.

— Je peux à peine imaginer l'horreur de ce que tu as vécu, ma puce. Mais c'est important que tu donnes le maximum d'informations à la police pour que ces monstres soient poursuivis.

— C'est ce que Shari m'a dit, mais ça doit être possible de les punir même sans mon audition. Il y a d'autres preuves, ils ont trouvé des vidéos…

— Oui, seulement ton témoignage aidera à faire avancer l'enquête. La police va aussi entendre les deux autres enfants. Tout ça, c'est pour s'assurer que vos agresseurs soient condamnés à la peine maximale.

Je lus l'hésitation sur son visage et supposai qu'elle avait eu peu ou prou la même conversation avec Shari. Je finis de changer Darcy-May et la déposai dans son berceau de façon à accorder toute mon attention à Haylea.

— Allons discuter ailleurs, proposai-je.

Je suivis Haylea jusque dans sa chambre et nous nous assîmes sur son lit. La pièce était bien rangée, comme d'habitude : ses cartes d'anniversaire et de départ, quelques livres et des peluches qu'elle avait achetées à l'occasion d'un tour en ville étaient disposés avec soin dans la bibliothèque.

— Je ne supporte pas l'idée que les policiers voient ces vidéos de moi, murmura Haylea.

— Je sais, mais c'est leur métier et ils ont suivi une formation spéciale. Ce ne sera pas une première pour eux, malheureusement.

— Vous croyez ?

— Oui.

Je réussis à prendre la main de Haylea sans que celle-ci n'ait un mouvement de recul.

— Ils ne vont pas me prendre pour une salope ?

— Bien sûr que non. Tu es une victime, une enfant qui a subi des violences terribles.

— Cet homme… mon père, dit Haylea, répugnant à utiliser ce terme, il m'insultait, il disait que j'étais une petite salope qui aimait qu'on la baise. Il se croyait drôle mais je n'aimais pas ça, Cathy. Je le déteste, lui et tous les autres.

Voyant qu'elle était sur le point de pleurer, je serrai instinctivement sa main dans la mienne.

— Je suis désolée, dit-elle.

— Pour quoi ? Tu n'as pas à être désolée.

— Si, je vous contrarie.

À ces mots, je sentis les larmes me monter aux yeux. Haylea avait été abusée de la plus terrible des façons et elle s'inquiétait pour moi.

— Mais non, ma chérie. Cependant, il faut que tu racontes à la police ce que ton père a dit ou fait, le moindre détail dont tu te souviens. Tu connais l'identité des autres hommes?

— Non, je sais juste que c'était des amis de mon père. Ils venaient à ces fêtes et la pièce était toujours plongée dans le noir. Comme ils portaient des masques ou des cagoules, je ne voyais que leurs yeux et leur bouche.

— Surtout, raconte bien tout ça à la police, insistai-je.

Je m'efforçai de garder un ton posé alors qu'au fond, j'étais révulsée.

— Je vais également le dire à Shari pour qu'elle transmette l'information.

Les précisions apportées par Haylea étaient autant d'éléments de preuve qui, je l'espérais, contribueraient à poursuivre et à condamner les responsables.

J'entendis Darcy-May qui commençait à pleurer doucement. Elle sortait tout juste d'une sieste, elle n'allait sans doute pas enchaîner sur une deuxième.

— Il faut que j'aille voir Darcy-May, dis-je. Mais avant, il y a une question que j'aimerais te poser. Elle me trotte dans la tête depuis un moment.

Haylea me regarda d'un air interrogateur.

— Est-ce que Darcy-May te rappelle quelqu'un? Elle hocha légèrement la tête.

— Tu peux me dire qui?

— Mon père et son frère… mon oncle. Il y a une ressemblance.

— Ils ont tous les deux abusé de toi?

— Oui.

— Et ce n'est pas celui que les autres enfants appelaient «tonton»?

— Non, je parle de mon oncle à moi. Il...

Elle ne put poursuivre.

— D'accord, ma chérie. Surtout, dis-le bien à la police.

20

Prise dans une toile

Haylea passa le reste de l'après-midi à se ronger les sangs pour l'audition, multipliant les questions sur son déroulement et les sujets susceptibles d'être abordés. Je la rassurai du mieux que je pus, mais commençai à me demander si elle n'allait pas renoncer, surtout lorsqu'elle me dit :

— Je crois vraiment que je ne vais pas réussir à leur parler.

— Fais de ton mieux, c'est tout, répondis-je, à court d'arguments.

Ce soir-là au dîner, ce fut tout juste si elle toucha à son assiette, et elle ne décrocha pas un mot. Lorsque Paula lui demanda ce qui n'allait pas, elle se contenta d'un brusque «Rien», sortit de table et monta dans sa chambre.

Après avoir dit à Paula de ne pas prendre sa réaction personnellement, je suivis Haylea à l'étage. Mais comme elle souhaitait qu'on la laisse tranquille, je retournai dans la cuisine à contre-cœur. J'espérai seulement que même si elle ne se rendait pas à l'audition, les preuves rassemblées suffiraient à traduire ses agresseurs en justice. Je ne pouvais concevoir qu'ils soient libres et continuent à sévir, c'était trop affreux.

Haylea passa le plus clair de la soirée dans sa chambre. Je montai régulièrement pour tenter d'engager le dialogue, mais elle répondait à chaque fois qu'elle voulait être seule. Vers 20 heures, je la trouvai en pyjama et au lit en train d'écouter de la musique, certainement pour se changer les idées avant l'audition du lendemain. Lorsque je lui indiquai que j'étais en bas si elle avait besoin de moi, elle hocha la tête. Quant à Darcy-May, elle était couchée pour la nuit.

Quelques instants plus tard, mon téléphone portable sonna.

— Bonsoir, vous êtes bien Cathy Glass? me demanda une femme à la voix chaleureuse, mâtinée d'un joli accent caribéen.

— Oui.

— Ines Abebe à l'appareil, on a dû vous prévenir que j'allais vous appeler. Je ne vous dérange pas?

— Pas du tout, répondis-je en m'asseyant sur le canapé du salon. Merci d'avoir accepté de garder Haylea et Darcy-May vendredi.

— Je vous en prie. Shari vous a certainement dit que mon mari et moi venions de recevoir notre agrément.

— Oui, félicitations.

— Merci. Je crois que l'idée est de nous mettre le pied à l'étrier tout doucement en commençant par du baby-sitting, dit Ines avec un petit rire. Mais vous savez, Cathy, j'ai élevé quatre enfants plus les trois de mes sœurs, alors j'ai un peu d'expérience.

Par sa bonne humeur, elle parvint à m'arracher un sourire.

— Les services sociaux préfèrent d'abord confier des remplacements aux nouvelles familles d'accueil.

— Oui, et ça me convient. Alors, dites-moi ce qu'il y a à savoir et à quelle heure je dois arriver vendredi. J'ai cru comprendre que vous alliez à une réunion dans le cadre de l'adoption du bébé placé chez vous.

— En effet, la petite s'appelle Darcy-May. Comme j'ai prévu de partir vers 10 h 30, si vous pouviez arriver un peu avant, disons à 10 h 15, ça me laissera le temps de vous montrer où est rangé tout le nécessaire.

— Très bien. Darcy-May a quatre mois et Haylea est sa mère âgée de quinze ans?

Ines devait tenir cette information de Shari.

— Exact, mais Haylea ne s'occupe pas du bébé et risque de vouloir rester dans sa chambre. Dans ce cas, allez la voir régulièrement. Elle a vécu beaucoup de choses difficiles.

En général, quand une collègue effectue un remplacement, l'assistante familiale permanente lui dresse par e-mail un tableau rapide de la situation, mais je n'en avais pas eu le temps ; de toute façon, je ne m'absenterais qu'une heure ou deux. J'aurais procédé différemment s'il avait été prévu que Haylea et Darcy-May passent la nuit chez Ines.

— Pas d'inquiétude, Cathy, dit celle-ci de sa voix chantante. Je m'occuperai d'elles comme des miens.

— Merci. Vos enfants plus ceux de vos sœurs, ça ne devait pas être une mince affaire.

— C'est le moins que l'on puisse dire! s'exclama Ines en riant. Ça en fait quand même sept en tout, et d'âges très rapprochés. Les deux plus jeunes sont encore avec moi, les autres ont quitté le nid. Heureusement, j'ai pu compter sur mon mari, un père formidable, pas comme certains au pays pour qui c'est à la femme de s'occuper des enfants.

— D'où êtes-vous à l'origine?

— De Jamaïque.

— C'est super. J'aimerais beaucoup visiter ce pays.

— Eh bien, quand vous irez, prévenez-moi et je vous expliquerai comment vous rendre dans mon village. C'est dans les collines, loin de tout. J'y ai encore une sœur et un frère, ils vous réserveront un bel accueil.

— C'est gentil. Vous y retournez de temps en temps?

— Oui, une fois par an pour trois semaines. Je l'ai dit aux services sociaux quand j'ai postulé pour être assistante familiale: je pars toujours en novembre pour passer trois semaines avec ma famille et c'est sacré. Je préférais que ce soit clair dès le départ.

— Vous avez bien fait.

Nous continuâmes à discuter et un sujet en entraînant un autre, l'appel dura quasiment une heure. Je me pris immédiatement d'affection pour Ines, qui devait être un peu plus jeune que moi et m'avait tout l'air d'une personne chaleureuse et spontanée. Après lui avoir transmis les informations nécessaires concernant Darcy-May et Haylea, nous prîmes congé. Cette conversation eut le mérite de me remonter le moral, comme du vivant de ma mère.

Lorsque je montai voir Haylea, elle avait toujours ses écouteurs dans les oreilles ; la musique atténuait sans doute un peu ses angoisses. Je redescendis et m'installai devant l'ordinateur avec une tasse de thé et mis mon carnet de bord à jour. Enfin, j'envoyai un e-mail à Shari pour l'informer de la conversation que j'avais eue avec notre protégée.

Avant d'aller au lit, je passai une dernière fois voir Haylea.

— Je peux éteindre mon téléphone un peu plus tard ? demanda-t-elle.

— D'accord, mais essaie de dormir.

— Oui, promis.

— Bonne nuit, trésor.

Je refermai la porte de sa chambre en espérant qu'elle trouverait le courage de se rendre au commissariat le lendemain. J'avais déjà accueilli des enfants victimes de graves maltraitances que la police avait demandé à entendre. Même s'ils avaient beaucoup redouté ce moment, une fois l'audition terminée, ils en étaient ressortis soulagés et contents d'avoir réussi à parler à la police – une étape qui peut s'avérer cathartique.

*

Cette nuit-là, Haylea fit un cauchemar terrifiant qui m'ébranla par ricochet. En l'entendant pousser des cris perçants, je bondis hors du lit, me précipitai sur le palier et entrai dans sa chambre. La lumière était allumée, comme je l'avais laissée la veille, et Haylea était assise dans son lit, les yeux fermés, criant et essayant de retirer de sa tête un objet invisible avec une telle violence qu'elle s'arrachait des touffes de cheveux au passage.

— Arrêtez! Je ne peux plus respirer!

— Haylea, c'est Cathy. Tu es en train de faire un cauchemar. Calme-toi.

Je lui pris fermement les mains pour l'empêcher de s'empoigner de nouveau les cheveux. Elle transpirait et suffoquait.

— Non, lâchez-moi! hurla-t-elle, les yeux toujours clos.

— Haylea, c'est Cathy.

J'entendis Paula ouvrir la porte de sa chambre et Darcy-May se mettre à pleurer.

— Tu peux t'occuper de la petite? demandai-je à Paula, aussi choquée que moi, lorsqu'elle passa une tête dans la pièce. Donne-lui un biberon si besoin.

Elle s'exécuta, la mine inquiète. Quant à moi, je m'attelai à contenir Haylea, toujours aux prises avec l'objet invisible.

— Haylea, ouvre les yeux. C'est un rêve, ça n'arrive pas pour de vrai.

J'essayai tant bien que mal de la maîtriser afin d'éviter qu'elle se blesse pour de bon, mais elle me repoussa avec force.

— Tu fais un cauchemar. Ouvre les yeux! criai-je.

Ce qu'elle finit par faire, après quoi elle balaya la pièce du regard, l'air complètement perdu.

— Haylea, tu étais en plein cauchemar, répétai-je. Haylea?

Elle tourna la tête vers moi, terrifiée et peinant à reprendre ses esprits.

— Haylea, c'est moi, Cathy. Tu as fait un cauchemar, mais c'est terminé.

— Où est-ce que je suis? demanda-t-elle, hébétée.

— Dans ta chambre, avec moi, dans ma maison. Tu es en sécurité.

Ses mains commencèrent à se détendre et sa respiration retrouva peu à peu un rythme régulier. Lorsque je la lâchai, elle porta les mains à son visage et le toucha avec hésitation comme pour vérifier quelque chose.

— C'est parti, murmura-t-elle.

— Tout va bien. Tu es réveillée maintenant.

— Oh, Cathy, c'était horrible. Ça paraissait tellement réel… J'étais prise dans une toile d'araignée, je sentais ses fils tout collants me recouvrir le visage et la tête, je ne pouvais plus respirer ni bouger, j'étais prisonnière. Et là, j'ai vu une araignée géante qui s'avançait vers moi, ses yeux, ses pattes arquées… Je savais qu'elle allait me dévorer vivante.

Lorsque Haylea m'agrippa la main, je retins difficilement mes larmes.

— Il ne peut rien t'arriver ici, lui assurai-je.

— C'était tellement réel, je sentais la toile me coller à la peau…

Elle frémit.

— Je n'arrêtais pas de me débattre, mais impossible de me libérer. Heureusement, vous m'avez sauvée.

Elle m'autorisa à l'enlacer par les épaules pour la consoler.

Moi qui suis arachnophobe, je ressentis pleinement l'horreur de son cauchemar, dont l'interprétation n'était pas à aller chercher bien loin. Engluée dans une toile, à la merci d'un prédateur qui avançait vers elle… Pendant plusieurs années, Haylea avait été livrée à un réseau de pédocriminels qui ne l'avaient peut-être pas dévorée, mais c'était tout comme.

Je restai auprès de Haylea jusqu'à ce qu'elle arrive à se rendormir. Pendant ce temps, Paula donna le biberon à Darcy-May puis retourna au lit. Lorsque je pus laisser Haylea, je regagnai ma chambre où Darcy-May s'était rendormie dans son berceau. Je remercierais Paula le lendemain, je n'allais pas la déranger maintenant.

Il était presque 3 h 30 du matin lorsque je me recouchai mais impossible de fermer l'œil. J'étais secouée par le cauchemar de Haylea et n'imaginais que trop bien la terreur qu'elle avait ressentie. Je fixai le plafond en écoutant la respiration légère de Darcy-May et les petits sons qu'elle émettait de temps à autre. Alors que, fort heureusement, elle vivait à l'abri de toutes ces horreurs, il aurait pu en être tout autrement si elle et Haylea étaient retournées vivre chez son père, comme celui-ci l'avait réclamé. À cette idée, un frisson de dégoût me parcourut l'échine et mon estomac se tordit. J'avais appris en formation que certains pédocriminels se filmaient en train d'agresser des bébés et que ces vidéos étaient diffusées sur Internet. Sur ce qu'on appelait le *dark web*, dès qu'un site fermait, un autre apparaissait. Il n'était pas impossible que celles où figurait Haylea s'y trouvent déjà.

Je dus finir par m'assoupir car en consultant mon réveil, je vis qu'il était 7 h 15. Darcy-May, rassasiée par le biberon qu'elle avait bu en pleine nuit, dormait toujours. Comme j'entendais Paula bouger dans sa chambre, j'allai la voir, la remerciai pour son aide puis la laissai se préparer. Ensuite, je passai une tête dans la chambre de Haylea ; comme elle aussi dormait encore, je refermai doucement la porte. Elle pouvait rester au lit encore un peu. Quant à moi, je me sentis mieux une fois douchée et habillée, même si le cauchemar de Haylea me hantait encore.

Haylea se leva à 8 h 30. Lorsqu'elle descendit en pyjama, j'étais dans le salon avec Darcy-May et Paula était partie au travail.

— Comment tu te sens ? m'enquis-je.

— Fatiguée, répondit-elle en se frottant les yeux.

— Ce n'est pas surprenant. Tu te souviens de ton cauchemar ?

— Oui, mais j'essaie de ne plus y penser.

Je changeai de sujet.

— Viens, on va préparer ton petit-déjeuner ensemble. Ensuite, tu monteras t'habiller car Shari passe te prendre à 10 heures. Je penserai à toi pendant que je serai à la clinique. Ce matin, Darcy-May a rendez-vous pour un rappel de vaccin.

— Je préférerais ça, grimaça Haylea en me suivant dans la cuisine.

Après avoir installé Darcy-May dans son transat, je proposai à Haylea de lui cuisiner quelque chose de chaud, étant donné qu'elle n'avait quasiment rien mangé la veille au soir. Mais elle ne voulut qu'un bol de corn-flakes avec du lait et un verre de jus de fruits.

— Ils vont me garder combien de temps à votre avis? demanda-t-elle une fois attablée.

C'était bon signe qu'elle me pose la question, cela voulait dire qu'elle allait bien faire enregistrer sa déposition.

— Je ne sais pas trop, deux heures peut-être. Ça dépendra des informations que tu arriveras à leur donner.

— Et qu'est-ce que je dois mettre? demanda Haylea en prenant une cuillerée de corn-flakes.

— Pourquoi pas une de tes robes? On annonce de la chaleur aujourd'hui. Elles sont chic et tu ne les portes plus beaucoup.

— Je suis obligée?

— Non, c'était juste une suggestion.

— Je crois que je vais porter une tenue que vous m'avez aidée à choisir et jeter ces robes.

— D'accord, on va les ranger.

En effet, lors d'une promenade en ville, j'avais acheté à Haylea des vêtements plus modernes et plus adaptés à une adolescente.

— Je n'aime pas ces robes.

— Les goûts évoluent, c'est normal.

— C'était lui – mon père – qui me forçait à les porter, dit-elle d'une voix atone. Il ne voulait pas que je m'habille comme les filles de mon âge, il disait qu'elles avaient des dégaines de salopes.

Fran m'avait rapporté que lorsqu'une employée de Waysbury était allée acheter des vêtements avec Haylea, celle-ci avait choisi des robes longues en invoquant une question de «pudeur». Il était désormais clair qu'elles ne relevaient pas d'un choix personnel mais de l'emprise persistante de son père.

— Il disait que le seul endroit où j'avais le droit de jouer les salopes, c'était à la maison avec lui, poursuivit Haylea. Il m'achetait d'autres vêtements et du maquillage que je devais porter chez nous. Il disait que je devais faire ça pour lui.

Le ton détaché sur lequel elle prononça ces mots s'expliquait par les années vécues dans une spirale de violence. De mon côté, j'étais horrifiée et je pus seulement lui rappeler d'en parler à la police.

Je restai avec Haylea jusqu'à ce qu'elle ait fini son petit-déjeuner puis, alors qu'elle s'habillait dans sa chambre, je préparai le sac à langer en prévision du rendez-vous de Darcy-May à la clinique. Lorsque Haylea fut prête, elle redescendit et nous nous installâmes au salon en attendant Shari. Alors que la petite gazouillait dans son transat, Haylea l'ignorait complètement, comme d'habitude. Elle évoqua son nouveau lycée, où elle irait à partir du mois de septembre et dont elle avait déjà consulté le site, et je promis de l'y conduire pour voir où il se situait exactement. Elle parla également de la météo et proposa d'organiser une nouvelle sortie en famille. Contrairement à la veille, elle ne dit pas un mot de l'audition au commissariat. Je supposai que, par un réflexe de survie, elle l'avait enfermée dans un coin de son esprit, à l'image des autres traumatismes de sa vie.

Lorsqu'on sonna à 10 heures et que j'allai ouvrir, Haylea m'emboîta le pas.

— Bonjour. Tu es prête? lança Shari avec un sourire.

— Oui, répondis-je à la place de Haylea, qui enfilait ses chaussures.

Shari parut soulagée et me remercia pour mon dernier e-mail. Sur ce, Haylea franchit le pas de la porte en silence.

— Bon courage! lui criai-je.

Elle esquissa un faible sourire et monta en voiture. Je regardai le véhicule s'éloigner puis je pris à mon tour le chemin de la clinique avec Darcy-May.

Comme lors de ses précédents rappels, la petite pleura lorsque l'aiguille la piqua. Mais une fois qu'elle fut consolée, mes pensées se tournèrent de nouveau vers Haylea et l'accompagnèrent toute la matinée. Tout en me demandant comment se passait l'audition, je préparai le déjeuner puis jouai un peu avec Darcy-May. Je profitai ensuite du fait qu'elle était dans son berceau le temps d'une sieste pour travailler sur l'ordinateur. Je savais que les policiers feraient tout leur possible pour encourager Haylea à leur dire ce qu'elle savait, mais que si elle n'y arrivait pas, ils préféreraient mettre fin à l'audition pour éviter qu'elle se sente mise sous pression. Alors que je m'attendais à la voir arriver d'une minute à l'autre, elle ne rentra finalement qu'à 14h30.

— Elle s'est débrouillée comme une cheffe, annonça Shari. On sort tout juste.

Je félicitai Haylea, qui retirait ses chaussures en silence.

— Je vais me chercher à boire, dit-elle avant de s'éclipser dans le couloir.

— Vous voulez entrer? proposai-je à Shari.

— Non merci, je dois filer à un autre rendez-vous. Mais nous sommes tous très fiers de Haylea.

Les policiers disposent de suffisamment d'éléments pour perquisitionner les domiciles des autres hommes qu'ils soupçonnent d'être impliqués. Malheureusement, Haylea a demandé où se trouvaient actuellement son père ainsi que les autres agresseurs présumés, et les policiers ont été obligés de lui dire qu'ils avaient été libérés sous caution. Elle est terrifiée à l'idée qu'ils retrouvent sa trace. Je lui ai rappelé qu'ils ne savaient pas où elle était hébergée, et les policiers lui ont bien dit que si elle voyait l'un de ces hommes à proximité de votre domicile, elle devait les prévenir immédiatement. L'une des conditions de leur libération stipule qu'ils n'ont pas le droit d'approcher Haylea et les deux autres enfants.

— Je lui redirai, assurai-je. Elle ne sort jamais sans moi, de toute façon.

— Bien. Je ne pense pas qu'ils seraient assez bêtes pour enfreindre cette interdiction et tenter de l'approcher. Ils savent que sinon, ils iront directement en prison.

Nous n'étions donc pas inquiètes outre mesure, et Shari prit congé. Il était habituel que des suspects soient libérés dans l'attente d'autres investigations ou de leur procès, et je rassurai Haylea. Comme Shari l'avait dit, ils n'allaient pas risquer de se retrouver de nouveau sous les verrous. Enfin, normalement.

21

Un bébé innocent

Haylea, soulagée que l'audition de la police soit passée, dit qu'elle avait faim, alors je lui préparai une belle assiette avec un œuf au plat, du bacon, des haricots blancs, des tomates et des toasts. Elle aurait pu s'en occuper elle-même mais j'avais à cœur de la chouchouter, elle qui avait été privée d'une figure maternelle jusqu'à présent. Elle mangea tout puis dit qu'elle allait trier ses vêtements et se débarrasser de ceux que son père lui avait achetés. Si j'avais su quelle était la connotation de ces longues robes démodées, j'aurais proposé de les jeter plus tôt. Mais jusqu'à ce que la parole de Haylea se libère, ce qui n'était arrivé que très récemment, j'avais cru qu'elle les portait par choix.

Après lui avoir donné des sacs-poubelles, je proposai de l'aider mais elle refusa. Une demi-heure plus tard, elle redescendit avec deux sacs remplis.

— Est-ce que je les mets dehors, dans la benne? demanda-t-elle.

— Non, je préfère les garder jusqu'à ce que Shari propose à ton père de récupérer les vêtements qu'il a achetés.

— Pourquoi? s'écria Haylea, abasourdie.

— Parce que légalement, il en reste le propriétaire. Ça vaut pour tous les enfants pris en charge par les services sociaux, expliquai-je. Les parents ont la possibilité de récupérer les effets personnels provenant du foyer d'origine de l'enfant, et en cas de refus, libre à nous d'en disposer.

Haylea grimaça.

— Je te comprends. Je vais les stocker ailleurs et prévenir Shari, dis-je en prenant les sacs.

— S'il refuse, j'aurai le droit de les jeter?

— Oui, ou nous irons les donner à la ressourcerie en centre-ville.

Je remisai les sacs au fond d'un placard de sorte que Haylea ne les voie plus. Ensuite, comme elle proposait de préparer un gâteau, nous nous attelâmes à la confection de cupcakes sous le regard de Darcy-May, installée dans son transat. Puis nous préparâmes le dîner en prévision du retour de Paula. Au dîner, l'ambiance fut bien meilleure que la veille, qui avait été marquée par l'angoisse de Haylea à l'approche de l'audition par la police. Elle raconta sa journée à Paula et lui demanda comment s'était passée la sienne, ce que je trouvai gentil de sa part.

Au cours de la soirée, tandis que Paula se reposait dans sa chambre après une grosse journée de travail, j'expliquai à Haylea qu'une autre assistante familiale prénommée Ines viendrait à la maison le lendemain pour la garder ainsi que Darcy-May pendant mon rendez-vous au service d'adoption.

— Elle avait l'air très gentille au téléphone, soulignai-je. Tu seras libre de vaquer à tes occupations pendant qu'elle s'occupera de Darcy-May.

— C'est parce que moi, je ne m'en occupe pas?

— En partie. Et puis, samedi, poursuivis-je d'un ton enjoué, il y a la fête d'anniversaire d'Emma.

Le visage de Haylea s'assombrit.

— Il y a un problème? On va passer un bon moment.

— Je sais. C'est bête, j'ai du mal avec le mot «fête». Mais ne vous inquiétez pas, je vais finir par m'en remettre.

— Bien sûr.

Il faudrait sans doute beaucoup de temps avant que Haylea parvienne à ne plus associer ce terme aux atrocités subies chez cet homme.

— Je n'ai rien acheté à Emma pour son anniversaire, dit-elle.

— Ne t'inquiète pas, elle va recevoir plein de cadeaux de la part de nous trois.

— Mais j'aimerais lui offrir une carte et un petit quelque chose moi-même. Ce serait possible d'aller en ville demain après-midi, quand vous serez rentrée?

— Oui.

— Vous m'accompagnerez?

— Bien entendu.

Dans la nuit, j'entendis Haylea se lever pour aller aux toilettes – j'ai le sommeil léger à force de guetter les bruits des enfants que j'accueille. Puis, comme je l'entendais bouger dans sa chambre, je préférai vérifier qu'elle allait bien. Il était 1 h 30. Je toquai doucement à sa porte et l'entrouvris. Haylea avait allumé la veilleuse et était en train de se recoucher.

— Ça va ? chuchotai-je.

— Oui, mais je n'arrive pas à dormir. Je peux écouter un peu de musique sur mon téléphone ?

— C'est d'accord.

Je souris et refermai la porte.

Haylea était raisonnable et pas du genre à téléphoner ou à envoyer des textos à ses amis toute la nuit – de toute façon, elle ne connaissait quasiment personne. Donc si écouter de la musique l'aidait à se détendre, je n'y voyais pas d'objection.

Je ne l'entendis plus, et le lendemain matin, alors qu'elle prenait son petit-déjeuner après s'être habillée, je lui demandai quels styles de musique elle appréciait.

— Un peu de tout mais la nuit, j'aime bien écouter du classique. C'est apaisant et ça m'aide à m'endormir.

Je hochai la tête, impressionnée.

— À Waysbury, Cook me disait de compter les moutons, ajouta-t-elle, mais c'était impossible de trouver le sommeil avec tous ces bêlements.

Je mis quelques secondes à comprendre qu'elle plaisantait. Alors que nous partions toutes les deux dans un grand éclat de rire, je songeai, et pas pour la première fois, que Haylea était une jeune fille épatante. Malgré tout ce qu'elle avait vécu, elle avait gardé le sens de l'humour et pouvait se montrer très drôle. J'admirais sa ténacité.

— Pourquoi les moutons se brossent-ils souvent les dents ? lançai-je.

— C'est pour garder la laine fraîche!

Et ce fut parti pour un nouveau fou rire.

Ines arriva peu après 10 heures, aussi gaie et pétillante qu'au téléphone. Lorsqu'elle sonna, j'allai lui ouvrir avec Darcy-May dans les bras.

— Oh, quelle adorable petite fille! dit Ines en lui chatouillant le menton.

Certains bébés pleurent face à un nouveau visage, mais Darcy-May, qui avait l'habitude des inconnus, réagit par un concert de gazouillis, à la grande joie d'Ines.

— Elle m'aime bien, dit-elle.

— Il semblerait, acquiesçai-je.

De toute façon, il était impossible de ne pas apprécier Ines, une dame au grand cœur qui respirait la gentillesse. Elle portait une robe d'été à motifs jaunes et orange qui reflétait sa personnalité extravertie.

— Je vais vous présenter Haylea, dis-je en la précédant au salon.

J'avais résumé sa situation à Ines au téléphone, en précisant qu'elle avait tendance à se méfier des inconnus.

— Bonjour, ma puce. Comment ça va? lui lança Ines avec un sourire.

— Bien, répondit Haylea, effectivement sur ses gardes. Je monte dans ma chambre.

— D'accord. Si tu me cherches, je suis là, répondit Ines tout naturellement, en me jetant un regard entendu.

Avec Darcy-May dans les bras, je montrai la cuisine à Ines et lui indiquai où trouver les biberons déjà prêts, le thé, le café et les petits gâteaux.

— Si quelque chose vous fait envie, n'hésitez pas à vous servir.

— Ne me tentez pas, sourit Ines. Je vois que vous avez mes biscuits préférés.

Ensuite, je l'accompagnai dans ma chambre, où je rangeais le matelas à langer, les couches et les crèmes.

— En général, je ne recouche Darcy-May dans son berceau qu'après le déjeuner, mais je serai certainement rentrée d'ici là. On passe la matinée toutes les deux au rez-de-chaussée et elle a tendance à s'assoupir dans le transat ou sur mes genoux.

— C'est noté. Est-ce que la demoiselle veut bien venir dans mes bras?

Dès que je lui passai Darcy-May, celle-ci se blottit contre sa poitrine.

— Et voilà. Bon, je vais prévenir Haylea que je m'en vais.

Comme sa porte était entrebâillée, je la poussai légèrement et passai une tête dans la chambre.

— J'y vais, trésor, je pense être rentrée dans deux heures. Je préparerai le déjeuner à mon retour, mais si tu as faim, tu trouveras de quoi te préparer un sandwich. N'oublie pas d'en proposer un à Ines.

Haylea hocha la tête. Je laissai sa porte comme je l'avais trouvée et retrouvai au salon Ines qui avait installé Darcy-May sur les genoux. Je m'assurai qu'elle n'avait besoin de rien puis partis en emportant dans mon sac l'album de naissance de Darcy-May, son carnet de santé et une clé USB sur laquelle j'avais enregistré d'autres photos et vidéos. L'objectif principal de ce rendez-vous était qu'Andrew et Jessica m'entendent directement raconter la petite fille qu'était Darcy-May. On leur avait certainement communiqué quelques éléments à son sujet après la sélection de leur dossier par la commission. Je leur transmettrais donc les dernières informations en date sur son développement, son rythme quotidien et la foule de petits détails qui définissaient sa personnalité et la rendaient si adorable. Même si j'étais triste à l'idée qu'elle me quitte, je devais rester professionnelle au cours de cette étape. Mon rôle d'assistante familiale était que la transition avec sa famille adoptive se déroule le plus sereinement possible.

Après m'être garée sur le parking situé devant le siège des services sociaux, j'entrai et m'enregistrai à l'accueil. Au moment où l'on me remettait mon badge visiteuse, Joy me rejoignit et je patientai pendant qu'elle se présentait à son tour.

— C'est un grand jour pour Jessica et Andrew, dit-elle alors que nous montions ensemble au premier étage.

— Tout à fait, opinai-je. J'ai plein de choses à leur montrer.

— Parfait.

Une fois devant la salle de réunion, Joy toqua à la porte puis entra. Je lui emboîtai le pas. Shari et Nia parlaient avec un homme et une femme élégants d'une trentaine d'années, certainement les adoptants, qui étaient déjà assis autour d'une table au centre de la pièce.

— J'espère que nous ne sommes pas en retard, dit Joy, exprimant tout haut ce que je pensais tout bas.

— Non, j'ai demandé à Andrew et Jessica d'arriver un peu plus tôt, répondit Nia d'un ton assez formel.

Je souris à Andrew et Jessica en m'asseyant, mais ils ne me rendirent pas la pareille. Au contraire, je fus interpellée par leur visage fermé ; ils paraissaient même un peu en colère. Je sortis l'album de naissance, rapprochai ma chaise de la table et attendis. Joy consulta du regard Shari, qui était censée ouvrir la réunion.

— Est-ce qu'on commence par les présentations ? finit par dire Joy.

— Oui, allez-y.

— Je suis Joy Philips, la référente de Cathy Glass, dit-elle en se tournant vers le couple.

— Cathy Glass, assistante familiale de Darcy-May, enchaînai-je en souriant de nouveau.

— Andrew et Jessica Beard, dit l'homme d'un ton raide.

— Nia Page, du service d'adoption, indiqua celle-ci en sortant un ordinateur portable de sa housse.

— Shari Drew, assistante sociale de Darcy-May. Je vais prendre des notes au cours de la réunion.

Shari ouvrit le calepin posé devant elle et eut un temps d'hésitation.

— J'ai organisé ce rendez-vous pour que Jessica et Andrew en sachent davantage sur Darcy-May. Je vois que vous avez apporté son album de naissance, ajouta Shari à mon intention. Merci.

Nouvelle pause ; elle semblait peser soigneusement ses mots.

— Avant que vous arriviez, Nia et moi informions Andrew et Jessica des agressions révélées par Haylea, poursuivit-elle en s'efforçant d'adopter un ton neutre. Ils ont exprimé des inquiétudes à propos de la santé de Darcy-May et de son bien-être général. Je leur ai rappelé qu'elle ne souffrait d'aucune pathologie et qu'elle passerait un examen médical avant son adoption définitive, conformément à la procédure. Cathy, si vous voulez bien les rassurer vous aussi...

Je n'eus même pas à réfléchir.

— Je vous confirme que Darcy-May se porte comme un charme, indiquai-je à Andrew et Jessica. C'est une petite fille joyeuse et épanouie, au développement parfaitement normal. Elle est bien calée, mange toutes les quatre heures et dort maintenant six heures d'affilée la nuit. Je l'emmène régulièrement à la clinique de quartier pour qu'elle soit mesurée et pesée. D'ailleurs, je vous ai apporté son carnet de santé.

Tout en parlant, je sortis le document de mon sac. Ne sachant pas quelles questions Andrew et Jessica se posaient précisément, j'espérais que j'avais répondu à leurs attentes. C'était difficile à dire car ils ne laissaient rien transparaître.

— Darcy-May est à jour dans son parcours vaccinal, poursuivis-je. C'est un amour de bébé, elle communique facilement et j'ai grand plaisir à m'occuper d'elle. Elle n'est jamais tombée malade, elle n'a pas d'allergie, ne souffre d'aucune pathologie...

— À votre connaissance, murmura Jessica.

Je lui jetai un regard interrogateur.

— Elle peut très bien avoir une maladie qui sera diagnostiquée plus tard, ajouta-t-elle.

— C'est possible, concédai-je sans bien comprendre.

Shari prit la parole.

— Jessica et Andrew sont inquiets parce que la consanguinité augmente le risque de maladies génétiques. Nous avons donc évoqué la possibilité de procéder à un test ADN.

— Il n'y a pas que ça, dit Jessica. L'idée qu'elle soit née d'un viol me révulse, c'est abject.

En les regardant tour à tour, je compris qu'ils en discutaient au moment où Joy et moi étions entrées, d'où la tension dans la pièce.

— En effet, Haylea a vécu des choses terribles, répondis-je. Mais cela n'affectera pas Darcy-May, qui n'a jamais vécu au domicile familial. Elle m'a été confiée dès sa sortie de l'hôpital.

— Ce n'est pas le problème, intervint Andrew. Nous savions que la mère biologique était jeune, mais nous pensions que ce bébé était le fruit d'une relation classique.

— Nous aussi, dit Shari, un peu sur la défensive. Comme je vous l'ai expliqué, Haylea vient de révéler les sévices dont elle a été victime.

— J'ai bien compris, rétorqua Andrew, le visage fermé. Mais maintenant que nous savons, tout est remis en question.

— Pourquoi? m'enquis-je.

— Le bébé aura les gènes de son père – père qui est un violeur, répondit-il sans détour.

— Mais Darcy-May ne va pas hériter de sa perversité, soulignai-je en prenant sur moi pour ne pas hausser le ton. Les bébés ne naissent pas avec le mal dans leur ADN, chaque personne est façonnée par son vécu.

— Elle pourrait être prédisposée à des déviances, dit Andrew.

— Il y a eu des études sur le sujet et aucune n'en fait état, avança Shari.

— L'idée est déplaisante, c'est tout, renchérit Jessica.

Je n'en croyais pas mes oreilles. J'étais à la fois furieuse qu'ils pensent une chose pareille et confortée dans ma mission qui était de veiller sur la petite Darcy-May. C'était un bébé innocent qui, avec de bons parents, deviendrait à coup sûr une jeune fille heureuse et équilibrée, et ces gens-là ne la méritaient pas. Si la décision finale ne me revenait pas, j'espérais que Shari et Nia partageaient ma vision des choses.

S'ensuivit un silence gêné, que Joy rompit par cette remarque qu'elle formula avec le plus de tact possible :

— Ça fait beaucoup d'informations à digérer. Avez-vous d'autres questions ?

— Non, répondit Andrew avec brusquerie en repoussant sa chaise. Il faut que nous partions et que nous en discutions entre nous. Désolé pour cette perte de temps, ajouta-t-il à mon intention.

— Je vous raccompagne, dit Shari, tandis que Jessica se levait à son tour.

Ils sortirent tous les trois. Quel choc, alors que je pensais rencontrer un gentil couple qui se serait extasié devant les photos et les vidéos de Darcy-May, pour ensuite trépigner d'impatience à l'idée de la rencontrer…

Une fois seule avec Joy et Nia, je ne pus me contenir plus longtemps.

— Je n'en reviens pas ! Ils vivent sur quelle planète ? Ils pourraient avoir la chance d'adopter une petite fille adorable et en bonne santé dont rêveraient des centaines de couples. Comment osent-ils? Qu'est-ce qu'ils croyaient?

Ma voix s'étrangla. Alors que je ravalais difficilement mes larmes, Joy me tapota le bras d'un geste rassurant.

— J'aurais peut-être dû leur donner le temps d'intégrer l'information avant la réunion, dit Nia. Mais je suis quand même surprise de leur réaction.

— Moi aussi, abonda Joy.

— Quand on pense aux problèmes de santé, aux malformations qu'ont certains enfants à la naissance… Et ça n'empêche pas de leur trouver une famille, dit Nia.

— Exactement, renchéris-je. J'ai de nombreuses collègues qui ont fait des merveilles avec des bébés alors que ceux-ci ne prenaient pas le meilleur départ dans la vie. Ils évoluent tellement bien, pour peu qu'on sache s'occuper d'eux. Non seulement Darcy-May est en parfaite santé, mais le risque zéro n'existe pas, même chez des enfants issus d'une relation classique. J'ai deux enfants biologiques, une fille adoptive et chacun a sa personnalité. Vous pensez qu'ils sont sérieux dans leur démarche d'adoption?

— Je le croyais, murmura Nia. Ils disposent de tous les agréments et ont suivi une formation.

Nous restâmes silencieuses un moment, puis Joy me dit:

— Je vous libère, Cathy. J'en reparle avec Shari et je vous appelle plus tard.

Je rangeai l'album de naissance de Darcy-May dans mon sac, pris congé et sortis, perdue dans mes pensées. Je ne croisai pas Andrew et Jessica – peut-être qu'ils étaient déjà partis ou qu'ils discutaient avec Shari dans un bureau. Sur le chemin du retour, je fulminai tellement leur attitude m'avait choquée. Des assistantes familiales que je connaissais avaient désapprouvé le choix de la famille définitive pour l'enfant qu'elles accueillaient, mais elles n'avaient pu qu'exprimer leurs réserves. Si Andrew et Jessica décidaient d'aller au bout de la démarche, moi aussi, je ferais part de mes inquiétudes. En effet, je doutais qu'ils soient à même de donner à Darcy-May l'amour inconditionnel dont elle avait besoin, comme tous les enfants.

Je m'efforçai de me calmer avant d'arriver à la maison ; finalement, je m'étais absentée moins d'une heure. Je fus contente de voir que Haylea n'était plus dans sa chambre mais installée au salon avec Ines devant un thé et une assiette de biscuits au chocolat. Allongée sur le canapé près d'Ines, Darcy-May agitait les bras et les jambes tout en souriant.

— Vous rentrez tôt.

— Oui, le rendez-vous a été écourté.

— Elle est vraiment adorable, ajouta Ines, visiblement gaga de Darcy-May.

— Je confirme, dis-je en songeant qu'Andrew et Jessica ne mesuraient pas leur chance.

Lorsque Ines eut fini sa tasse de thé, je la raccompagnai à la porte. Après le déjeuner, Haylea et moi nous rendîmes à pied dans le centre-ville afin qu'elle achète une carte et un cadeau pour le premier anniversaire de ma petite-fille. Alors que nous marchions côte à côte et que je conduisais la poussette, Haylea me demanda de but en blanc :

— Est-ce qu'ils vont l'adopter ?

— Le couple que j'ai vu ce matin?

— Oui. Shari m'a un peu parlé d'eux.

C'était la première fois que Haylea témoignait un semblant d'intérêt pour l'avenir de Darcy-May, et je me sentis d'autant plus triste de ne pas être porteuse de bonnes nouvelles.

— Je ne sais pas. L'adoption est un long processus et Darcy-May mérite ce qu'il y a de mieux. Pourquoi tu me poses cette question?

— Comme ça, je me demandais. Je ne veux pas qu'elle vive la même chose que moi.

— Je te promets que non, ma puce.

22

Menace

La fête organisée le samedi suivant en l'honneur
d'Emma tombait à point nommé pour me changer
les idées, après les révélations édifiantes de Haylea
et la déconvenue du rendez-vous avec le couple
pressenti pour adopter Darcy-May. Je réussis à
mettre les derniers événements de côté pour me
concentrer sur ma famille, en particulier ma petite-
fille adorée qui fêtait son premier anniversaire.
Cette année avait filé à toute vitesse, songeai-je en
prenant la voiture avec Haylea, Paula et Darcy-May,
qui étaient comme moi d'humeur festive.

Lorsque Lucy nous accueillit, je constatai tout
de suite qu'elle et Darren n'avaient pas ménagé
leurs efforts. Le couloir et le salon étaient décorés
de dizaines de ballons et de banderoles portant
l'inscription «Bon anniversaire», un délicieux buffet
froid nous attendait sur la table avec des assiettes
en carton et des serviettes. Tina et Tod, les parents
de Darren, étaient venus plus tôt pour les aider
à tout préparer. Je les avais déjà rencontrés ; ils
forment un joli couple et nous nous entendons
très bien.

La sonnette retentit, signalant l'arrivée d'autres invités : des membres de la famille de Darren, dont sa sœur, sa nièce et ses grands-parents, puis Adrian et Kirsty, un couple de jeunes parents avec qui Lucy et Darren avaient sympathisé lors d'un cours de préparation à l'accouchement, et enfin quelques collègues. Lucy et Darren travaillaient dans la même crèche – Lucy était en congé parental longue durée et reprendrait le travail à mi-temps en janvier, quand une place se libérerait pour Emma. Nous étions une trentaine et je repensai à ma chère maman, dont l'absence aux réunions de famille serait ressentie encore longtemps. Elle et mon père adoraient ce genre d'occasions, ils étaient restés de grands enfants.

Après un bon moment passé à manger et à discuter, Lucy apparut dans le salon avec un énorme gâteau d'anniversaire surmonté d'une grande bougie feu d'artifice, et les yeux d'Emma s'arrondirent comme des soucoupes. Comme elle était trop petite pour souffler elle-même la bougie, Darren s'en chargea à sa place. Une fois les parts de gâteau distribuées avec l'aide de Paula, Lucy installa Emma sur ses genoux et ouvrit les cadeaux avec Darren, nous remerciant les uns après les autres tandis que nous prenions des photos. Haylea avait acheté une peluche portant l'inscription «J'ai un an» ainsi qu'une carte assortie d'un gentil message.

Après l'ouverture des cadeaux, Haylea s'amusa à prendre Emma par la main et à la faire marcher dans la pièce. Si les autres invités trouvaient étrange qu'elle lui accorde autant d'attention alors qu'elle ignorait son propre bébé, ils s'abstinrent de tout commentaire. Je doutai d'ailleurs qu'ils soient tous au fait de leur lien de parenté ; pour la plupart des personnes présentes, Darcy-May et Haylea étaient simplement les deux enfants que j'accueillais en ce moment.

Vers 18 heures, alors que la fête touchait à sa fin, Tina et moi commençâmes à débarrasser et à faire la vaisselle pour soulager Lucy et Darren. Il était 19 heures passées lorsque nous partîmes après un dernier câlin à la petite famille. L'après-midi avait été mémorable. En arrivant à la maison, je dus réveiller Darcy-May qui s'était endormie sur la route, puis je lui donnai le bain, la nourris et la couchai. J'attendis qu'elle réclame un dernier biberon avant d'aller au lit à mon tour, la tête pleine de pensées heureuses.

La journée de dimanche fut placée sous le signe de la détente et de la chaleur, en ce beau mois d'août. Paula, Haylea et moi déjeunâmes à l'ombre d'un arbre, tandis que Darcy-May était allongée sur une couverture. Nous regardâmes les photos prises la veille à l'anniversaire d'Emma et nous les échangeâmes *via* WhatsApp – je prévoyais déjà d'en faire imprimer et encadrer certaines. Plus tard, je téléphonai à Lucy et Darren pour les remercier encore une fois. De leur côté aussi, l'heure était au repos.

Le lundi matin, après le départ de Paula pour le travail, je conduisis Haylea au lycée où elle irait à partir du mois de septembre, pour qu'elle le voie de l'extérieur. J'eus du mal à savoir si cela l'aidait, mais je lui promis en tout cas de l'emmener et de la récupérer en voiture jusqu'à ce qu'elle se sente capable de prendre le bus. Le mercredi, je la conduisis à son rendez-vous chez la psychologue, puis Shari appela dans l'après-midi pour fixer une visite de routine au lundi suivant. Elle m'informa également qu'Andrew et Jessica renonçaient à adopter Darcy-May et étaient en phase de réflexion quant à la suite de leurs démarches. J'étais soulagée.

— Nia va étudier d'autres dossiers, dit Shari. Je suis sûre qu'elle n'aura aucun mal à trouver une famille pour Darcy-May.

— Moi aussi. Elle est tellement mignonne.

*

Haylea et moi avions beau savoir que son père et l'organisateur de ces «fêtes» immondes avaient été libérés sous caution et que l'enquête se poursuivait, le sujet était tabou. Depuis son audition, elle n'en avait pas reparlé et semblait essayer de tout oublier mais, bien sûr, ce n'était pas si facile. Elle souffrait encore d'insomnie, et quand elle arrivait à s'endormir, des cauchemars venaient la hanter. J'espérais que la thérapie, le temps et la condamnation de ses violeurs l'aideraient à se reconstruire.

La température monta tout au long de la semaine jusqu'à la matinée de vendredi, qui fut marquée par un violent orage. Des éclairs zébraient le ciel, assortis de grondements de tonnerre qui nous faisaient sursauter. J'assistai au spectacle par les fenêtres du patio avec Haylea et Darcy-May qui se blottissait contre moi, effrayée. Quant à Pammy, il s'était réfugié à l'étage au premier grondement de tonnerre pour se cacher sous un lit. Après un coup de tonnerre particulièrement fort, Haylea, qui semblait plus fascinée qu'effrayée par l'orage, remarqua d'un ton monocorde :

— On dirait un fouet qui claque. J'ai oublié de mentionner les fouets aux policiers. Vous pensez qu'ils les ont trouvés quand ils ont fouillé la maison ?

— Les fouets, tu dis ?

— Oui.

— Je ne sais pas, trésor. Tu ferais mieux d'en parler à Shari quand tu la verras lundi.

Une part de moi espéra que Haylea allait en rester là.

— Mon père faisait claquer un fouet pour me forcer à obéir. Le bruit ressemble.

— C'est terrible. Quel monstre, murmurai-je en serrant Darcy-May encore plus fort.

Haylea n'en dit pas plus, et lorsque je tournai la tête vers elle, je vis qu'elle semblait déconnectée, s'étant réfugiée en pensée dans cet endroit connu d'elle seule qui agissait comme une sorte de rempart contre le traumatisme. Dommage que je ne puisse pas l'y suivre, songeai-je, car ces révélations toutes plus choquantes les unes que les autres m'affectaient aussi – même si bien sûr mon effroi n'était pas comparable à ce qu'éprouvait Haylea, qui avait enduré les pires violences plusieurs années durant.

L'orage finit par passer et le soleil reparut, mais sans la chaleur oppressante des derniers jours. Après déjeuner, je proposai à Haylea une promenade en ville. J'avais quelques petites choses à acheter dont des couches pour Darcy-May, et elle avait envie de flâner un peu et éventuellement de se faire un petit plaisir avec son argent de poche. Comme d'habitude, je conduisais la poussette et Haylea marchait à côté de moi. Après avoir atteint la principale rue commerçante, j'achetai ce qu'il me fallait ; de son côté, elle se paya des bonbons et une glace, qui fondait déjà et qu'elle entreprit de déguster à toute vitesse. Lorsqu'elle eut terminé, je lui passai une lingette pour qu'elle s'essuie les mains et le menton.

— Je suis pire qu'un bébé ! rit-elle en se débarbouillant.

Arrivées dans ma rue, nous continuâmes à marcher tranquillement. La chaleur se faisait de nouveau sentir et j'avais hâte de me servir une boisson bien fraîche. Mais au moment où la maison apparut dans notre champ de vision, Haylea m'agrippa soudain le bras et se figea.

— Qu'est-ce qu'il y a ? demandai-je en suivant son regard.

— Cet homme, là-bas… Non, c'est bon. J'ai cru que je le connaissais.

J'aperçus trois hommes : celui qu'elle avait mentionné marchait plus loin dans la rue en nous tournant le dos, les deux autres venaient vers nous.

— Tu l'as confondu avec qui ? demandai-je alors que nous repartions.

— Personne. Je me fais des idées, ce n'est pas la première fois que ça m'arrive. Parfois, je croise quelqu'un et je crois qu'on vient s'en prendre à moi.

Le temps d'atteindre la maison, l'homme avait disparu, et une fois rentrée avec Haylea et Darcy-May, je n'y pensai plus. Comme la petite avait besoin d'être changée, je montai dans ma chambre avec elle, l'allongeai sur le lit et pris une lingette. Je commençai tout juste à la nettoyer lorsque la sonnette retentit.

— Je vais ouvrir? me demanda Haylea, restée en bas.

— Oui, mais regarde d'abord qui c'est par l'œilleton.

Elle connaissait la consigne mais je préférai la lui rappeler.

— C'est un monsieur avec un colis.

— D'accord, merci.

J'entendis la porte s'ouvrir puis une voix masculine prononcer ces mots:

— Cadeau de la part de ton père.

Aussitôt, je dévalai l'escalier et me précipitai dans le vestibule. L'homme avait disparu et Haylea, pâle comme un linge, tenait ce qui ressemblait à une boîte à chaussures. Je sortis, ne vis personne dans la rue et refermai la porte. Avant que je n'aie le temps de l'en empêcher, Haylea souleva le couvercle de la boîte. Elle cria en découvrant une poupée à la tête arrachée et, sur la face intérieure du couvercle, ces mots: «Boucle-la, sinon...»

Malgré la panique qui m'envahit, je m'efforçai de calmer Haylea. Je lui pris la boîte des mains et la mis de côté au cas où les autorités la demanderaient pour analyse.

— J'appelle la police, dis-je d'une voix tremblante. Est-ce que tu l'as reconnu?

— Je n'ai pas vu son visage quand j'ai regardé par l'œilleton, mais je suis sûre que c'est un ami de mon père, répondit-elle en essayant de reprendre une respiration normale. Il venait chez moi.

Je crois que c'était lui dans la rue. Ils savent où je suis ! cria-t-elle en me prenant le bras, pétrifiée.

— Toutes les issues sont verrouillées, *idem* pour le portillon qui mène au jardin. Je monte récupérer Darcy-May et je préviens la police. Va t'asseoir dans le salon.

— Non, je veux rester avec vous !

Sur ce, elle me suivit à l'étage. Quant à moi, si j'évitais de paniquer devant elle, au fond, je n'en menais pas large. Consciente de la gravité de la situation, je ne pus contenir le tremblement de mes mains tandis que je terminais de rhabiller Darcy-May. Ensuite, je pris le combiné posé près de mon lit et composai le numéro d'urgence.

— Je cherche à contacter la police, dis-je à l'opérateur.

Debout à côté de moi, Haylea plaquait l'un de ses poings contre sa bouche.

Lorsqu'une policière prit la communication, je déclinai mon identité et mon adresse, puis j'expliquai rapidement que j'étais assistante familiale, que j'accueillais une adolescente de quinze ans ayant subi de graves sévices infligés par son père et plusieurs complices, et qu'un individu venait de sonner à ma porte pour la menacer. La policière dut m'interrompre à plusieurs reprises pour clarifier certains points et noter les informations, dont le nom complet de Haylea, les coordonnées de son assistante sociale ainsi que la date à laquelle les viols avaient été signalés. Elle demanda ensuite à parler à Haylea et lui posa une série de questions, en premier lieu sur l'identité de cet homme. Haylea indiqua qu'il s'appelait Tom mais qu'elle ne connaissait pas son nom de famille ni son adresse. Elle réussit à le décrire, et je déduisis de ses autres réponses que lui et d'autres amis de son père avaient abusé d'elle au domicile familial. Décidément, les souffrances endurées par cette pauvre petite me faisaient l'effet d'un gouffre sans fond.

Lorsque la policière eut terminé de parler à Haylea, celle-ci me repassa le téléphone.

— Je traite votre signalement et je vous tiens au courant, assura-t-elle.

— Que va-t-il se passer maintenant?

— S'il est avéré que le père de Haylea a enfreint les conditions de sa libération, il sera de nouveau arrêté et présenté à un juge.

— Même si ce n'est pas lui qui s'est présenté chez moi?

— Oui, cela reste valable s'il a essayé de contacter Haylea *via* un intermédiaire. Laissez-moi faire, je m'en occupe.

Je la remerciai et raccrochai. Mon interlocutrice s'était montrée posée, contrairement à moi, sans doute parce que la police avait l'habitude de situations bien plus dramatiques. Pour ma part, je m'étais déjà retrouvée face à des parents qui avaient sonné chez moi à l'improviste, mais jamais je n'avais été témoin d'un incident aussi préoccupant. Les pédocriminels qui avaient violé Haylea et les deux autres enfants savaient où elle vivait. Jusqu'où iraient-ils pour la réduire au silence? Le message envoyé avec la poupée sans tête était aussi brutal qu'éloquent. J'avais peur et Haylea semblait pétrifiée.

— Je n'aurais pas dû parler à la police, dit-elle.

— Bien sûr que si, tu as fait ce qu'il fallait. Ces hommes doivent être arrêtés, il faut les empêcher de nuire. Maintenant, je dois prévenir ton assistante sociale.

Tout en gardant un œil sur Darcy-May, qui était toujours allongée sur mon lit, je composai le numéro de portable de Shari. Comme je tombai sur le répondeur, je laissai un message.

— C'est Cathy, l'assistante familiale de Haylea. Pouvez-vous me rappeler, s'il vous plaît? C'est urgent. Il a fallu que je prévienne la police. Le père de Haylea a envoyé un de ses amis sonner chez moi pour la menacer.

Je raccrochai et essayai le numéro fixe de Shari. Un de ses collègues prit l'appel.

— Shari est-elle là? C'est Cathy Glass, l'assistante familiale de Haylea Walsh.

— Elle est en réunion.

— Pourrez-vous lui dire que j'ai essayé de la joindre? C'est urgent. J'ai laissé un message sur son répondeur.

— Entendu, je transmettrai.

Je téléphonai ensuite à Joy, qui décrocha. Je résumai les derniers événements et expliquai que je n'avais pas réussi à joindre Shari, qui était en réunion. Joy saisit la gravité de la situation.

— Est-ce que vous allez bien? s'enquit-elle avec gentillesse.

— Je suis secouée, pour ne rien vous cacher.

— Et Haylea?

— Elle est très inquiète.

— Je vais essayer de trouver Shari ou sa supérieure et je vous rappelle.

Elles travaillaient toutes les trois dans le même bâtiment.

— Il est peu probable que cet homme se manifeste de nouveau, mais le cas échéant, prévenez la police, ajouta Joy.

— Je n'y manquerai pas.

Je reposai le combiné sur sa base et me tournai vers Haylea, qui mâchonnait le dos de sa main.

— On ne peut rien faire de plus, lui dis-je. Suis-moi, on descend.

Ses yeux s'embuèrent et sa lèvre inférieure se mit à trembler.

— Je ne me sentirai plus jamais en sécurité ici.

— Viens par là.

Lorsque j'écartai les bras, elle accepta de se blottir contre moi et je la réconfortai du mieux que je pus.

— Une fois que ton père sera arrêté, tu te sentiras de nouveau en sécurité, dis-je en espérant ne pas me tromper.

Quelques minutes plus tard, lorsque Haylea eut séché ses larmes, je pris Darcy-May et nous descendîmes toutes ensemble. Après avoir installé la petite dans son transat, j'allai chercher un biberon. J'en profitai pour boire un verre d'eau et en servir un à Haylea.

— Il se passe quoi en ce moment, à votre avis? s'enquit-elle pendant que je nourrissais Darcy-May.

— Je ne sais pas. On va sans doute nous rappeler bientôt.

Les minutes s'égrenèrent pendant que nous rongions notre frein, stressées et quasiment mutiques. C'était impossible de penser à autre chose. À un moment, le clapet de la boîte aux lettres claqua, nous faisant sursauter. J'allai voir et ne trouvai qu'un prospectus sur le sol du vestibule.

Une heure plus tard, mon portable sonna. C'était Shari.

— Comment va Haylea ? demanda-t-elle.

— Elle est apeurée.

— Je viens d'avoir les policiers au téléphone, ils vont procéder à l'arrestation de son père.

— Tant mieux.

— Mais ils nous ont conseillé de faire déménager Haylea sans tarder.

— Oh non.

— Vous m'en voyez désolée, mais elle n'est plus en sécurité chez vous. Il n'y a pas que son père et l'homme au colis qui savent où elle vit, ils font partie d'un réseau pédophile plus étendu. Le témoignage de Haylea a débouché sur d'autres interpellations, il n'est donc pas exclu que l'information ait circulé. Nous allons lui trouver un hébergement d'urgence avant de mettre en place une solution permanente. Pouvez-vous me la passer pour que je lui explique, s'il vous plaît ?

— Qu'est-ce qui se passe ? demanda Haylea en scrutant mon expression.

— Shari veut te parler, dis-je en lui tendant le téléphone.

Je la vis se décomposer à mesure que Shari lui annonçait la nouvelle.

— Non, je ne veux pas partir ! s'écria-t-elle. Je resterai dans la maison, je ne mettrai pas le nez dehors. Laissez-moi rester, s'il vous plaît. Cathy est ma seule famille, je l'aime et elle m'aime.

Les larmes aux yeux, j'allai m'asseoir sur le canapé à côté d'elle tandis que Shari continuait à lui parler. Même si je n'avais pas envie qu'elle parte, je savais au fond de moi que c'était la bonne décision – en tout cas, la seule qui garantissait sa protection. Mais cela ne rendait pas les choses plus faciles pour autant.

Haylea me rendit le téléphone en sanglotant.

— Pouvez-vous lui préparer des affaires pour quelques jours ? me demanda Shari. Je viendrai récupérer le reste quand nous aurons trouvé une solution pérenne.

— D'accord, répondis-je d'une voix blanche.

— Je vous tiens au courant.

Shari me dit au revoir et raccrocha.

— Oh, Cathy, je ne veux pas quitter cette maison, balbutia Haylea en larmes. Si seulement je n'avais rien dit ! Je vous aime, ne m'obligez pas à partir.

— Ce n'est pas moi qui décide, ma puce, dis-je en ravalant mes propres larmes.

Je l'enlaçai par les épaules et la câlinai tandis qu'elle pleurait sur mon épaule.

23

«Je suis si malheureuse»

Je tâchai de me focaliser sur les détails pratiques. Il était convenu que quelqu'un vienne chercher Haylea dans la soirée, mais ne sachant pas qui ni quand, je préférai m'organiser tout de suite au cas où. Une fois Haylea calmée, je lui expliquai que je devais prévoir un sac avec suffisamment de vêtements pour quelques jours, et elle hocha courageusement la tête. Je lui proposai de m'aider, mais comme elle n'en avait pas envie, j'allumai la télévision pour lui éviter de broyer du noir. Darcy-May dormait dans le transat.

— Appelle-moi si elle se réveille, dis-je à Haylea avant de monter dans sa chambre.

Pour son bien, j'essayai de ne pas craquer mais intérieurement, j'étais effondrée. Nous avions traversé tant de choses toutes les deux et Haylea aurait dû rester chez moi jusqu'à ses dix-huit ans – voire plus, selon son souhait. La pauvre enfant. À peine s'était-elle sentie suffisamment en confiance pour révéler les viols dont elle avait été victime qu'on avait retrouvé sa trace. Shari ne m'avait pas dit comment, mais cela n'avait pas dû être bien difficile pour quelqu'un de déterminé, ce qui était visiblement le cas de son monstre de père. Je garderais contact avec Haylea, mais après son départ, je n'aurais plus la main pour la guider et lui apporter le soutien qui lui permettrait d'affronter les mois et les années à venir.

Retenant de nouveau mes larmes, j'ouvris les tiroirs de sa commode et sortis quelques vêtements que je posai sur le lit. Je choisis les préférés de Haylea plus deux pyjamas, deux culottes et deux paires de chaussettes – ses chaussures et son manteau étaient en bas. Alors que je pensais devoir monter au grenier, où se trouvaient les valises, je me souvins des grands sacs cabas avec lesquels Haylea était arrivée et que j'avais remisés dans les tiroirs sous son lit. Je les sortis et commençai à y mettre les affaires. Les cartes d'anniversaire de Haylea et celle qu'elle avait reçue à son départ de Waysbury trônaient toujours dans la bibliothèque. Mes yeux s'embuèrent de nouveau lorsque je les rangeai soigneusement avec le reste de ses effets personnels. Haylea avait été touchée au plus profond d'elle-même par toutes ces manifestations de gentillesse à son égard, après en avoir été privée durant toute son enfance. Ce n'était pas juste qu'elle soit forcée à partir. Ses agresseurs continuaient à lui gâcher la vie, même à distance. La laisseraient-ils un jour tranquille?

Après m'être essuyé les yeux, j'allai dans la salle de bains récupérer ses affaires de toilette et les rangeai dans sa trousse, puis je retournai dans sa chambre. Comme les sacs cabas avaient une bonne contenance, j'étais sûre qu'elle avait de quoi voir venir pendant une semaine. Je les descendis, les posai dans le bureau, hors de sa vue, puis regagnai le salon.

Alors que la télévision était toujours allumée, Haylea regardait dans le vide. Quant à Darcy-May, elle était réveillée et semblait l'observer.

— Veux-tu manger quelque chose? demandai-je à Haylea, m'efforçant là encore de me concentrer sur le matériel.

— Non, merci, répondit-elle d'une petite voix triste.

Comme souvent à cette heure-ci, je sortis Darcy-May de son transat et la posai par terre près de ses jouets. Quinze minutes plus tard, Joy me téléphona pour s'assurer que Shari m'avait bien informée de la situation.

— Je suis vraiment désolée, dit-elle. Vous avez fait des merveilles avec Haylea. Si elle a autant progressé, c'est grâce à vous.

Ces paroles censées me réconforter eurent l'effet contraire, et j'essuyai une larme qui perlait au coin de mon œil.

— Savez-vous à quelle heure on vient chercher Haylea? demandai-je d'une voix mal assurée.

— Dès qu'ils auront trouvé un hébergement, d'après Shari, donc dans la soirée, je pense. Dites à Haylea que je lui souhaite plein de bonnes choses pour la suite. Je vous recontacte lundi.

Une fois l'appel terminé, je transmis le message de Joy. Haylea opina puis tourna la tête vers la télévision.

Une demi-heure plus tard, je commençai à me dire qu'il faudrait bientôt préparer à dîner, puis tout s'enchaîna très vite. Shari me prévint par téléphone que des policiers allaient bientôt passer pour récupérer Haylea et la conduire en lieu sûr. Puis elle demanda si cette dernière était prête.

— Oui, répondis-je – à en juger par cette réaction rapide, la menace était prise au sérieux. Est-ce que je pourrai la revoir?

— Bien sûr, mais une fois qu'elle sera installée pour de bon, et ce sera dans une ville différente.

Elle demanda ensuite à parler à Haylea. Je déduisis des réponses de celle-ci que Shari lui tint plus ou moins le même discours.

— Je pars bientôt, dit Haylea en me rendant le téléphone.

— Je sais, trésor, mais on aura l'occasion de se revoir. Est-ce que Shari t'a dit où tu allais?

— Non, je sais juste que la police va venir me chercher et que je ne dois en parler à personne.

— D'accord. Si tu as besoin d'aller aux toilettes, c'est maintenant.

Elle éteignit la télévision et monta. Je repris Darcy-May, qui en avait assez d'être par terre. Au moment où Haylea redescendit, quelqu'un sonna.

— Je suppose que c'est la police, dis-je. Attends là pendant que je vérifie.

En tenant toujours Darcy-May, j'allai à la porte, regardai par l'œilleton et distinguai la silhouette d'une agente en uniforme.

— Cathy Glass? demanda-t-elle lorsque j'ouvris la porte.

— Oui, entrez.

— Je viens chercher Haylea Walsh.

— Nous vous attendions.

La policière avança dans le vestibule et je refermai la porte. Haylea sortit du salon.

— Tu es prête? lui demanda l'agente.

Elle se contenta de la regarder en silence.

— Nous sommes un peu émues, expliquai-je. Haylea devait rester ici jusqu'à sa majorité.

— Oh, je suis navrée.

Je ne savais pas de quelles informations la policière disposait concernant la situation de Haylea et la raison de ce changement de domicile.

— Tu as des affaires de rechange? lui demanda-t-elle.

— Il y a deux sacs ici, indiquai-je en la précédant dans le bureau.

Comme j'avais toujours Darcy-May dans les bras, je ne pus l'aider à porter les sacs. La policière en prit un et Haylea se saisit du second d'un geste machinal. Dans le vestibule, je sortis un billet de cinquante livres de mon portefeuille et le lui donnai. Tandis que la policière, prête à repartir, ouvrait la porte, Haylea et moi échangeâmes un regard.

— Bon courage, ma chérie, dis-je en sentant mes yeux qui s'embuaient. Appelle-moi dès que tu peux.

— Oui. Je vous aime, répondit-elle en fondant en larmes.

— Je t'aime aussi.

Nous nous étreignîmes, mais pas trop longtemps : la policière était déjà dehors et je savais que des adieux à rallonge empireraient la situation.

— Tu ferais mieux d'y aller.

Elle hocha la tête et suivit la policière, qui descendait l'allée tandis que je restais sur le pas de la porte avec Darcy-May. Elle s'installa sur la banquette arrière pendant que la policière plaçait ses affaires dans le coffre. C'était une magnifique soirée d'été qui contrastait cruellement avec la brutalité de notre séparation. Par la vitre, Haylea m'adressa ce regard lointain et distant qu'elle prenait quand la réalité devenait insoutenable. Comme la voiture s'éloignait, j'agitai la main mais elle ne réagit pas. Après avoir refermé la porte, avec Darcy-May toujours dans mes bras, je laissai libre cours à ma tristesse. Pauvre enfant…

J'eus besoin de temps pour retrouver un semblant d'énergie. Assise sur le canapé avec Darcy-May, je pensai à Haylea, dont la situation m'inquiétait. Puis la petite réclama à manger et je me rendis alors compte que Paula n'allait pas tarder à rentrer du travail. Après avoir donné à Darcy-May la fin d'un biberon entamé plus tôt dans la journée, je la pris avec moi dans la cuisine et cherchai l'inspiration pour le dîner. Je n'avais pas faim – j'avais une boule au creux de l'estomac – mais je devais penser à Paula. J'ouvris le congélateur, sortis un plat de lasagnes sans grande conviction et le mis à réchauffer au four. Souhaitant informer Paula, Adrian et Lucy que Haylea était partie, je décidai de leur envoyer un texto. Je les appellerais plus tard, quand je serais en état de leur parler sans me mettre à pleurer.

Je m'installai sur le canapé du salon avec Darcy-May le temps de poster un message sur notre groupe WhatsApp : *Triste nouvelle : Haylea a dû partir. La police vient de passer la prendre pour la conduire en lieu sûr. Je vous expliquerai plus tard. Je vous embrasse. Maman.*

Oh non ! Qu'est-ce qui s'est passé ? répondit tout de suite Lucy, émoji choqué à l'appui.

Je t'appelle ce soir, écrivis-je.

Est-ce que ça va ? s'enquit Adrian.

Oui. On se parle bientôt. Je savais qu'il sortait tout juste du travail et qu'il était sur le chemin du retour.

Lorsque Paula profita de son trajet en bus pour m'appeler, je lui racontai ce qui s'était passé en m'arrêtant régulièrement pour ravaler mes larmes. Même si elle était aussi choquée et bouleversée que moi, elle se montra terre à terre :

— J'imagine qu'elle devait vraiment être en danger, pour qu'ils en arrivent à la faire déménager.

— En effet, c'était la seule solution. Paula, je suis sûre que cet homme ne se montrera plus dans les parages, et le père de Haylea a été de nouveau arrêté, mais sois quand même prudente.

— C'est noté. Quelles personnes horribles !

— Des salopards, oui.

— Maman, ce n'est pas dans ton habitude de dire des gros mots.

— Je sais bien, mais là… Bon, à tout à l'heure.

Haylea me manquait déjà et je savais que c'était réciproque. Elle n'avait jamais eu de véritable figure maternelle dans sa vie et j'avais été plus qu'heureuse de remplir ce rôle. Depuis son arrivée chez nous, elle avait passé le plus clair de son temps avec moi. Même quand elle s'était trouvée dans une autre pièce, je l'avais entendue vaquer à ses occupations, elle avait sympathisé avec ma famille et s'était toujours montrée reconnaissante à mon égard. J'en eus de nouveau les larmes aux yeux. Elle s'apprêtait à repartir du bon pied, dans un nouveau lycée – nous avions prévu d'acheter son uniforme dans quelques jours

– avec potentiellement de nouveaux amis, et voilà que tout était balayé par cette bande de pervers qui l'avait déjà tant fait souffrir. Pourquoi ne pouvaient-ils pas la laisser tranquille? Évidemment, je connaissais la réponse: son témoignage allait contribuer à les faire condamner. J'espérais que la procédure irait à son terme et qu'ils écoperaient tous d'une lourde peine.

En entendant Paula insérer sa clé dans la serrure, je me levai pour aller à sa rencontre et nous tombâmes dans les bras l'une de l'autre. Dans certaines circonstances, un câlin vaut mille mots.

— Haylea était tellement gentille, dit Paula. Ce n'est pas juste.

— Je sais.

— Tu as des nouvelles?

— Non, pas encore.

Paula monta faire un brin de toilette et se changer, puis nous nous assîmes pour dîner. Il y avait un grand vide à table, à la place de Haylea. Darcy-May, installée dans son transat, semblait du même avis, car je la vis froncer les sourcils en regardant la chaise inoccupée. Paula le remarqua aussi.

— Haylea était-elle triste de se séparer de Darcy-May? demanda-t-elle.

— Non, elle n'a parlé que de nous.

Paula hocha la tête.

— Ils l'ont emmenée où, à ton avis?

— Je ne sais pas. Shari a parlé d'un hébergement provisoire pour la nuit, le temps d'organiser la suite. Pourvu qu'elle lui trouve une nouvelle famille d'accueil. Au foyer, elle n'était pas dans son élément.

Nous finîmes de dîner dans une atmosphère morose en nous demandant ce qui allait advenir de Haylea. Heureusement que Paula avait prévu d'aller au cinéma avec une amie, sinon nous aurions été d'une piètre compagnie l'une pour l'autre. Lorsqu'elle se mit sur le départ juste après dîner, je l'accompagnai jusqu'à la porte.

— Sois prudente, lui rappelai-je.

Je repensai à l'achat d'une voiture qu'elle évoquait de temps à autre, maintenant qu'elle avait le permis et qu'elle travaillait à temps plein. Ce serait plus sûr que de prendre le bus, surtout tard le soir.

Après le départ de Paula, je passai un peu de temps avec Darcy-May, puis je lui donnai le bain et la couchai un peu plus tôt qu'à l'accoutumée pour appeler Lucy et Adrian, ainsi que je le leur avais promis.

Bien sûr, ils furent tous deux choqués et attristés d'apprendre les circonstances dans lesquelles Haylea était partie. Même si Adrian ne s'était pas montré très emballé à l'idée que j'accueille une adolescente maintenant qu'il ne vivait plus à la maison, il n'avait jamais critiqué ma décision d'héberger Haylea. Au contraire, lui et Kirsty l'avaient accueillie sans réserve, même sans connaître son histoire.

— Tu as fait de ton mieux, maman, dit simplement Adrian – ce grand sensible avait tendance à intérioriser ses émotions.

Quant à Lucy, d'une nature bien plus expressive et volcanique, elle s'écria :

— Je déteste les connards dans leur genre! Il faudrait les castrer.

Je n'allais pas la contredire.

Lucy continua à abreuver d'insultes les agresseurs de Haylea, ainsi que tous ceux qui s'en prenaient à des enfants et brisaient des vies. Nous avions côtoyé tant d'enfants victimes d'abus sexuels, un phénomène qui semblait endémique.

— Je te tiens au courant dès que j'ai des nouvelles de Haylea, dis-je en guise de conclusion.

— Merci. Et, maman…

— Oui?

— Devine qui a envoyé une carte d'anniversaire en retard à Emma.

— Bonnie?

— On l'a reçue aujourd'hui. Elle a écrit qu'elle nous verrait bientôt.

— D'accord, c'est bien.

Bonnie était la mère biologique de Lucy et elles se voyaient une fois par an, deux maximum, quand Bonnie était d'humeur. Lorsqu'elle était passée chez Lucy à l'improviste alors qu'Emma avait dix jours, la visite avait dégénéré en dispute. J'avais ensuite appelé Bonnie pour apaiser la situation, mais Lucy ne l'avait pas revue depuis. En grandissant, elle avait fini par accepter les travers de sa mère biologique, comme moi, et même si elle était contente de la voir de temps en temps, elle ne la réclamait pas outre mesure. Bonnie non plus, d'ailleurs : même si elle avait bon fond, elle rencontrait encore de nombreuses difficultés dans la vie. Lucy préférait d'ailleurs la voir dans un lieu public comme un café plutôt que chez elle.

— Je choisirai la date en fonction de Darren pour qu'il m'accompagne, précisa Lucy.

— Bonne idée.

Après lui avoir promis une nouvelle fois de la tenir au courant pour Haylea, je lui souhaitai une bonne nuit et raccrochai.

Alors qu'il n'était même pas 22 heures, je tombai de sommeil et décidai de ne pas attendre le retour de Paula. Même si Darcy-May dormait souvent six heures d'affilée, ce qui n'était pas mal pour un bébé de cinq mois, cela pouvait varier et surtout, ce n'était pas suffisant pour moi. De plus, j'accusai le coup entre le manque de sommeil et les derniers événements. Si je m'étais écoutée, je me serais endormie sur le canapé.

Je me levai avec peine sous le regard de Pammy. Après s'être étiré, il s'apprêtait à me suivre dans la cuisine où il avait pour habitude de passer la nuit lorsque mon portable sonna. À cette heure-ci, cela ne pouvait pas être une amie qui appelait pour papoter, songeai-je en prenant mon téléphone. En voyant le nom de Haylea s'afficher à l'écran, un intense soulagement m'envahit – pour s'envoler dès que j'entendis sa voix.

— Oh, Cathy, je suis si malheureuse… Je n'en peux plus de cette vie.

24

Appels de détresse

— Haylea, où es-tu? demandai-je.

— Je ne sais pas, articula-t-elle entre deux sanglots. À des kilomètres d'ici, dans une espèce d'hôtel.

— Il y a quelqu'un avec toi?

— Non, je suis toute seule dans une chambre minuscule. Ils donnent les plus grandes aux mères qui sont avec leurs enfants.

J'en déduisis qu'elle se trouvait dans un refuge pour femmes en difficulté.

— Je veux rentrer à la maison et être avec vous.

— Oh, ma puce… J'aurais voulu que tu restes, mais c'était dangereux.

— Je m'en fiche. Je préfère mourir plutôt que de rester ici.

— Ne dis pas ça, s'il te plaît. Il est tard et la journée a été éprouvante. Essaie de dormir, tu te sentiras mieux demain matin.

— Non, sanglota Haylea. Je veux en finir.

J'étais très inquiète et ne me trouvant pas auprès d'elle, je ne voyais pas bien comment lui venir en aide.

— Est-ce qu'il y a quelqu'un, une personne de l'équipe à qui tu pourrais parler?

— Je ne sais pas. Possible, il y a des employés qui dorment ici. À part eux, il n'y a que des mères de famille qui sont plus âgées que moi.

— C'est un refuge pour femmes.

— Il n'y avait pas d'autre endroit où je pouvais dormir ce soir. J'ai passé une éternité dans la voiture de police, il était 21 heures à notre arrivée.

— Ce n'est que temporaire, lui rappelai-je. Shari recherche un hébergement plus approprié.

— Il faut que j'attende une semaine!

— C'est ce que Shari t'a dit?

— Oui, elle m'a téléphoné quand j'étais dans la voiture. Elle dit que c'est à cause du week-end.

— Je sais que ça laisse à désirer, mais il faut penser à ta sécurité. Personne ne peut remonter jusqu'à toi.

Je connaissais ces structures accueillant des femmes, mais aussi des jeunes filles en détresse, pour avoir travaillé comme bénévole dans un endroit similaire quelques années plus tôt. Je peinai à trouver les mots susceptibles de réconforter Haylea.

— Tu pourrais aller au lit et écouter de la musique, comme ici, proposai-je.

— Est-ce que Paula est là?

— Elle est au cinéma avec une amie, elle t'embrasse, ainsi que Lucy et Adrian. Ils étaient désolés d'apprendre ton départ, mais ils ont compris les raisons.

— Est-ce que je vous reverrai un jour? demanda Haylea, sa voix se brisant de nouveau.

C'était triste de l'entendre parler ainsi, et j'eus le plus grand mal à me retenir de pleurer. Comment rester insensible à un tel désarroi?

— Shari dit que ce sera possible quand une solution permanente aura été trouvée.

— Je déteste ma vie.

J'étais au bord des larmes et encore plus en colère contre son père. Haylea avait bien progressé et aurait continué sur sa lancée s'il ne s'était pas manifesté.

— Haylea, je sais que tu vois tout en noir pour l'instant, mais regarde le chemin accompli. Tu as été très courageuse et tu le seras encore. C'est un nouvel obstacle à franchir, mais je sais que tu en es capable. Ne le laisse pas gagner.

J'entendis à l'arrière-plan quelqu'un toquer à la porte et Haylea dire un «Oui?» timide.

— Je peux entrer? dit une voix de femme.

— Oui.

La porte s'ouvrit et la femme proposa une tasse de thé à Haylea car elle-même allait s'en préparer une. Haylea renifla, et je l'imaginai s'essuyer les yeux comme je l'avais vue faire tant de fois ici.

— Ça n'a pas l'air d'aller, ajouta gentiment la femme. Quand tu auras fini de téléphoner, descends et on discutera un peu.

— OK.

La porte se referma.

— C'était une employée du refuge? demandai-je.

— Oui.

— Alors va boire un thé avec elle et on se reparlera demain.

— D'accord, murmura Haylea.

Je raccrochai en étant soulagée qu'elle ait un peu de compagnie. Je ne supportais pas l'idée qu'elle se retrouve toute seule dans une chambre avec ce genre de pensées en tête. Poursuivant ma routine du soir, je me servis un verre d'eau pendant que Pammy s'installait sur son coussin, puis je fermai la porte de la cuisine et montai me coucher.

Comme Darcy-May se réveillait en général vers minuit pour boire un dernier biberon, j'espérai dormir une petite heure d'ici là. Mais à 23 heures, j'avais toujours les yeux grands ouverts car je m'inquiétais pour Haylea. J'entendis Paula rentrer discrètement et aller se coucher à son tour. Une demi-heure plus tard, mon téléphone, que j'avais posé sur le lit, se mit à vibrer. D'habitude, je l'éteignais pour la nuit sauf si je devais me tenir prête à accueillir un enfant en urgence. Ce n'était pas le cas ce soir-là, mais j'avais tout de même laissé mon portable allumé si jamais Haylea appelait, car je voulais être là pour la soutenir. C'était bien elle et je répondis en chuchotant pour ne pas réveiller Darcy-May.

— Je n'arrive pas à dormir, dit Haylea. Ça défile dans ma tête, je revois toutes les choses horribles qu'ils m'ont forcée à faire et impossible de chasser ces images. J'ai commencé à en parler à ma psychologue la semaine dernière.

Même si Haylea ne pleurait pas, son moral semblait au plus bas.

— Tu peux te confier à moi, répondis-je. Et il y a aussi l'équipe du foyer.

— Non, c'est trop affreux, je ne peux pas vous raconter, protesta-t-elle avant de changer de sujet :

Vous pensez que Shari pourrait retrouver mes frères et ma sœur?

Je savais qu'elle avait deux grands frères, dont l'un était en prison. Sa sœur, elle aussi plus âgée, avait fugué peu après le départ de leur mère. Haylea n'en avait jamais parlé et je comprenais pourquoi elle les évoquait à présent : seule dans un lieu qu'elle ne connaissait pas, à des kilomètres de tous ses repères, ses frères et sa sœur étaient sa seule famille. D'habitude, les services sociaux veillaient à maintenir les contacts au sein d'une fratrie, mais j'ignorais si Shari avait leurs coordonnées, ni même si c'était dans l'intérêt de Haylea de renouer.

— Il faudra que tu en parles à Shari, lui conseillai-je.

— J'entends un bébé qui pleure, dit Haylea, changeant encore une fois de sujet.

— Quelqu'un t'a expliqué en quoi consiste ce refuge?

— Oui, la policière. On y accueille des femmes qui ont un conjoint violent et je ne dois dire à personne où il se trouve. Elle a expliqué qu'elles pourraient être en danger si leur conjoint découvre où elles sont.

— C'est vrai.

— Moi aussi, je courais un danger?

— Disons que ta sécurité n'était plus garantie chez moi.

Nous parlâmes encore un peu de différents sujets, car Haylea avait tendance à sauter du coq à l'âne, jusqu'au réveil de Darcy-May.

— Je dois y aller, dis-je à Haylea, la petite réclame son biberon. Essaie de dormir et rappelle-moi demain, si tu veux.

Je raccrochai, j'allai réchauffer un biberon dans la cuisine puis remontai dans ma chambre pour nourrir Darcy-May. Après l'avoir recouchée, je retournai au lit et m'endormis en gardant mon téléphone à portée de main mais en mode silencieux. Comme Haylea ne se manifesta plus, je supposai qu'elle aussi avait fini par trouver le sommeil. Je n'eus pas de nouvelles jusqu'au lendemain après-midi. Lorsqu'elle m'appela vers 16 heures, elle semblait en meilleure forme.

— Je me suis fait une copine, m'annonça-t-elle.

— C'est super.

— Tammy a dix-neuf ans et elle a eu deux enfants avec un homme qui la battait. Elle n'a pas eu le temps de faire ses bagages avant de partir, vu qu'il menaçait de la tuer. Elle est là depuis trois mois et attend une réponse pour un logement social.

Malgré la tristesse de ce récit, j'étais contente que Haylea ait sympathisé avec une autre jeune fille. Cependant, ce même soir, alors qu'elle était de nouveau seule dans sa chambre, les horreurs vécues par le passé revinrent la hanter. À 2 heures du matin, je fus réveillée par mon téléphone qui vibrait.

— Attends, chuchotai-je. Je ne veux pas réveiller Darcy-May.

Je m'isolai dans l'ancienne chambre de Haylea, dont je fermai la porte pour ne pas réveiller Darcy-May et Paula.

— Je suis désolée de vous déranger, murmura Haylea, mais j'ai encore rêvé qu'il était dans ma chambre. Ça semblait tellement réel… J'ai allumé la lumière.

Je supposai qu'elle parlait de son père et la rassurai pendant plus d'une heure jusqu'à ce qu'elle accepte de se recoucher. Je ne dis rien de plus que les fois précédentes, mais le simple fait d'avoir quelqu'un au bout du fil devait l'aider – elle se sentait moins seule.

Comme la journée du lendemain, un dimanche, passa sans nouvelles de Haylea, je m'autorisai à croire que c'était bon signe. Mais dans la nuit, elle fit un nouveau cauchemar et nous passâmes deux heures au téléphone, de minuit à 2 heures du matin. Là encore, je pris l'appel dans son ancienne chambre. J'étais restée debout pour donner son biberon à Darcy-May, je n'avais donc pas dormi du tout et il était presque 3 heures lorsque je réussis enfin à fermer l'œil. À 5 h 45, Darcy-May réclama à manger, alors je la nourris et me recouchai. Quand j'émergeai pour de bon, il était presque 9 heures, je n'avais même pas entendu Paula se lever et partir au travail. En consultant mon téléphone, je vis qu'elle m'avait envoyé un message : *J'espère que je ne t'ai pas réveillée. Bonne journée ! Bisous, P.*

Merci, trésor, répondis-je.

Je pris une douche, m'habillai et levai Darcy-May tout en me demandant comment allait Haylea. Ce n'est pas parce qu'un enfant placé part de chez moi que son sort cesse de me préoccuper. Au contraire, je m'inquiète encore plus pour lui, jusqu'à ce qu'on me confirme qu'il est heureux et évolue bien.

Joy appela dans la matinée pour prendre des nouvelles. Je lui racontai comment le départ de Haylea s'était passé et lui parlai de ses appels nocturnes. Joy promit de se renseigner auprès de

Shari pour savoir quand Haylea quitterait le refuge. De mon côté, après avoir envoyé un e-mail à Shari, je continuai à tenir mon carnet de bord à jour. Je préférais tout consigner en attendant qu'une nouvelle assistante familiale prenne le relais auprès de Haylea.

Lorsque celle-ci me téléphona dans la soirée, elle n'était pas dans le même état de détresse que les jours précédents mais semblait tout de même déprimée. Elle m'expliqua qu'elle tournait en rond au refuge, les autres résidentes passant la majeure partie de leur temps avec leurs enfants. Elle ne voyait plus Tammy car son petit dernier était malade et qu'elle devait rester avec lui dans la chambre. Comme Haylea voulait parler à Paula, j'allai la chercher pour lui passer le téléphone. J'entendis qu'elle lui posait des questions et tentait de lui remonter le moral.

— Elle se sent vraiment mal là-bas, dit Paula une fois l'appel terminé.

— Je sais bien, ma chérie. Espérons que Shari lui trouve bientôt une autre solution.

Face à cette situation préoccupante, Paula et moi nous sentions démunies. Je ne savais même pas où se situait ce refuge.

Ainsi que je m'y attendais plus ou moins, Haylea rappela un peu plus tard. Elle avait toujours eu des problèmes de sommeil, même chez moi, mais elle avait pris l'habitude de rester au lit et d'écouter de la musique. Depuis qu'elle était dans ce refuge, ses idées noires semblaient l'assaillir de plus belle alors que les horreurs vécues par le passé revenaient la tourmenter. Cette fois encore, je pris l'appel dans son ancienne chambre.

Elle n'avait pas grand-chose à dire hormis qu'elle était au trente-sixième dessous et que nous lui manquions cruellement. De mon côté, je tentai de la convaincre que la situation allait finir par se débloquer. Au bout d'une heure, je lui dis qu'il fallait que j'aille au lit pour dormir un peu, et nous raccrochâmes à contrecœur.

Shari ne me téléphona que le mercredi suivant, mais heureusement, c'était pour m'annoncer de bonnes nouvelles.

— Nous avons trouvé une famille d'accueil pour Haylea, son emménagement est prévu demain. Un couple marié, des assistants familiaux chevronnés qui ont déjà deux adolescents – leur fils et un autre enfant pris en charge par nos services.

— Très bien, répondis-je.

— Ça ne vous dérange pas que je donne votre numéro aux futurs parents d'accueil? Vous pourrez les renseigner sur Haylea et ses habitudes.

— Bien sûr que non, allez-y.

Il était habituel de transmettre ce genre d'informations par téléphone ou par e-mail.

— Haylea est-elle au courant?

— Oui, je viens de la prévenir. L'autre bonne nouvelle, c'est que le service d'adoption a retenu un nouveau couple qui serait parfait pour Darcy-May.

— D'accord, dis-je avec un peu moins d'enthousiasme.

— C'est un couple d'une trentaine d'années sans enfants qui a déjà l'agrément. Nia va organiser une réunion, elle vous tiendra informée. Pensez à prendre les photos et l'album de naissance.

— Ce couple sait-il dans quelles circonstances est née Darcy-May? m'enquis-je.

— Oui, Nia leur a dit tout ce que nous savons.

Étais-je rassurée? En partie seulement, car nous avions déjà essuyé un échec. Je ne doutais pas de l'intégrité de ces couples sans enfants qui souhaitaient adopter, mais j'avais parfois l'impression que leur enthousiasme ne faisait pas le poids face à certaines réalités. Ainsi, dans *Alex, 7 ans, l'enfant de personne*, je raconte une adoption qui se heurte à bien des difficultés, au point que les parents finissent par renoncer. Dans certains cas, c'est des années plus tard que les choses tournent mal, souvent au moment de la puberté, quand l'enfant commence à tenir tête à ses parents, à mettre à l'épreuve leur amour et la solidité de leur engagement vis-à-vis de lui. Quand des parents reviennent sur leur décision d'adopter, l'enfant est marqué à vie, il ne s'estime plus digne d'être aimé. Pour en arriver là, les parents souffrent certainement aussi, car ce n'est jamais un choix facile, donc raison de plus pour partir sur des bases saines.

Ma conversation avec Shari terminée, j'envoyai un texto à Haylea.

Je t'envoie toutes mes bonnes ondes pour demain!

Je préférais ne pas l'appeler car le lien qu'elle avait tissé avec moi devait se distendre progressivement, afin qu'elle transfère son attachement sur sa nouvelle famille d'accueil. C'est du moins ce qu'on nous apprend en formation.

Cinq minutes plus tard, Haylea me téléphona.

— Je suis contente de quitter cet endroit, dit-elle, mais j'aimerais tellement revenir chez vous.

— Je sais, ma puce, répondis-je, le cœur serré. Tu sais pourquoi ce n'est pas possible.

— Oui… Shari m'a dit qu'il y avait deux autres adolescents dans cette famille, alors j'aurai un peu de compagnie.

— En effet. Comme ça risque de te faire un peu bizarre au début, laisse-toi le temps de t'adapter. Comment va le petit de Tammy?

— Mieux, on a prévu de se promener au parc un peu plus tard.

— Ce sera sympa.

— Je préfère les parcs près de chez vous.

— Je suis sûre qu'il y a de beaux endroits là où tu vas habiter, soulignai-je pour l'inciter à être positive. Est-ce que tu vas rencontrer tes futurs parents d'accueil avant de t'installer?

C'était la procédure habituelle dans le cadre d'un placement planifié.

— Non, ils sont pris toute la journée. Ils m'appelleront plus tard.

— Ils vont me téléphoner aussi. Je leur dirai comment tu aimes occuper ton temps libre : préparer des gâteaux, te promener… Tu vois autre chose?

— Donner un coup de main.

— Je suis sûre qu'ils apprécieront.

— C'est vous que je préférerais aider.

Chacun de mes commentaires entraînait une remarque de Haylea soulignant combien nous lui manquions, si bien que j'eus l'impression de l'enfoncer au lieu de la soutenir. Sur ce, j'entendis Darcy-May qui émergeait de sa sieste.

— Il faut que j'y aille, trésor, Darcy-May vient de se réveiller. Bonne chance pour demain. Je penserai à toi.

— Je penserai à vous aussi, répondit Haylea d'une voix étranglée.

Ainsi s'acheva notre conversation.

La situation était bien triste, mais je me fondais sur mes années d'expérience : une fois dans sa nouvelle famille d'accueil, Haylea se sentirait certainement mieux. Et moi aussi, je serais soulagée quand j'aurais expliqué au couple qui allait la prendre en charge ce qu'étaient ses besoins et comment y répondre au mieux. Alors que j'attendais leur appel d'ici la fin de la journée, ils ne me téléphonèrent finalement que le lendemain matin, et la conversation que j'eus avec eux ne fut pas pour me rassurer.

25

Disparition

Haylea ne m'appela pas cette nuit-là, ce qui ne m'empêcha pas de me réveiller régulièrement pour consulter mon téléphone.

Le lendemain, sa nouvelle assistante familiale m'appela vers 10 heures, alors que j'étais en train de donner le biberon à Darcy-May.

— Cathy, c'est Celia Merchant à l'appareil, dit-elle d'une voix sonore et affirmée. Je vais accueillir Haylea.

— Merci de m'appeler, dis-je en m'asseyant sur le canapé, le téléphone calé entre mon épaule et ma joue pour ne pas interrompre le repas de la petite.

— Shari m'a demandé de vous appeler, mais j'ai parlé à Haylea et je ne vois pas ce qui pourrait poser problème, indiqua Celia. Shari m'a envoyé tous les documents et nous sommes rompus à l'accueil d'adolescents. C'est le seul âge qu'ils nous envoient, maintenant.

Elle laissa échapper un petit rire amer.

— Dans quel état d'esprit était Haylea quand vous lui avez parlé ? m'enquis-je.

— Elle n'a pas dit grand-chose. Ça nous change, par rapport à d'autres.

— Haylea est une adolescente particulière, indiquai-je. Elle a très peu confiance en elle, elle peut se montrer très introvertie et renfermée. En tout cas, elle cherche toujours à faire plaisir et à être appréciée.

— Eh bien, ce sera une première! lança Celia en riant de nouveau.

— Elle a un énorme besoin d'être rassurée et une tendance à paniquer facilement. Elle fait des cauchemars à propos de son passé. Savez-vous ce qui lui est arrivé?

— Elle a été agressée sexuellement et l'affaire est en cours d'instruction.

On ne pouvait pas dire que ce résumé rendait justice au calvaire enduré par Haylea.

J'expliquai la situation de sorte que Celia fournisse à Haylea un accueil correspondant à sa situation. Pendant que je parlais, elle m'interrompit pour dire «Tout à fait» un certain nombre de fois, l'air de s'estimer déjà parfaitement informée, or chaque enfant a des besoins différents. Je détaillai ensuite les habitudes de Haylea en précisant:

— Elle aime prendre un bon bain le matin, mais je l'ai prévenue qu'elle devrait le décaler au soir une fois qu'elle aurait repris les cours.

— Eh bien, ici, ce sera une douche, dit Celia d'un ton brusque. Les enfants ont un créneau d'une demi-heure tous les soirs, nous avons mis en place un système de rotation. Évidemment, mon mari et moi avons notre propre salle de bains.

— D'accord, répondis-je, consciente que chaque famille s'organisait différemment. Haylea a pris certains de ses effets personnels, mais il en reste ici car elle a dû partir en urgence.

— Désolée, Cathy, nous allons nous arrêter là. Nous devons partir dans un quart d'heure pour récupérer Haylea. Ne vous inquiétez pas, elle s'adaptera. De toute façon, elle n'a pas le choix, nous sommes la seule famille des environs qui accepte les adolescents. Je lui dirai de vous appeler une fois qu'elle sera installée.

Je remerciai Celia et raccrochai.

*

Je posai le biberon vide sur la table et tapotai le dos de Darcy-May pour l'aider à expulser le trop-plein d'air, tout en me réprimandant en silence. Je n'étais pas la seule à savoir ce qui convenait à Haylea ; ce n'était pas parce que l'approche de Celia différait de la mienne qu'elle était mauvaise et inadaptée à la situation. Les assistantes familiales fonctionnaient toutes différemment, il n'y avait pas un modèle d'accueil unique. Je devais laisser une chance à cette pauvre femme qui avait une solide expérience, comme moi. Tout se passerait bien pour Haylea.

Alors que la journée passait, je pensai à mon ancienne protégée, qui découvrait ses nouveaux parents d'accueil ainsi qu'une nouvelle maison dont j'ignorais jusqu'à l'emplacement. J'espérais qu'elle s'entendrait bien avec les deux autres enfants, qui avaient à peu près le même âge. Il lui serait également bénéfique d'avoir une figure paternelle fiable et bienveillante.

Dans l'après-midi, j'allai à la clinique avec Darcy-May pour un rendez-vous de suivi et une pesée, puis à mesure que l'heure du dîner approchait, je m'inquiétai un peu moins pour Haylea. Maintenant qu'elle était dans sa nouvelle maison, au sein d'une nouvelle famille, elle devait ressentir un certain soulagement, à défaut d'être heureuse. Celia avait assuré qu'elle dirait à Haylea de m'appeler une fois installée, mais je n'attendais pas de nouvelles avant une dizaine de jours. Quand un enfant quitte son assistante familiale pour vivre ailleurs, l'usage veut qu'on laisse passer quelques semaines avant d'appeler ou de voir l'enfant, sinon cela risque de le perturber.

Dès son retour du travail, Paula me demanda si Haylea s'était manifestée.

— Pas encore, c'est un peu tôt, mais je suis sûre que l'emménagement s'est bien passé, positivai-je.

*

Cette nuit-là, je laissai par habitude mon portable allumé, même si je doutais que Haylea m'appelle. Au refuge, elle s'était sentie seule et angoissée après ce départ précipité. Maintenant qu'elle était dans sa nouvelle famille d'accueil, elle retrouverait un peu d'apaisement. Je donnai le biberon à Darcy-May peu avant minuit, puis j'allai me coucher. J'étais sur le point de m'endormir lorsque mon portable se mit à vibrer sur la table de chevet. Je le saisis tout de suite et vis le nom de Haylea qui s'affichait à l'écran.

— Attends, chuchotai-je en me levant. Je ne veux pas réveiller Darcy-May.

Je sortis dans le couloir et m'isolai dans l'ancienne chambre de Haylea.

— Bonsoir, ma puce. Il est tard. Comment ça va?

— Super mal, je déteste cet endroit, dit-elle d'une voix étranglée. Je veux revenir chez vous.

Ce n'était pas possible et je savais que je devais faire preuve d'un minimum de fermeté.

— Haylea, tu viens d'arriver. Je t'ai dit que tu risquais de ne pas prendre tes marques tout de suite. Laisse-toi du temps. Et puis tu sais que tu ne peux vivre chez moi, tu ne serais pas en sécurité.

— Je déteste ma vie, je préférerais être morte.

— Ne dis pas ça. Tu as vécu bien pire qu'un changement de famille d'accueil. Tu peux y arriver, Haylea, je le sais.

— Je veux partir d'ici.

— Il faut que tu essaies, trésor. Tu as rencontré tout le monde? Qu'est-ce que tu as fait aujourd'hui? lui demandai-je, espérant ainsi l'amener à tenir un discours plus positif.

— Rien. J'ai rangé mes affaires et je suis restée dans ma chambre.

— Pendant tout ce temps?

— Oui.

— Tu as parlé aux autres ados de la maison?

— Pas vraiment. Ce sont deux garçons de quinze ans. Il y a le fils du couple et un enfant placé. Celia dit qu'une autre fille va peut-être arriver la semaine prochaine.

— Et vous avez dîné tous ensemble?

— Non. Ils m'ont appelée pour que je descende me mettre à table, mais je suis restée dans ma chambre. Alors Celia m'a monté un plateau.

— Demain, ce serait bien que tu te joignes à eux.

— J'essaierai, dit-elle avant d'ajouter, baissant la voix : Je ne les aime pas trop.

— Il faut au moins faire l'effort.

Nous discutâmes encore quelques minutes au cours desquelles je m'efforçai de remonter le moral à Haylea, mais elle revenait sans cesse sur son séjour chez moi et répétait combien nous lui manquions.

Soudain, elle s'interrompit au beau milieu d'une phrase.

— Attendez, j'entends quelqu'un.

Une seconde plus tard, je reconnus la voix de Celia.

— Haylea, j'entre.

Puis elle ajouta :

— Si j'ai exceptionnellement accepté que tu gardes ton téléphone cette nuit, c'est pour que la musique t'aide à t'endormir, pas pour que tu papotes.

Je levai les yeux au ciel.

— D'ailleurs, à qui tu parles ? poursuivit Celia. Il est minuit passé.

— À Cathy, répondit Haylea d'une voix penaude.

— Passe-moi Celia, intervins-je, je vais lui expliquer.

Celia prit le téléphone.

— Bonsoir, Cathy.

Je sentis à son ton qu'elle était agacée, et comment lui en vouloir ?

— Je suis désolée, lui dis-je. Haylea n'arrivait pas à dormir et m'a appelée, comme quand elle était au refuge. J'espère qu'elle ne vous a pas réveillée.

— Non, j'allais me coucher. Les téléphones, les tablettes et tout autre appareil électronique ne sont pas autorisés dans les chambres la nuit, mais nous avons fait une exception pour Haylea car elle vient d'arriver et elle dit que la musique l'aide à s'endormir.

— Je comprends parfaitement. J'applique les mêmes règles chez moi, mais Haylea a pris l'habitude de m'appeler quand elle ressent le besoin de se confier.

— Elle sait qu'elle peut s'adresser à moi, rétorqua Celia. Si elle vous recontacte, merci de ne pas répondre ou elle ne s'acclimatera jamais. Sur ce, il est très tard et elle a besoin de sommeil.

— Oui, bien sûr. Est-ce que je peux lui dire au revoir?

Celia rendit le téléphone à Haylea.

— Bonne nuit, ma puce, lui dis-je. Essaie de dormir, ça ira mieux demain matin.

— Bonne nuit, Cathy, répondit-elle d'une toute petite voix qui me brisa le cœur. Je suis désolée de vous avoir attiré des ennuis.

— Ce n'est rien, mais je pense qu'il vaut mieux ne plus me téléphoner le soir ou la nuit.

Je m'en voulus de prononcer cette phrase, cependant la demande de Celia était justifiée.

— Bonne nuit, ma puce, dis-je une dernière fois avant de raccrocher.

Je retournai dans ma chambre et pensai à Haylea jusqu'à ce que le sommeil finisse par l'emporter.

Haylea ne se manifesta plus cette nuit-là ni celle d'après, que ce soit par téléphone ou par texto, ce que je pris pour un signe positif même si je continuais à m'inquiéter pour elle. Le samedi suivant, Paula se leva étonnamment tôt alors que c'était le week-end.

— Adrian passe me chercher, on va faire le tour des concessionnaires.

— Oh, super!

Nous avions évoqué l'acquisition d'une voiture, et Adrian connaissait bien le sujet pour en avoir acheté une d'occasion, qu'il avait réparée lui-même en attendant d'avoir les moyens de se payer un modèle plus récent.

— Je participerai financièrement, proposai-je.

— Merci, maman.

Comme je veillais à l'équité entre mes enfants, je donnerais la même somme à Lucy et Adrian, et ils la dépenseraient comme bon leur semblerait.

Lorsque Adrian passa prendre Paula – sans Kirsty, qui avait déjà quelque chose de prévu –, il entra le temps de boire un café et de discuter. Après qu'ils furent repartis tous les deux, je sortis avec Darcy-May direction la rue commerçante. Comme je n'avais que quelques emplettes à faire, je n'aurais pas dû en avoir pour longtemps, mais je m'arrêtai plusieurs fois pour parler à des amis. Je vivais dans le même quartier depuis près de trente ans, je connaissais quasiment tout le monde et je n'étais jamais contre un brin de causette. C'était une belle journée, et sur le chemin du retour, je fis une pause dans le parc pour m'asseoir sur un banc et donner le biberon à Darcy-May. Là aussi, je croisai une voisine un peu plus âgée avec laquelle je discutai.

Il était presque 16 heures lorsque Adrian déposa à la maison Paula, qui avait trouvé son bonheur. L'un des concessionnaires qu'ils étaient allés voir vendait une voiture cochant toutes les cases, mais elle se trouvait dans une succursale à plusieurs kilomètres de là. Ils allaient s'arranger pour que la voiture soit amenée chez le concessionnaire de notre ville. Paula était toute contente et moi aussi. L'achat d'une première voiture, c'est une étape importante.

Cette nuit-là, je n'éteignis pas mon téléphone et heureusement, je ne reçus aucun appel de Haylea. Dans le cas contraire, aurais-je répondu ? Sans doute, contrairement à ce que j'avais promis à Celia, mais j'aurais écourté la conversation. Après avoir entendu les révélations de Haylea à propos des sévices qu'elle avait subis, et connaissant les angoisses qui s'emparaient d'elle la nuit, je ne pourrais décemment pas refuser de lui parler si elle avait un passage à vide. J'espérais qu'avec le temps, elle finirait par transférer son attachement sur Celia et se sentir suffisamment à l'aise pour se confier.

Haylea ne m'ayant pas recontactée de tout le week-end, lorsque lundi arriva, je me pris à croire à l'adage « Pas de nouvelles, bonnes nouvelles ».

Jusqu'à l'arrivée de la police.

Il était 15 heures le lundi lorsque la sonnette retentit. J'ouvris la porte d'entrée avec Darcy-May dans les bras et me retrouvai face à un binôme de policiers en uniforme.

— Cathy Glass ?

— Oui.

Mon sang se glaça : aussitôt, je pensai au pire, à un accident de la circulation impliquant un membre de ma famille.

— Il est arrivé quelque chose ?

— Pas de panique, nous sommes là car nous croyons savoir que vous avez accueilli Haylea Walsh, expliqua le chef d'équipage.

— En effet, répondis-je en recevant un nouveau coup au cœur.

— La disparition de Haylea nous a été signalée par son assistante familiale, et celle-ci pense qu'elle se trouve peut-être chez vous.

Un mélange de soulagement et d'inquiétude m'envahit.

— Non, elle n'est pas ici. Pourquoi Celia ne m'a pas appelée ? J'aurais pu lui dire.

— Quand on enquête sur un incident de ce type, la procédure veut qu'on vérifie les endroits où la personne est susceptible de se trouver.

En effet, je le savais d'expérience, pour avoir déjà dû signaler la disparition d'un enfant que j'accueillais.

— Pouvons-nous entrer et faire le tour de la maison ?

— Oui, bien sûr.

Là encore, c'était la procédure habituelle.

— Quand a-t-elle disparu ? m'enquis-je, inquiète.

— Très tôt ce matin, alors que ses parents d'accueil dormaient encore. Elle a pris son téléphone, un peu de liquide mais pas de vêtements. Est-ce qu'elle vous a contactée ?

— Non, pas depuis jeudi soir, indiquai-je. Elle m'a appelée vers minuit car elle n'avait pas du tout le moral. Avez-vous parlé à son assistante sociale?

— Oui, et suite aux informations qu'elle nous a fournies, nous avons estimé que Haylea était une personne à risque. Son signalement a été diffusé à l'ensemble des services et nous la recherchons activement.

Je supposai qu'elle était considérée comme personne à risque en raison de sa santé mentale précaire, de sa prise en charge par les services sociaux et de sa tentative de suicide. La situation était en effet très alarmante.

Après avoir invité les policiers à s'asseoir sur le canapé, je relatai la dernière conversation que j'avais eue avec Haylea, Shari les ayant déjà informés du reste. Puis je restai dans le salon avec Darcy-May sur les genoux tandis que les policiers inspectaient chaque pièce, y compris à l'étage. Une fois sûrs que Haylea n'était pas là, ils redescendirent.

— Avez-vous une idée de l'endroit où elle pourrait se trouver? demanda le chef du binôme.

— J'y ai réfléchi et je ne vois pas du tout. Elle n'a pas vraiment d'amis et elle ne serait certainement pas rentrée chez elle ou à Waysbury, le foyer où elle vivait avant de m'être confiée. Il n'est pas possible de géolocaliser son portable?

— Il est éteint depuis ce matin. Ses parents d'accueil pensaient qu'elle vous avait peut-être téléphoné.

— Non, pas depuis jeudi.

— Si elle vous contacte, appelez-nous tout de suite à ce numéro, indiqua le chef d'équipage en me donnant sa carte. Et dites à Haylea soit de rentrer dans sa famille d'accueil, soit de se mettre en lieu sûr et de prévenir quelqu'un.

— Entendu.

Après avoir raccompagné les policiers à la porte, je réfléchis fébrilement à un endroit où Haylea aurait pu se réfugier. Comptait-elle revenir ici? Je ne connaissais pas l'adresse de ses nouveaux parents d'accueil, mais à en croire Haylea et Shari, ils semblaient vivre à une distance non négligeable. Peut-être était-elle montée dans un train ou dans un bus. En tout cas, c'était le scénario que je préférais imaginer, car l'autre hypothèse, celle d'une nouvelle tentative de suicide, était trop affreuse.

Je repensai à notre dernière conversation en m'interrogeant sur ce que j'aurais pu dire ou faire de plus pour l'aider. Aurais-je pu trouver des paroles plus encourageantes? Ou, au contraire – je n'osais l'envisager –, avais-je tenu, sans le vouloir, des propos qui l'avaient enfoncée? Parfois, que l'on soit dans son rôle de parent ou d'assistante familiale, on peine vraiment à cerner certaines situations et à trouver les mots les plus adaptés.

J'essayai de joindre Haylea sur son portable mais il était éteint, ainsi que les policiers l'avaient indiqué. Je retentai ma chance un quart d'heure plus tard, sans plus de succès. Malade d'inquiétude, je priai pour qu'elle réapparaisse. Haylea ne connaissait pas la vie dans la rue, c'était une jeune fille fragile et manipulable.

Je réitérai mon appel tous les quarts d'heure en l'implorant de répondre ou au moins de rallumer son portable. Lorsque Paula rentra du travail à 18 heures, elle comprit tout de suite à ma tête que quelque chose n'allait pas.

— Haylea a disparu, lui annonçai-je. Elle a fugué tôt ce matin alors que ses parents d'accueil dormaient encore, et elle n'a pas donné signe de vie depuis.

Paula, saisissant la gravité de la situation, se montra tout aussi inquiète. Comme elle voulait se changer, elle proposa de monter avec Darcy-May pendant que je préparais un semblant de dîner. Nous mangeâmes en parlant de Haylea et en nous demandant où elle pouvait bien être.

Je continuai à essayer de joindre Haylea toute la soirée. Je téléphonai également à Celia, car il était possible que Haylea ait été retrouvée et qu'on ait oublié de me prévenir.

— Non, nous n'avons pas de nouvelles, dit Celia un peu sèchement.

— Quand vous en aurez, pourrez-vous me tenir au courant, s'il vous plaît?

— Oui, bien sûr.

J'essayai encore plusieurs fois d'appeler Haylea, et juste après 22 heures, mon portable sonna. C'était elle. Un immense soulagement m'envahit, mais il fut de courte durée.

— Cathy, murmura-t-elle d'une voix tremblante. Merci pour votre gentillesse. Je voulais juste vous dire au revoir.

Et elle raccrocha.

26

Kellie

Le cœur battant, je rappelai aussitôt Haylea mais elle ne décrocha pas, son portable sonnait dans le vide. Lorsque je réessayai, toujours aucune réponse. Elle m'avait paru désespérée, et cet au revoir qui ressemblait davantage à un adieu avait de quoi glacer le sang.

Après avoir tenté une nouvelle fois de la joindre, j'optai pour un texto.

Haylea, ma puce, décroche, s'il te plaît. Il n'y a pas de problèmes, il n'y a que des solutions.

Dix minutes plus tard, après avoir réitéré mon appel sans succès, je reçus enfin un SMS.

Vous êtes fâchée contre moi?

Non, bien sûr que non, mais je m'inquiète énormément. Je vais t'appeler, alors s'il te plaît, réponds. Nous allons trouver le moyen d'arranger ça.

Je lui laissai le temps de lire le texto puis appelai. Heureusement, elle décrocha.

— C'est bien, ma chérie, lui dis-je.

— Oh, Cathy, je me sens si mal… J'en ai tellement marre, je déteste cette maison, je déteste ma vie, et tout le monde s'en fiche.

— Haylea, on est nombreux à se soucier de toi et à s'inquiéter. Des policiers sont passés chez moi, ils te cherchaient. Où es-tu?

— À l'arrière d'un pub.

— Où ça?

— Je ne sais pas. Après être partie de chez Celia, je suis allée dans un centre commercial, mais il fermait à 20 heures alors j'ai marché jusqu'ici. Il y a un jardin avec plein de monde. Personne ne fait attention à moi.

— Tu ne peux pas rester, il faut qu'on te sorte de là. Dis-moi comment t'aider. Tu reprenais du poil de la bête, quand tu vivais à la maison.

— Je ne sais pas ce que vous pouvez faire, dit Haylea en sanglotant. Tout est tellement horrible… Je déteste ma vie, je n'aime pas Celia et sa famille.

— Tu n'as passé que très peu de temps là-bas, dis-je gentiment.

— Ça m'a suffi.

Malgré la tristesse de la situation, je ne pus retenir un sourire.

— Oh, Haylea… Tu veux que je téléphone à Shari demain et que je lui demande s'il est possible de chercher une autre famille d'accueil? Je ne peux pas te promettre qu'elle acceptera, mais est-ce que ça t'aiderait?

Je savais que certains placements n'allaient pas à leur terme, pour tout un tas de raisons.

— Je pense que oui, mais où est-ce que je risque d'atterrir? Je n'aimais pas Waysbury, il n'y avait que Cook qui était gentille avec moi.

— Shari tâchera de trouver un endroit qui te convienne mieux, assurai-je. Si je m'engage à lui parler, est-ce que tu acceptes de rentrer chez Celia dès ce soir?

— Elle va m'en vouloir. En plus, je ne connais pas le chemin.

— Elle ne t'en voudra pas, au contraire, elle sera soulagée. Je peux l'appeler et demander qu'elle ou son mari viennent te chercher.

— D'accord, mais juste pour ce soir, alors, et vous parlez à Shari demain?

— C'est promis. Maintenant, il faut qu'on sache où tu es. Tu vois le nom du pub?

— Non.

— Il y a forcément une enseigne ou une devanture. Tu peux aller voir? Je ne quitte pas.

Je n'entendis plus que des discussions et des rires lointains. C'était une chaude soirée d'été et Haylea avait parlé d'un pub très fréquenté.

— Il y a marqué «Le Chêne royal», dit-elle enfin.

— Bien. Tu peux te mettre dans un endroit qui ne craint rien pendant que j'appelle Celia?

S'ensuivit un silence, puis Haylea dit:

— Vous avez dit que des policiers étaient passés chez vous, et j'en vois qui sont garés juste devant le pub. Vous pensez qu'ils essaient de voir si je suis là?

— Peut-être, mais même s'ils ne sont pas à ta recherche, ta disparition est enregistrée dans les fichiers de la police. Je veux que tu ailles les voir tout de suite, pendant que je reste en ligne. Donne ton nom et explique que ta disparition a été signalée.

— Ils ne vont pas être fâchés contre moi? demanda Haylea.

— Non, ma puce. Eux aussi, ils seront soulagés.

— Ils connaîtront l'adresse de Celia?

— Oui.

Quelques instants plus tard, j'entendis Haylea qui disait:

— Excusez-moi, je m'appelle Haylea Walsh et ma famille d'accueil vous a prévenus que j'avais disparu.

Même si je ne saisis pas la réponse de l'agent, je poussai un grand soupir de soulagement. Je ne savais pas si cette patrouille l'avait retrouvée en géolocalisant son portable maintenant qu'il était allumé ou si elle passait là par hasard, mais en tout cas, Haylea était en sécurité. Comme j'étais toujours en ligne, je perçus les voix des policiers et de Haylea, puis celle-ci m'annonça:

— Ils me ramènent chez Celia.

— D'accord. J'appelle Shari demain matin. Bonne nuit, trésor.

— Bonne nuit.

Bien sûr, je montai tout de suite annoncer la bonne nouvelle à Paula, qui fut aussi soulagée que moi.

— Heureusement qu'elle t'a rappelée, dit-elle.

— Tu peux le dire.

Comme toutes ces péripéties m'avaient laissée fébrile, j'attendis que Darcy-May réclame son dernier biberon avant d'aller au lit. Pile au moment où je me couchai, Haylea m'envoya un texto.

Je suis rentrée. N'oubliez pas de téléphoner à Shari demain.

C'est promis, répondis-je.

À 9 heures le lendemain, je téléphonai à Shari. Elle venait d'arriver au bureau et consultait ses e-mails.

— Vous savez que Haylea a été retrouvée hier soir? m'assurai-je dans un premier temps.

— Oui, je suis en train de lire le rapport. Elle a été localisée à 22 h 30 devant un débit de boissons à…

Elle cita la ville.

— Exact. Je ne sais pas si le rapport précise les raisons pour lesquelles elle a fugué, mais elle m'a dit qu'elle vivait très mal son placement chez Celia. Je lui ai promis de vous contacter pour savoir si un changement de famille était envisageable.

— Je vois, répondit Shari d'un ton un peu las.

J'imaginai qu'elle se serait bien passée de cette démarche supplémentaire dans un planning déjà très chargé.

— Je parlerai à Haylea et Celia demain, ajouta-t-elle.

— J'ai insisté sur le fait qu'un retour chez moi est impossible. Je pense que les choses sont claires, mais elle broie du noir là-bas.

— Je comprends. Merci d'avoir appelé.

La conversation terminée, j'écrivis à Haylea : *J'ai téléphoné à Shari, elle va te contacter.*

Je n'eus pas de nouvelles jusqu'à ce que Shari me rappelle vers 16 heures.

— J'ai fait le point avec Haylea et Celia. Aucune famille d'accueil n'est disponible dans le secteur où Haylea se trouve en ce moment, mais il y en a une dans le secteur voisin. C'est une nouvelle assistante familiale qui n'a encore jamais pris d'adolescents en charge. Elle est mère célibataire et a une petite fille de sept ans. Je lui ai téléphoné et elle a peur de ne pas être à la hauteur, cependant elle accepte de l'héberger quelques jours en attendant qu'on trouve une solution pérenne.

— D'accord, répondis-je sans grande conviction.

— J'ai expliqué la situation à Haylea. Elle accepte d'aller là-bas, même si elle sait que ça implique un nouveau déménagement. La nouvelle assistante familiale a demandé à vous parler, je lui ai donné votre numéro.

— Pas de problème.

Sur ce, nous prîmes congé.

Haylea ayant préféré cet arrangement provisoire plutôt que de rester chez Celia, cela signifiait qu'elle en serait à trois déménagements en un peu plus d'une semaine. Ce n'était pas l'idéal, mais j'avais vu pire. Des enfants placés qui m'ont recontactée après leur départ disaient avoir connu jusqu'à cinquante changements de domicile lors de leur prise en charge par les services sociaux. Si certains étaient impératifs, d'autres auraient pu être évités si la compatibilité entre le parent d'accueil et l'enfant avait été mieux étudiée, ou si un meilleur encadrement avait été mis en place.

Une heure plus tard, je reçus l'appel de Kellie, la nouvelle assistante familiale de Haylea.

— Je suis toute nouvelle dans le métier, dit-elle avec un petit rire nerveux. Je n'ai reçu l'agrément qu'hier.

— Eh bien, félicitations.

Elle avait une voix douce teintée d'un léger accent du Nord.

— Je sais que je ne vais accueillir Haylea que quelques jours, mais je ne peux pas m'empêcher de m'inquiéter, poursuivit-elle. Elle a vécu tellement de choses difficiles, je ne veux pas en rajouter.

Elle m'inspira tout de suite de la sympathie, car elle semblait ouverte aux conseils. Je lui dis tout ce qu'elle devait savoir sur Haylea : son passé, ses révélations, l'enquête de police, son rythme quotidien, ses préférences et ses aversions, sa capacité à s'enfermer dans une bulle quand elle n'arrivait pas à affronter la réalité.

— En vous racontant tout ça, je ne sais pas si je vous aide ou si je vous stresse encore plus, concédai-je.

— Difficile à dire, répondit Kellie avec le même rire nerveux. Est-ce que je peux vous appeler si jamais j'ai des questions ?

— N'hésitez pas. À quelle heure arrive Haylea ?

— On m'a seulement dit dans la soirée. J'ai préparé sa chambre et ma fille est toute contente. Voulez-vous que je dise à Haylea de vous téléphoner quand elle sera là ? Vous devez vous inquiéter pour elle.

— Oui, s'il vous plaît. Et, Kellie, je pense que vous allez très bien vous en sortir. J'ai l'intuition que vous êtes la personne dont Haylea a besoin en ce moment.

— C'est vrai ? Merci. En tout cas, je ferai au mieux.

À mon avis, Kellie, qui m'avait paru à la fois douce et perspicace au téléphone, saurait mettre Haylea à l'aise. Celle-ci manquait de confiance en elle et peinait à s'intégrer à un groupe préexistant, ce qui expliquait en partie l'échec de ses placements à Waysbury puis chez Celia. Si de nombreux adolescents ont des difficultés relationnelles, le mal-être de Haylea était bien plus profond. J'espérais que la reprise des cours l'aiderait à nouer de nouvelles amitiés, mais pour l'heure, Kellie et sa fille de sept ans semblaient à même de l'accueillir dans une ambiance agréable, jusqu'à ce que soit trouvée une assistante familiale rodée à l'accueil des adolescents.

Il était 20 heures lorsque Haylea téléphona.

— Comment ça se passe? m'enquis-je.

— Pas trop mal, je crois, répondit-elle après une hésitation. On vient de dîner.

— C'est bien. Et maintenant, qu'est-ce que tu fais?

— Je suis dans le salon avec Amelia.

— C'est la fille de Kellie?

— Oui. Kellie est en haut, elle range mes affaires.

— À quelle heure es-tu arrivée? demandai-je par curiosité.

— Vers 18 heures. Comme Celia ne pouvait pas laisser les garçons tout seuls, elle a dû attendre que son mari rentre pour me conduire ici. Je crois qu'elle n'était pas très contente. Je me suis excusée pour tous les problèmes que je lui ai causés. Elle a dit que ce n'est pas si grave, vu qu'un autre adolescent arrive demain.

Je trouvai que cette remarque manquait de tact; à l'entendre, l'accueil d'enfants placés n'était qu'un simple filet de sécurité.

— Ne t'inquiète pas, je suis sûre que Celia s'en remettra. J'ai eu Kellie au téléphone et elle m'a paru très gentille. Mais tu devras lui dire si tu as besoin de quoi que ce soit, ou si quelque chose t'angoisse. Elle ne le devinera pas, sinon.

— Je sais, elle me l'a dit aussi.

— Tant mieux.

Sur ce, j'entendis Amelia dire:

— C'est à ton tour, Haylea.

— Vous jouez à un jeu?

— Oui.

— Alors je te laisse, et merci pour les nouvelles.

— Je peux vous rappeler si j'en ai envie?

— Oui, mais essaie de dormir cette nuit. Et n'oublie pas que Kellie est là, en cas de coup de mou ou de cauchemar. Je lui ai dit que tu avais des problèmes de sommeil.

— Je vous rappelle demain matin.

— Merci, ma puce.

Sachant que l'arrivée de Haylea ne remontait qu'à quelques heures, elle semblait aller relativement bien. J'étais contente qu'elle ait mangé et qu'elle joue avec Amelia. Cette nuit-là, je laissai mon téléphone allumé, au cas où Haylea aurait une crise d'angoisse et ressentirait le besoin de m'appeler, mais elle ne se manifesta pas et j'y vis un signe encourageant pour la suite. Elle m'envoya un texto dans la matinée pour dire qu'elle était levée et qu'elle allait prendre son petit-déjeuner puis un bain. Un peu plus tard, elle m'envoya une photo de la fournée de cupcakes qu'elle avait confectionnés avec Kellie et Amelia, ce qui me fit là aussi chaud au cœur.

Miam ! Ils ont l'air bons, répondis-je.

Je reçus ensuite un e-mail de Shari m'annonçant qu'elle avait organisé un rendez-vous avec le couple pressenti pour adopter Darcy-May le lundi suivant. Sachant qu'il m'était impossible de m'y présenter avec la petite, je prévins Lucy, qui accepta avec joie de la garder en mon absence. Une fois l'horaire noté dans mon agenda, je n'y repensai plus, préoccupée que j'étais par Haylea et son adaptation.

Elle ne donna pas de nouvelles ce soir-là, et ce fut Kellie qui me contacta le jeudi après-midi. Prise de panique, j'envisageai aussitôt le pire, mais elle m'annonça simplement :

— Haylea m'a dit que le reste de ses effets personnels était resté chez vous, c'est bien ça ?

— En effet, répondis-je, soulagée. Shari doit s'organiser pour que Haylea les récupère, je lui en toucherai un mot. Elle préférera peut-être attendre qu'une solution sur le long terme soit trouvée.

— Vous avez une idée du délai ?

— Pas du tout.

— Et vous savez où Shari en est de ses recherches ?

— Je n'en ai aucune idée, Shari vous tiendra au courant. Dans quel état d'esprit est Haylea ?

— Ça a l'air d'aller. Nous arrivons à discuter et elle s'entend très bien avec Amelia. Haylea a beau être une adolescente, elle semble apprécier les jeux destinés aux plus jeunes. J'imagine que c'est parce qu'elle a été obligée de grandir bien trop vite.

— Tout à fait. On le constate souvent chez nos petits protégés qui ont été privés d'enfance. Je suis contente qu'elle s'adapte.

— Voulez-vous lui parler? Elle aide Amelia à enfiler des perles pour fabriquer des bijoux.

— Je ne veux pas la déranger si elle est occupée. Embrassez-la de ma part.

— Je n'y manquerai pas.

Dans la soirée, Haylea m'envoya une photo de ses œuvres.

Magnifique, répondis-je.

Le samedi suivant, Adrian passa chercher Paula pour la conduire au garage où l'attendait sa voiture. Lorsqu'ils rentrèrent deux heures plus tard, Paula suivait Adrian au volant de son *nouveau* véhicule, son grand frère ayant tenu à la raccompagner jusqu'à la maison. Dès que je les entendis approcher, je sortis sur le seuil. Paula était si fière! Elle passa une heure à nettoyer sa nouvelle voiture à fond, intérieur comme extérieur, alors qu'elle était déjà impeccable. Puis elle m'emmena faire un petit tour avec Darcy-May, installée dans son siège auto sur la banquette arrière.

Ce soir-là, alors que je m'apprêtais à aller au lit, mon portable sonna. En voyant que c'était Haylea, je sentis mon cœur s'arrêter de battre un instant.

— Qu'est-ce qui se passe, ma puce? demandai-je en sortant de ma chambre pour ne pas déranger Darcy-May.

— Je peux vous poser une question? répondit-elle d'une petite voix angoissée.

J'eus beau lui assurer qu'elle pouvait me demander tout ce qu'elle voulait, je retins mon souffle.

— Cathy, je profite d'être toute seule dans ma chambre pour réfléchir. Je ne veux pas vous causer encore plus de soucis, et je sais que ce n'est pas possible de revenir vivre chez vous, mais vous pensez que je pourrais m'installer chez Kellie?

— C'est ça, la question que tu voulais me poser?

— Oui.

— D'accord. Eh bien, je ne sais pas. Tu aurais envie de rester?

— Je crois. Elle est gentille, et Amelia aussi. Si je redéménage, je risque d'atterrir encore chez quelqu'un d'horrible.

— Je ne qualifierais pas Celia d'horrible, disons qu'il y avait incompatibilité d'humeur. Tu en as parlé à Kellie?

— Non, j'ai préféré vous demander d'abord.

C'était délicat, je ne savais pas trop quoi répondre.

— Je pense qu'il vaut mieux commencer par aborder le sujet avec Shari. Kellie a accepté de t'accueillir quelques jours, mais elle s'attendait peut-être à se voir confier plutôt des enfants en bas âge. Je ne sais pas, je ne peux pas me prononcer à la place de ton assistante sociale.

— Ça ne vous dérange pas de lui en parler?

— D'accord, je lui écris un e-mail.

— Merci.

— Mais, Haylea, je préférerais que tu ne t'emballes pas. Shari jugera peut-être que ce n'est pas la solution la plus adaptée.

À vrai dire, je craignais que Kellie n'accepte pas d'accueillir Haylea sur le long terme.

27

Nouveau lycée

Paula commença la semaine en prenant sa nouvelle voiture pour se rendre au travail. À son arrivée, elle m'envoya un texto pour me prévenir qu'elle avait trouvé une place pour se garer. Elle savait que même si elle était adulte, je restais sa mère et que je m'inquiétais pour elle.

J'envoyai un e-mail à Shari pour lui transmettre la requête de Haylea. Puis, en début d'après-midi, alors que je m'apprêtais à déposer Darcy-May chez Lucy le temps d'assister au rendez-vous avec le service d'adoption, Shari téléphona.

— Le rendez-vous est annulé, m'annonça-t-elle. Les adoptants se sont désistés. Ils ont décidé de retenter une fécondation *in vitro*.

— Le sujet a pourtant dû être évoqué au moment de leur accorder l'agrément, répondis-je, exaspérée.

L'adoption est un parcours fastidieux, qui comprend des entretiens approfondis par les services sociaux ainsi qu'une formation. De nombreux points sont abordés, y compris les problèmes de santé et d'infertilité rencontrés par les postulants et qui sont souvent à l'origine de leur démarche. On demande également aux adoptants de s'informer de leur côté sur les implications et de consigner leur expérience dans un carnet de bord. Ce couple avait donc eu tout le temps d'envisager une autre tentative de fécondation *in vitro*.

— En effet, lorsque la question leur a été posée, ils ont dit qu'ils préféraient arrêter les traitements médicaux au profit de l'adoption. Ils ont visiblement changé d'avis, commenta Shari d'un ton stoïque. Nia me recontactera quand elle aura trouvé un autre couple.

— Heureusement que Darcy-May n'est pas en âge de se rendre compte, dis-je en regardant la petite, déjà installée dans son siège auto et prête à monter en voiture.

— Merci pour votre e-mail concernant Haylea, dit Shari, passant à un autre sujet. J'ai une visite prévue chez Kellie jeudi prochain donc j'évoquerai la possibilité que Haylea reste chez elle. Je l'ai ajoutée à ma liste de points à aborder.

— Voulez-vous en profiter pour emporter le reste des affaires de Haylea? demandai-je.

— Oui, c'est une bonne idée. Attendez, je vérifie mon planning.

Je souris à Darcy-May tout en patientant.

— Je peux passer mercredi à 14 heures, proposa Shari, et ce sera l'occasion de voir Darcy-May.

— C'est parfait, alors à mercredi.

Après avoir raccroché, je notai l'information dans mon agenda puis appelai Lucy. Je lui dis que même si le rendez-vous était annulé, je pouvais tout de même passer la voir ainsi qu'Emma.

— D'accord, venez, ce sera sympa.

Je pris Darcy-May dans son siège auto ainsi que le sac à langer et montai en voiture direction l'appartement de Lucy. À mon arrivée, je passai un petit moment avec Emma pendant que Lucy jouait avec Darcy-May. Puis nous décidâmes de profiter du beau temps et d'aller au parc. En chemin, Lucy demanda pourquoi le rendez-vous avait été annulé et je le lui expliquai.

— Si j'étais plus jeune, je me proposerais pour adopter Darcy-May, ajoutai-je.

— Ça ne m'étonne pas ! dit Lucy en riant.

Même si la mission d'accueil diffère de l'adoption, on autorise parfois une assistante familiale à adopter l'enfant qui lui a été confié – c'était d'ailleurs ce qui s'était passé pour Lucy. Mais les bébés sont adoptés par des couples jeunes, pas par des personnes de mon âge.

Après un agréable après-midi passé au parc et un dernier détour par l'appartement de Lucy, je rentrai à la maison avec Darcy-May.

Le lendemain mardi, je descendis des valises du grenier pour y ranger le reste des affaires de Haylea. Tout en m'affairant, je parlai à Darcy-May, qui m'observait du lit où je l'avais calée avec des coussins pour parer à toute chute. Je m'adressais toujours à elle quand nous étions toutes les deux, et elle répondait en gazouillant ou en agitant les bras. Je me demandai si Haylea pensait parfois à sa fille, maintenant qu'elles ne cohabitaient plus. Quelque part, il était préférable qu'elle ait quitté la maison avant Darcy-May, car la séparation l'aurait certainement affectée, à un degré ou à un autre. Ou à l'inverse, peut-être aurait-elle persisté dans le déni. C'était difficile de savoir ce que Haylea pensait et ressentait, car elle excellait dans sa capacité à étouffer ses émotions de façon à ne pas s'effondrer après des années de sévices. J'espérais que la thérapie lui fournirait des clés pour apprendre à vivre avec le passé.

Lorsque Kellie m'appela dans la soirée, cette fois encore je me préparai à apprendre une mauvaise nouvelle, mais je me trompai : elle envisageait d'accueillir Haylea sur le long terme et voulait mon avis.

— Sachant les épreuves qu'elle a traversées, j'ai peur d'être dépassée, reconnut-elle. Mais d'après son assistante sociale, la thérapie va reprendre et Haylea dit elle-même qu'elle a très envie de rester. Shari va passer à la maison jeudi pour en parler, et ma référente sera présente aussi.

Je comprenais son dilemme. Kellie m'avait tout l'air d'une jeune femme adorable, mais ce n'était pas un engagement anodin. Haylea n'était arrivée que depuis une semaine et celles à venir ne s'annonçaient pas de tout repos entre le procès – si les poursuites contre son père allaient à leur terme –, la reprise des cours dans un nouvel établissement et la gestion de ses traumatismes. Si, sur ce plan, la thérapie jouerait un rôle crucial, il ne fallait pas non plus s'attendre à des miracles. Actuellement, Haylea tâchait de s'adapter et avait tendance à tout intérioriser, mais cela risquait de changer. Comment réagirait Kellie si Haylea, rattrapée par ses démons, se laissait déborder par ses émotions et se défoulait sur elle ou sur Amelia ? Kellie serait-elle en mesure de gérer la situation ?

— Attendez de voir ce que donnera votre discussion jeudi prochain, conseillai-je. Pensez à poser toutes les questions qui vous viennent et informez-vous au maximum.

— Shari a dit qu'elle m'enverrait tous les documents concernant le parcours de Haylea.

— Bien. Mais ils ne sont pas exhaustifs, alors n'hésitez pas à partager vos interrogations et vos inquiétudes.

— Merci. Je veux ce qu'il y a de mieux pour Haylea.

— Je sais.

Lorsque Shari passa à la maison le lendemain, les valises et les sacs de Haylea étaient posés dans le vestibule. Nous nous assîmes dans le salon à côté de Darcy-May, qui était installée dans son transat. Comme attendu par Shari, je l'informai de ses progrès et lui montrai son carnet de santé. Après s'être ainsi assurée que tout se passait bien pour Darcy-May, Shari aborda le sujet Haylea. J'appris que son père ayant enfreint ses conditions de libération, il resterait en détention provisoire jusqu'au procès, prévu pour la première semaine de décembre.

— Donc c'est sûr, il va bien être poursuivi?

— Oui. Il clame son innocence, indiqua Shari. Mais les services de police disent qu'ils disposent de preuves suffisantes pour le faire condamner ainsi que deux de ses complices. Ils ont trouvé des centaines d'heures de vidéos dans les maisons qu'ils ont perquisitionnées, et Haylea figure sur certaines qui remontent à plusieurs années. Sur les plus anciennes, elle devait avoir dans les huit ans. Sa mère y apparaît également.

— Sa mère aurait participé aux viols ? demandai-je, choquée et révulsée.

— Il semblerait. Les enquêteurs essaient de la localiser.

Je déglutis avec difficulté. Il était déjà dramatique que Haylea ait été abusée par son père et ses amis, mais l'implication de sa mère dans ces agissements dépassait l'entendement. Mon estomac se tordit. Le rôle d'un parent est d'apporter un amour et une protection inconditionnels à son enfant, pas de le torturer.

— Les enquêteurs sont encore en train d'identifier les autres enfants qui figurent dans les vidéos, dit Shari.

— Je plains les policiers qui doivent les visionner, répondis-je en pensant tout haut. Vous connaissez la nièce et le neveu de l'homme qui organisait ces fêtes ?

Shari acquiesça.

— Leurs parents n'ont jamais rien soupçonné ?

— Non, d'après ce que je sais. Ils ont dit à la police qu'ils ne voyaient pas de mal à ce qu'un oncle passe du temps avec leurs enfants. Les enfants ne l'ont pas dénoncé non plus, et nous avons appris récemment qu'eux aussi avaient été réduits au silence par des menaces. Cependant, les parents ont concédé que le garçon souffrait d'énurésie et que lui et sa sœur faisaient des cauchemars. Apparemment, leur oncle prétendait être capable de se transformer en loup-garou et de venir les manger, eux et leurs parents, s'ils parlaient. L'assistante familiale note tout ce qu'ils lui confient. Au fait, j'enverrai à la police une copie des révélations de Haylea. Est-ce que tout est accessible en ligne?

— Oui.

Pendant que Shari parlait, Darcy-May signifia sans ambiguïté qu'elle en avait assez d'être assise dans son transat, donc je l'installai sur mes genoux.

— Haylea vous a-t-elle demandé de retrouver ses frères et sa sœur? demandai-je lorsque Shari eut terminé.

— Oui. L'un de ses frères est en prison, on n'en sait pas plus sur l'autre ni sur sa sœur. La police veut les entendre car il y a de fortes chances pour qu'ils aient été abusés, eux aussi. Je préviendrai Haylea si on les retrouve.

J'acquiesçai avec gravité.

Shari conclut sa visite par une inspection de la maison, conformément à la procédure. Une fois revenues au rez-de-chaussée, nous longeâmes les sacs et les valises.

— Il reste encore deux sacs-poubelles contenant les vêtements de Haylea dans le placard sous l'escalier. Ce sont ceux que son père lui a achetés et elle n'en veut pas.

— Vous pouvez vous en débarrasser, affirma Shari.

Nous retournâmes au salon pour qu'elle récupère son attaché-case.

— Vous pensez que Haylea sera autorisée à rester chez Kellie? demandai-je.

— Nous verrons comment se passe le rendez-vous demain. Il n'est pas impossible qu'elles se disputent d'ici là et qu'elles changent d'avis.

Elle n'avait pas tort.

Je remis Darcy-May dans son transat le temps d'aider Shari à charger les sacs et les valises dans la voiture.

— Bon courage pour la route demain, lui dis-je une fois que tout était casé.

— Merci. Je dois compter à peu près trois heures.

*

Le lendemain, je me demandai comment se déroulait le rendez-vous chez Kellie et si Haylea serait autorisée à rester. Shari n'était pas tenue de m'informer de sa décision, puisque je n'étais plus l'assistante familiale de Haylea, mais celle-ci me téléphona peu après 16 heures. Elle ne m'avait pas semblé aussi heureuse depuis très longtemps.

— J'ai le droit de m'installer ici! m'annonça-t-elle.

— Bonne nouvelle.

— C'est dommage que je n'aie pas pu rester chez vous, mais Kellie et Amelia sont gentilles aussi. Est-ce que vous viendrez me voir?

— Oui, quand Kellie estimera que tu t'es bien acclimatée.

— Vous n'êtes pas fâchée contre moi parce que j'ai demandé à rester ici?

— Bien sûr que non, ma puce. Je suis contente pour vous deux.

— J'aime Kellie et Amelia autant que je vous aime vous.

— C'est gentil.

— Je peux continuer à vous appeler quand j'en ai envie?

— Oui.

— Kellie demande à vous parler.

— D'accord, trésor. À bientôt.

Haylea me passa Kellie.

— Ma référente pense que je devrais m'en sortir, dit-elle, une note de fierté dans la voix. Mais il y a tant de choses à prévoir! Je dois inscrire Haylea à ma clinique de quartier, lui trouver un nouvel établissement scolaire, acheter ce dont elle a besoin et l'aider à ranger toutes ses affaires. Pour l'instant, Haylea a envie d'aller au parc et Amelia aussi, donc je pense que nous allons commencer par ça.

Je perçus l'excitation dans sa voix, cet enthousiasme sincère et spontané typique de l'assistante familiale fraîchement agréée qui ne s'est pas encore heurtée à la réalité de ce travail. Non pas que nous perdons notre sens de l'engagement, mais avec le temps, nous apprenons à aborder les choses avec plus de réalisme. À accepter que notre impact soit plus limité que nous l'aurions souhaité, que les délais soient parfois longs et que les services sociaux prennent des décisions qui ne vont pas toujours dans notre sens, sans oublier toute la paperasse et les rendez-vous à honorer. Mais tout cela, c'est pour le bien de l'enfant, qui est le moteur de notre mission.

Maintenant qu'une solution pérenne avait été trouvée pour Haylea, j'étais moins préoccupée par sa situation et je pouvais me consacrer pleinement à Darcy-May. Comme elle avait six mois, il était temps de commencer la diversification. La première fois, elle fut décontenancée par le contact de la cuillère en plastique sur ses lèvres et recracha la purée que j'avais préparée. Mais petit à petit, elle accepta d'ouvrir la bouche lorsque j'approchais la cuillère, puis d'avaler. Conformément aux recommandations en vigueur, je lui proposais des fruits ou des légumes mixés et du riz, mais un seul arôme à la fois. Sa principale source de nutriments restant le lait, le but était de l'habituer à différentes saveurs et textures.

Maintenant que je n'accueillais plus que Darcy-May, je repris un rythme relativement tranquille, ce qui me laissa du temps pour voir Lucy et sa famille ainsi qu'Adrian et Kirsty – sans oublier mes amis, qui passaient souvent au second plan quand la prise en charge d'enfants placés occupait la majeure partie de mes journées.

D'après les textos que m'envoyaient Kellie et Haylea, tout semblait bien se passer, même si l'adolescente demeurait dans le flou concernant sa scolarité. Puis mi-septembre, deux semaines après la rentrée, Haylea m'appela un soir. Vu l'heure tardive, je crus tout de suite qu'il était arrivé quelque chose.

— On m'a trouvé un nouveau lycée et je suis censée commencer la semaine prochaine, annonça-t-elle d'une voix morne. Mais je ne veux pas y aller, je préfère rester à la maison avec Kellie.

— Tu es en décrochage scolaire depuis un certain temps, mais tu reprendras vite le rythme. On appréhende toujours ce genre de choses, et ensuite on se rend compte qu'il n'y avait pas de quoi s'inquiéter.

— Les autres élèves de ma classe seront plus jeunes que moi. Comme j'ai manqué plein de cours, il faut que je redouble.

— Je vois.

À son âge, elle aurait dû être en train de préparer ses examens de fin de cycle, or elle n'avait pas le niveau requis, loin de là. Supposant que c'était la solution la plus adaptée à son cas, je l'encourageai du mieux que je pus et lui rappelai de ne pas hésiter à se confier à Kellie. Elle dit que c'était déjà fait.

Le lendemain, je téléphonai à Kellie pour m'assurer qu'elle avait pris la mesure des angoisses de Haylea quant à la reprise des cours, qui était une étape importante.

— J'en suis consciente, dit-elle. Elle n'a pas beaucoup d'appétit et dort peu. Mais il faut qu'elle retourne au lycée. Nous avons eu de la chance de lui trouver cet établissement. Ailleurs, les classes sont pleines et celui-ci ne se trouve pas loin, à quelques minutes en bus. À vrai dire, elle ne s'inquiète pas que pour les cours : il y a aussi le procès.

— Elle ne l'a pas mentionné quand elle m'a appelée.

— Elle a du mal à aborder le sujet. Un agent de liaison a appelé pour prévenir que comme le père de Haylea plaide non coupable, elle va devoir se présenter à l'audience et subir le contre-interrogatoire de son avocat. Ce n'est pas prévu avant le mois de décembre, autrement dit elle a tout le temps de se ronger les sangs. Elle sera placée derrière un paravent de façon à ne pas voir son père, mais c'est quand même une grosse épreuve qui l'attend.

— En effet. Est-ce que Haylea a repris sa thérapie ?

— Non. Shari a dit qu'elle me tiendrait au courant. De mon côté, j'ai appelé un peu partout et laissé des messages. J'ai l'impression de passer des heures au téléphone à la recherche du bon interlocuteur. En plus, le premier bilan de Haylea est prévu pour cette semaine, et j'ai aussi deux jours de formation.

— Mais le métier d'assistante familiale vous plaît toujours? m'enquis-je.

— Oh oui. Ne vous méprenez pas, Haylea est adorable, seulement elle a besoin de beaucoup d'attention – plus qu'Amelia.

— Veillez à passer du temps avec votre fille aussi.

Je conclus en lui rappelant que si je pouvais l'aider en quoi que ce soit, elle ne devait pas hésiter à me contacter.

Nia, du service d'adoption, me téléphona pour m'annoncer un nouveau rendez-vous avec un couple «parfait pour Darcy-May». Je notai la date et l'heure en espérant que cette fois, ce serait le bon. Même si, à coup sûr, le départ de la petite allait m'affecter, il était important pour son équilibre qu'elle rencontre au plus vite ses parents adoptifs et qu'elle commence à nouer un lien avec eux plutôt qu'avec moi. Le rendez-vous était fixé au lundi suivant, le même jour que la reprise des cours pour Haylea.

Au réveil, je lui envoyai un texto : *Bonne chance. Je pense à toi. Cathy.*

Mais deux heures plus tard, alors que je préparais le sac à langer avant de déposer Darcy-May chez Lucy, je reçus un appel de Kellie.

— Haylea n'est pas allée en cours, m'annonça-t-elle d'une voix tendue.

— Ah bon? Qu'est-ce qui s'est passé?

— Je l'ai conduite au lycée mais elle a refusé de descendre de voiture. Un membre du personnel est venu la voir pour lui parler. Haylea accepte de réessayer demain, mais j'ai des doutes. Si elle vous appelle, s'il vous plaît, dites-lui qu'elle doit y aller. Cette situation me stresse beaucoup.

— Bien sûr. Ne vous inquiétez pas, continuez à l'encourager, et si vraiment elle n'est pas en mesure de reprendre sa scolarité dans un établissement classique, il faudra envisager une solution alternative.

— Comme?

— Elle pourrait suivre des cours particuliers ou demander un emploi du temps allégé. Cela dépendra des structures disponibles dans votre secteur.

— C'est envisageable, d'après vous?

— Oui, s'il n'y a pas d'autre solution.

— Un emploi du temps allégé serait sans doute un bon compromis, du moins dans un premier temps.

— Oui. Parlez-en à Haylea et Shari, puis demandez à l'équipe éducative.

— Entendu, merci, répondit Kellie d'un ton plus enjoué.

C'était le genre d'informations que j'avais acquises avec l'expérience, mais qu'une nouvelle assistante familiale pouvait ignorer.

28

Pam et Nicky

Après être arrivée un peu en avance au siège des services sociaux pour le rendez-vous avec les adoptants potentiels de Darcy-May, je me dirigeai vers la salle qui nous avait été attribuée. Je savais que Joy ne serait pas présente car elle avait une autre réunion prévue. Dans mon sac, j'avais l'album de naissance de Darcy-May, un deuxième recueil et une clé USB sur laquelle j'avais enregistré encore d'autres photos et vidéos. Je frappai à la porte de la salle puis entrai. Nia était déjà assise avec deux femmes d'une trentaine d'années.

— Bonjour, Cathy, m'accueillit chaleureusement Nia. Je vous présente Nicky et Pam.

Elles me sourirent et je leur rendis la pareille en m'asseyant.

— Enchantée.

Quand Nia m'avait proposé ce rendez-vous avec les adoptants pressentis pour Darcy-May, je m'étais attendue à rencontrer un couple hétérosexuel – j'avais visiblement eu tort. Bien sûr, les couples de même sexe sont eux aussi autorisés à travailler comme famille d'accueil et à adopter.

— De même, dit Nicky. Si vous saviez comme nous sommes heureuses !

— Nous pensions que ce jour n'arriverait jamais, renchérit Pam.

— J'imagine. L'adoption est un long processus, dis-je.

Les deux femmes avaient un style élégant et des cheveux qui leur arrivaient aux épaules. Elles s'exprimaient avec chaleur et aisance.

— Ça ne doit pas être évident pour vous, souligna Nicky. Vous vous occupez de Darcy-May depuis sa naissance et cette rencontre est un prélude à son départ.

— Tout à fait, acquiesçai-je en appréciant son tact.

— Nous vous promettons dès à présent que si l'adoption va à son terme, nous aimerons Darcy-May et veillerons sur elle comme vous jusque-là, dit Pam.

À peine eut-elle fini sa phrase que les larmes me montèrent aux yeux.

— Nous vous enverrons des photos, ajouta Nicky. Et il faudra bien sûr que vous nous rendiez visite.

— Merci.

La porte s'ouvrit sur Shari.

— Désolée pour le retard, dit-elle en s'asseyant. Qu'est-ce que j'ai raté ?

— Nous venions de terminer les présentations, indiqua Nia.

— D'accord, dans ce cas, entrons dans le vif du sujet. Cathy, voulez-vous commencer par dire à Pam et Nicky tout ce qu'il y a à savoir sur Darcy-May ?

— Oui, bien entendu.

Malgré les deux déconvenues que nous avions déjà connues, je commençai à avoir bon espoir.

— Je vous ai apporté l'album de naissance de Darcy-May, dis-je en le posant sur la table devant Pam et Nicky. Je continue à parler pendant que vous le feuilletez.

Dès qu'elles ouvrirent l'album à la première page, elles poussèrent un petit cri de ravissement en découvrant les photos prises alors que Darcy-May n'avait que quelques jours. Je commentai les clichés au fur et à mesure en retraçant l'évolution de Darcy-May à une semaine, deux semaines, trois semaines, un mois et ainsi de suite, jusqu'à ce jour.

— Vous trouverez plein d'autres photos ici, dis-je en posant le deuxième recueil sur la table.

Pam et Nicky l'ouvrirent pendant que Nia et Shari consultaient à leur tour l'album de naissance.

— Beau travail, dit Nia.

— Vous avez mitraillé Darcy-May, remarqua Pam en levant les yeux vers moi. J'ai l'impression de la voir grandir en temps réel.

Nicky acquiesça.

— Tant mieux, c'était l'idée. Comme ça, vous ne passez pas à côté des premiers mois, qui sont si importants. J'ai d'autres photos et vidéos sur cette clé USB, dis-je en la sortant de mon sac.

— Nicky et Pam peuvent-elles vous l'emprunter pour les regarder plus tard à la maison? demanda Nia.

— Pas de problème.

— Bien. Si nous passions aux questions?

Pam et Nicky, radieuses et folles de joie, feuilletèrent les albums une deuxième fois.

— Oh, regarde ! Elle est magnifique.

Je me détendis en constatant qu'elles fondaient littéralement devant Darcy-May.

— Avez-vous des questions à poser à Cathy ? demanda Shari.

— Je ne sais pas, ça se bouscule dans ma tête, dit Nicky. Je suis un peu émue, pour être franche.

Lorsque ses yeux s'embuèrent, comme les miens quelques minutes plus tôt, Pam lui prit la main avec tendresse.

— C'est normal, chérie. Depuis le temps qu'on attend…

— Nicky et Pam se sont rencontrées il y a dix ans, m'indiqua Nia.

— Et nous avons toujours voulu fonder une famille, ajouta Pam.

— Pourquoi choisir l'adoption ? demandai-je.

— Vous voulez dire, par rapport à la PMA ? s'enquit Nia.

— Oui. C'est relativement facile d'obtenir un don de sperme. En tout cas, bien plus que d'adopter.

— Exact, dit Nicky. Mais comme j'ai moi-même été adoptée, ce choix nous a semblé tout naturel.

— Je vois. Avez-vous gardé contact avec votre mère biologique ?

— Non, je n'en ai jamais ressenti le besoin. Je sais que certains enfants adoptés demandent à connaître leurs parents biologiques, et c'est l'un des sujets auxquels on nous a demandé de réfléchir au cours des démarches d'agrément. Darcy-May grandira en connaissant ses origines, comme moi. Si, plus tard, elle demande à rencontrer Haylea, nous la soutiendrons.

— En partant du principe que Haylea accepte de la revoir, soulignai-je. Ce qui est loin d'être gagné.

Je jetai un coup d'œil à Shari et Nia en m'interrogeant sur ce que le couple savait à propos de Haylea et des circonstances de la naissance de Darcy-May.

— Bien sûr, il faudra que Haylea soit d'accord, dit Nicky. Je sais qu'elle refuse tout contact avec Darcy-May pour l'instant, mais rien ne dit qu'elle ne changera pas d'avis dans les prochaines années.

À l'évidence, le sujet avait été mûrement réfléchi.

— Pam et Nicky savent que Darcy-May est peut-être née d'un viol incestueux, précisa Nia.

— Envisagez-vous de procéder à un test ADN pour en avoir le cœur net ? demandai-je.

— Seulement si Pam et Nicky le souhaitent, dit Shari. Haylea ne veut pas.

— Et nous ne le réclamons pas, dit Pam, ce que Nicky confirma d'un hochement de tête. Darcy-May est une personne à part entière, elle est en bonne santé, et si nous découvrons plus tard qu'elle a une maladie génétique, nous nous adresserons à des médecins, comme nous le ferions pour n'importe quel enfant.

— Direz-vous à Darcy-May qu'elle est née d'un viol ? demandai-je.

S'ensuivit un silence.

— *A priori*, non, répondit finalement Nicky. Pam et moi en avons discuté. Est-ce que le fait de le savoir l'aidera dans sa vie ? Je ne pense pas. Si elle demande à connaître tous les détails autour de sa naissance, nous lui dirons la vérité. Bien sûr, si elle est amenée à revoir Haylea plus tard, il n'est pas exclu qu'elle l'apprenne de cette façon. Mais nous aviserons quand la question se posera – si elle se pose un jour.

En plus d'être vraiment rassurée, je n'en revenais pas du fossé qui séparait Pam et Nicky des autres couples pressentis pour l'adoption de Darcy-May. Lorsqu'elles m'interrogèrent sur ses habitudes, je leur décrivis son rythme de sommeil et expliquai que je venais de commencer la diversification. Après avoir posé encore quelques questions, elles parlèrent de la ville où elles habitaient, située à soixante-quinze kilomètres d'ici, de leur travail et du congé parental qu'elles prendraient toutes les deux. Elles me montrèrent des photos de leur maison et du quartier où elles vivaient, ce que j'appréciai. Rien ne les y obligeait, toutes les informations concernant leur domicile figuraient dans le compte rendu d'agrément.

L'ambiance dans la pièce était à présent légère, joyeuse et pleine d'espoir, ainsi que cela devrait toujours être le cas lors de ces rendez-vous. Mes craintes initiales s'étaient envolées, tout portait à croire que Pam et Nicky étaient des personnes empathiques, bienveillantes mais aussi lucides. Elles attendaient depuis longtemps d'adopter et je n'avais pas de doute sur leur capacité à apporter à Darcy-May l'amour et l'attention qu'elle méritait tant.

Nia et Shari conclurent la réunion par un point sur les prochaines échéances. Comme Nicky et Pam disposaient déjà des agréments nécessaires, l'adoption n'avait plus qu'à être approuvée par la commission, qui se réunirait au mois d'octobre.

Une fois qu'elle aurait donné son feu vert – et il n'y avait aucune raison de s'attendre à un refus –, il faudrait que l'organisme d'adoption des deux futures mamans rédige les documents définitifs, soit un délai de deux semaines à prévoir, puis la phase d'adaptation pourrait commencer.

— Je propose donc que nous nous revoyions le 2 novembre, dit Nia en consultant son agenda. Ce sera la date officielle du début de l'adaptation avant l'installation définitive.

Je souris en entendant Pam et Nicky pousser des petits cris de joie.

— Est-ce que nous partons sur une période de deux semaines de transition, comme d'habitude? demandai-je.

— Oui, prévoyons une quinzaine de jours et nous ralentirons le rythme si nécessaire, répondit Nia.

Nous notâmes toutes les cinq cette date très importante dans nos agendas respectifs. Pour ma part, je biffai également les deux semaines suivantes pour penser à ne prendre aucun engagement. Une fois la phase d'adaptation lancée, elle occuperait tout mon temps jusqu'à l'installation définitive de Darcy-May chez Nicky et Pam. Comme plus personne n'avait de question ou de remarque, Shari annonça que la réunion, qui avait duré une heure et demie, était terminée.

Nia demanda à Shari, Nicky et Pam de rester pour un dernier point sur le dossier qui serait présenté à la commission. Comme cette étape ne me concernait pas, je pris congé. Au moment de mon départ, Nicky et Pam se levèrent et me serrèrent dans leurs bras. Je sortis de la pièce soulagée mais aussi heureuse de retrouver Darcy-May, tant que cela était encore possible.

Lorsque j'arrivai chez Lucy, l'appartement avait des airs de crèche. L'une de ses amies qui avait déjà un enfant et venait d'accoucher de son deuxième lui rendait visite, ce qui faisait en tout quatre enfants en bas âge. Emma, toute contente de me voir, courut à ma rencontre, m'embrassa sur la joue et monta sur mes genoux. Après avoir pris une tasse de thé, je rentrai à la maison et jouai avec Darcy-May pendant un petit moment. J'étais à la fois triste et heureuse pour elle ; je savais que je devais maintenant me préparer à son départ.

Le lendemain soir, Kellie m'appela, un peu à cran, pour m'informer que la nouvelle tentative de Haylea pour reprendre les cours s'était soldée par un échec ; restait maintenant à essayer de décrocher un rendez-vous avec l'équipe éducative. Elle m'informa aussi que Shari n'était plus l'assistante sociale de Haylea et que son dossier était repris par une employée des services sociaux de son secteur. Même si ce changement n'avait rien d'inhabituel, il impliquait que Haylea se familiarise avec quelqu'un qu'elle ne connaissait pas. Kellie n'avait pas encore réussi à joindre cette nouvelle assistante sociale. Je l'écoutai en compatissant et la conseillai du mieux que je pus.

Je n'eus plus de nouvelles jusqu'au vendredi de la semaine suivante qui, à en croire Kellie, avait été riche en rebondissements.

— L'établissement que nous avions trouvé pour Haylea ne conviendra pas, même avec un emploi du temps adapté, dit-elle pour commencer. Haylea est une femme sur bien des plans, elle a eu un bébé, elle a un parcours très différent des jeunes de son âge, et en plus, ils voulaient la faire redoubler! Donc après toute une semaine de réflexions, d'appels téléphoniques et de concertations, il a été décidé que Haylea suivrait des cours particuliers jusqu'à ses seize ans l'année prochaine. Ensuite, elle pourra entamer un cursus professionnel dans une structure locale.

— Bravo, c'est une belle avancée. Et son assistante sociale est d'accord?

— Oui. En attendant la mise en place des cours particuliers, je me chargerai de l'instruction à domicile en m'inspirant de ce que je trouve en ligne. Je lui ai bien expliqué qu'elle devait travailler. Pour l'instant, elle passe le plus clair de son temps à regarder la télévision ou à préparer des gâteaux.

— Vous avez raison. Je pense effectivement que c'est la meilleure solution.

— Moi aussi. On ne nous prépare pas à tout ça en amont, j'ai l'impression de me former à la dure.

— Pour ne rien vous cacher, c'est un métier où on en apprend tous les jours.

Ensuite, Kellie me passa Haylea, qui semblait elle aussi avoir le moral.

— Je ne suis plus obligée d'aller en cours.

— Non, mais il va falloir que tu travailles à la maison, lui rappelai-je.

— Je sais.

Nous discutâmes encore un peu puis nous prîmes congé. J'étais complètement d'accord avec Kellie. Haylea aurait vraiment peiné à s'acclimater dans un établissement classique, même avec du soutien et un emploi du temps allégé. Cela aurait été une source supplémentaire de stress pour toutes les deux, et la santé mentale de Haylea passait en priorité. Elle comblerait ses lacunes en temps voulu.

Deux jours plus tard, Joy me téléphona pour savoir si j'étais en mesure d'accueillir un deuxième enfant. Je répondis que je préférais éviter jusqu'au départ de Darcy-May prévu en novembre, car la période de transition s'annonçait chargée. Elle comprit mes raisons et dit qu'elle laisserait une note sur le planning des services sociaux indiquant que je n'étais pas disponible dans l'immédiat, à part pour un placement en urgence.

Lorsque octobre succéda à septembre, du jour au lendemain, l'été prolongé que nous connaissions jusqu'alors laissa place à un automne typiquement britannique. Un vent fort venu du nord soufflait et les arbres perdaient leurs feuilles. Je continuais cependant à sortir tous les jours avec Darcy-May, je rendais visite à Lucy et Emma en semaine et je voyais Paula et Adrian le week-end. Alors que le prochain bilan de Darcy-May était initialement prévu à la fin du mois d'octobre, il fut convenu d'attendre son installation définitive dans sa nouvelle famille. Techniquement, Darcy-May resterait prise en charge par les services sociaux jusqu'à ce qu'un juge aux affaires familiales entérine son adoption.

Quant à Kellie et Haylea, elles m'appelaient de temps en temps pour donner des nouvelles et tout semblait bien se passer de leur côté, même si je savais par Kellie que la perspective du procès angoissait beaucoup Haylea. Kellie disait que dès qu'elle tentait d'aborder le sujet, Haylea s'enfermait dans sa bulle et ne décrochait plus un mot. Par ailleurs, elles avaient rencontré l'assistante sociale qui remplaçait Shari, et Haylea consultait de nouveau au centre médico-psychologique pour enfants et adolescents de leur secteur.

Le 2 novembre, j'assistai au rendez-vous visant à planifier les différentes étapes de la phase d'adaptation avant l'installation définitive de Darcy-May chez ses mamans. Nicky, Pam, Shari, Nia et Joy étaient présentes ; cette fois encore, Lucy gardait Darcy-May. J'apportai des photos plus récentes et rien qu'en un mois, on voyait combien la petite avait grandi. Pam et Nicky consultèrent également son carnet de santé, que je leur laisserais une fois la transition terminée et qui viendrait compléter le certificat médical dont elles disposaient déjà.

Sous la houlette de Nia, qui assurait le bon déroulement de la réunion, il fut décidé que la première semaine d'adaptation, qui débuterait le lendemain, consisterait en des rencontres de deux heures chez moi. La deuxième semaine – dernière ligne droite avant l'installation définitive –, ce serait au tour de Pam et Nicky d'accueillir Darcy-May. Durant cette quinzaine, je leur passerais de plus en plus le relais de sorte qu'elles ne soient pas perdues la première fois qu'elles seraient seules à s'occuper de Darcy-May. Shari mentionna qu'il avait été proposé à Haylea de voir Darcy-May une dernière fois mais qu'elle avait décliné. Je ne fus pas surprise. Elle avait également refusé de garder un contact par écrit pour être tenue au courant du parcours de Darcy-May.

Lorsque je récupérai la petite chez Lucy et que celle-ci me demanda si la réunion s'était bien passée, je répondis par l'affirmative. Comme moi, Lucy éprouvait des sentiments ambivalents : même si Pam et Nicky étaient adorables et feraient de merveilleuses mamans pour Darcy-May, elle allait terriblement nous manquer. Comme c'était la dernière fois que Lucy la gardait – et sans doute même qu'elle la voyait –, elle lui dit au revoir avec émotion, et Emma lui plaqua un gros bisou sur la joue.

Je profitai du dîner pour raconter le rendez-vous à Paula. Darcy-May lui manquerait autant qu'à moi, étant donné qu'elles avaient vécu plusieurs mois sous le même toit et que Paula m'avait aidée à prendre soin d'elle. Ce soir-là, elle passa un long moment avec Darcy-May, lui donna le bain et lui enfila son pyjama. Lorsque je l'entendis lui dire que, le lendemain, elle allait rencontrer ses nouvelles mamans, la petite répondit par un joyeux gazouillis.

29

Un autre enfant?

Nicky et Pam fondirent en larmes lorsqu'elles prirent leur fille dans leurs bras pour la première fois et, bien sûr, je ne fus pas en reste. Je fis tourner la boîte de mouchoirs et nous rîmes tout en nous essuyant les yeux.

— Darcy-May va se demander sur qui elle est tombée, plaisanta Nicky.

— Tu peux le dire, renchérit Pam.

— Elle va surtout penser qu'elle est tombée sur deux mamans fabuleuses, soulignai-je, ce qui provoqua de nouvelles larmes.

Même si je n'avais aucun doute sur la capacité de Pam et de Nicky, des femmes adorables, à aimer et à choyer Darcy-May, cette rencontre particulièrement émouvante m'en apporta une preuve supplémentaire.

Lors de leur première visite, nous nous installâmes au salon, et je restai présente tandis qu'elles prenaient leur future fille sur leurs genoux et lui donnaient le biberon chacune leur tour. Je parlai longuement de Darcy-May, leur transmis toutes les informations qui me venaient à l'esprit, et elles me posèrent des questions sur les soins à lui apporter, son rythme quotidien, ses préférences et ses aversions. Bien qu'âgée de seulement sept mois, elle avait déjà des goûts bien tranchés. Lorsqu'il fut temps de la changer, je les précédai dans ma chambre où je rangeais tout le nécessaire puis les observai pendant qu'elles s'affairaient. Elles n'étaient pas en terrain totalement inconnu : Pam avait deux nièces et elles fréquentaient des couples de jeunes parents.

— À son âge, Darcy-May pourrait dormir dans sa propre chambre avec un écoute-bébé, précisai-je. Mais j'ai préféré la garder avec moi pour ne pas la perturber.

— Dans un premier temps, son berceau sera près de notre lit, dit Nicky. Mais sa chambre est prête et nous l'y installerons lorsqu'elle se sera bien acclimatée. Des amis nous ont donné des vêtements, il ne nous en reste plus que quelques-uns à acheter.

Au terme de cette première visite de deux heures, qui filèrent à la vitesse de l'éclair, Nicky et Pam repartirent mais elles reviendraient le lendemain. Avant de se mettre en route, elles prirent des photos de Darcy-May qu'elles enverraient plus tard à leur famille et à leurs amis.

La journée du lendemain se déroula selon le même principe, sauf qu'elles nourrirent Darcy-May à la cuillère et que je les laissai seules plus long-temps. Le surlendemain, elles l'emmenèrent faire une balade en poussette puis rentrèrent à la maison et passèrent tout l'après-midi avec elle.

Ainsi, tout au long de la semaine, les liens entre mères et fille se renforcèrent à mesure que je me mettais en retrait. Le vendredi et le samedi, Nicky et Pam passèrent quasiment toute la journée chez moi et s'occupèrent de Darcy-May pendant que je m'affairais dans une autre pièce ou que j'allais faire quelques courses. Elles restèrent à déjeuner et à dîner, rencontrèrent Paula, donnèrent le bain à Darcy-May et la couchèrent avant de partir.

Au cours de la semaine, Nia et Shari nous appelèrent individuellement pour savoir comment se passait cette première étape et si le programme des jours suivants, à savoir la seconde partie de l'adaptation chez Nicky et Pam, tenait toujours. Après un dimanche sans visite, le temps que tout le monde souffle un peu, je conduisis Darcy-May à ce qui serait son foyer bientôt, une maison mitoyenne de style moderne avec un jardin bien entretenu. Une caisse de jouets premier âge l'attendait dans le salon de Pam et Nicky, qu'elle reconnut. Mais malgré nos efforts, Darcy-May se montra agitée et resta collée à moi durant cette première visite dans cet environnement tout nouveau. Nous repartîmes au bout de deux heures, comme convenu, puis je la reconduisis le lendemain pour une durée plus longue et ainsi de suite, de façon à la familiariser avec son futur cadre de vie. Je restai présente mais passai le relais à Pam et Nicky. Le surlendemain, je rencontrai les parents de Pam ainsi qu'une de leurs amies. Puis arriva le jour où je leur laissai Darcy-May un après-midi entier, dont je profitai pour visiter la ville voisine. Elles l'installèrent dans leur chambre le temps de sa sieste, mais avec les peluches et la couverture qu'elle avait chez moi, car elle en connaissait l'odeur et la texture. Il était prévu qu'elle les garde après son départ.

Un enfant plus âgé sur le point de s'installer dans sa famille adoptive passe souvent une nuit, voire deux, à son futur domicile, avec une pause au cours de laquelle il retourne chez son assistante familiale. Comme cette méthode peut être perturbante pour un bébé, conformément au planning décidé en amont, je laissai Darcy-May chez Nicky et Pam à la fin de la quinzaine et je revins le lendemain pour qu'elle me voie. Elle s'était réveillée au cours de la nuit, ce qui était prévisible, mais Nicky et Pam avaient bien réagi en lui donnant un biberon qui l'avait aidée à se rendormir. Elles confessèrent qu'elles étaient restées à l'affût quasiment jusqu'à l'aube au cas où elle se réveillerait de nouveau. C'était le temps de la découverte, aussi bien pour Pam et Nicky que pour Darcy-May.

Nous procédâmes ainsi pendant encore deux nuits, puis ce fut le jour du départ définitif. Avant de partir au travail, Paula dit au revoir à Darcy-May et me souhaita bon courage. Je me mis en route peu de temps après avec le reste des affaires de la petite, y compris le carnet de santé et ses documents bancaires.

Même si je m'étais préparée à ce jour, même si j'étais heureuse pour Darcy-May et ses deux mamans, la séparation ne fut pas facile pour autant. Pam et Nicky évitèrent les effusions en me voyant arriver, conscientes de mon émotion. Elles me préparèrent un café que je bus tranquillement pendant qu'elles jouaient avec Darcy-May. Celle-ci était maintenant détendue en leur présence et allait plus spontanément vers elles que vers moi – la phase d'adaptation était donc une réussite.

Au bout d'une petite heure, lorsque je me levai pour partir, je dis à Nicky et Pam que je préférais faire mes adieux à Darcy-May dans le salon plutôt que sur le pas de la porte. Je pris sur moi pour ne pas craquer et la déstabiliser alors que je la tenais une dernière fois dans mes bras, mais dès que je détournai la tête, des larmes coulèrent sur mes joues. Alors que je me dépêchai de sortir dans le couloir, Pam voulut m'emboîter le pas mais je l'en dissuadai d'un geste.

— Ça va aller, lui dis-je en refermant la porte d'entrée derrière moi.

Je démarrai la voiture et stationnai un peu plus loin, le temps de reprendre mes esprits. Quelques instants plus tard, mon portable vibra à la réception d'un nouveau texto.

Merci pour tout du fond du cœur et à bientôt. On vous embrasse. Pam, Nicky et DM.

Elles avaient pris l'habitude de l'appeler DM, ce que je trouvais mignon, mais cela ne m'empêcha pas de reprendre la route avec un gros nœud dans la gorge. En chemin, je longeai devant des magasins déjà décorés pour Noël ; la fin novembre approchait et il allait falloir que je me penche sérieusement sur la question des cadeaux. En temps normal, j'aurais déjà commencé mes emplettes, mais en plus d'avoir été très occupée par Darcy-May, je devais admettre que je redoutais ce premier Noël sans ma mère, une nouvelle étape à surmonter dans mon processus de deuil.

Une fois rentrée, je veillai à rester occupée : j'ôtai les draps du berceau, que je remisai dans l'ancienne chambre de Haylea avec le matelas à langer et toutes les affaires de bébé. Après avoir rangé le salon et rempli le carnet de bord de Darcy-May pour la dernière fois, j'envoyai un e-mail à Nia, Shari et Joy pour les prévenir que l'installation s'était bien passée. Enfin, je préparai à dîner en prévision du retour de Paula, l'esprit tourné vers Haylea et Darcy-May. Cette année, j'étais sortie des sentiers battus en accueillant la petite puis sa mère – une expérience qui m'avait réservé quelques difficultés, mais c'est la nature même de mon métier. Chaque enfant arrive avec sa propre histoire et je dois l'aider au mieux en espérant que par la suite, l'avenir lui sourira.

Deux jours avant le procès, Haylea m'informa par texto qu'elle n'aurait pas à témoigner, sans me donner davantage de détails. Puis Kellie m'appela pour m'annoncer que le père de Haylea et ses deux coaccusés avaient finalement décidé de plaider coupables – pas pour épargner Haylea, mais pour obtenir une réduction de peine. D'après Kellie, les preuves étaient telles qu'ils n'échapperaient pas à une condamnation. Elle était satisfaite, et moi aussi, que Haylea n'ait pas à subir le contre-interrogatoire de la défense. Kellie conclut en promettant de me tenir informée du verdict.

Le lendemain, je reçus un appel de Joy.

— Bravo, je vois que l'installation de Darcy-May s'est bien passée, dit-elle en se référant à l'e-mail que j'avais envoyé.

— Oui.

En l'entendant prendre une profonde inspiration, je devinai qu'elle allait aborder un nouveau dossier.

— Nous avons une audience prévue la semaine prochaine pour demander le placement d'un enfant de deux ans victime de négligences. Si notre demande aboutit, serez-vous disponible pour l'accueillir?

— Oui.

— Merci, je transmets vos coordonnées à son assistante sociale.

— Entendu.

L'enfant serait peut-être parmi nous pour Noël, je ne devais donc pas oublier de l'ajouter à ma liste de cadeaux.

30

Retrouvailles

Je ne repoussai pas mes courses de Noël plus longtemps, et le premier dimanche de décembre, je m'attelai à la décoration de la maison avec Paula. Le lendemain, Joy m'informa que la juge chargée d'examiner le dossier de l'enfant de deux ans avait reporté l'audience à la semaine suivante car il manquait un document. Pour l'instant, l'enfant restait chez sa mère.

J'eus également des nouvelles de Kellie, qui m'appela pour m'annoncer que le père de Haylea et ses coaccusés avaient été reconnus coupables. Malgré la réduction de peine accordée, le père de Haylea avait écopé de dix ans et les deux autres – dont le propriétaire de la maison où les «fêtes» avaient eu lieu –, de huit ans chacun. Kellie et Haylea étaient soulagées, tout comme moi. Bien qu'aucune condamnation ne soit assez lourde pour réparer le traumatisme infligé à Haylea et aux autres enfants, au moins, les violeurs étaient punis et mis hors d'état de nuire. À leur libération, ils seraient inscrits au fichier des délinquants sexuels et soumis à un contrôle judiciaire. Kellie dit que l'enquête sur le réseau pédophile continuait et que d'autres poursuites n'étaient donc pas exclues – et ce, grâce à Haylea qui avait eu le courage de dénoncer ses bourreaux. Même si son père et son frère avaient déjà un casier judiciaire, celui-ci mentionnait des faits de vol et d'agression ; personne n'avait eu de raison de soupçonner de tels abus.

Kellie proposa que je leur rende visite avant l'arrivée de mon prochain protégé, ce qui me sembla une bonne idée. Comme elle vivait à trois heures de chez moi, elle m'invita à rester dormir. J'acceptai et pris la route la semaine suivante avec leurs cadeaux de Noël. Ce fut l'occasion de rencontrer également Amelia, la fille de Kellie âgée de sept ans, une enfant adorable, sûre d'elle, mûre et respectueuse. Elles furent toutes les trois ravies de me voir, et réciproquement. Je constatai tout de suite que Haylea avait noué des liens solides avec sa nouvelle famille ; Amelia et elle étaient comme des sœurs.

En discutant avec Kellie, j'appris que la sœur de Haylea avait été retrouvée. Elles s'étaient parlé au téléphone et en visio, chacune étant curieuse de voir l'autre. Sa sœur aussi avait été agressée par leur père, mais elle avait fugué avant que les choses ne deviennent aussi graves que pour Haylea. À présent, elle s'en voulait de l'avoir laissée toute seule, et elle avait contacté la police pour détailler dans une déposition ce qui lui était arrivé. Haylea et elle avaient prévu de se retrouver. Quant au frère qui n'était pas en prison, il vivait à l'étranger. En revanche, la mère de Haylea, soupçonnée d'avoir participé aux viols, demeurait introuvable.

Je passai une merveilleuse journée en leur compagnie. J'avais l'impression d'être en vacances car on cuisinait à ma place et on me servait le thé. Le soir venu, Amelia eut la gentillesse de me laisser son lit et dormit avec sa mère. Je me surpris à tendre l'oreille par habitude au cas où Haylea me réclamerait, mais c'était désormais inutile. Elle dormait mieux, et si elle se réveillait en éprouvant le besoin d'être rassurée, ce serait Kellie qui irait la voir.

Le lendemain matin, après avoir pris le petit-déjeuner préparé par leurs soins, je partis en les remerciant et en leur souhaitant un joyeux Noël. J'espérais les revoir, mais cela dépendrait en grande partie de Haylea. Elle se sentait manifestement bien chez Kellie, elle n'avait plus vraiment besoin de moi.

Le week-end suivant, je profitai d'être disponible pour rendre visite à Nicky et Pam. Elles m'avaient envoyé par téléphone des photos de Darcy-May que j'avais partagées avec Paula, Lucy et Adrian. Paula m'accompagna, avec toutefois un peu d'appréhension : non seulement elle ne savait pas comment elle réagirait en revoyant Darcy-May, mais elle avait peur de la perturber. Je la rassurai en lui rappelant qu'un mois, c'était long pour un bébé. À notre arrivée, Darcy-May nous regarda avec un air un peu décontenancé puis retourna à ses jouets à empiler. Visiblement, elle ne se souvenait plus de nous ou à peine, elle était bel et bien la fille de Nicky et de Pam.

Les deux mamans nous accueillirent à bras ouverts et nous remercièrent pour les cadeaux que je déposai au pied du sapin. Ce serait le premier Noël de Darcy-May et toute la maison était décorée à l'avenant avec des bannières et des ballons. Darcy-May avait grandi depuis la dernière fois, elle rampait avec plus d'assurance et arrivait à se mettre debout en se tenant à un pied de meuble ou aux jambes de ses mamans. De plus, elle était dans la phase où tout objet était bon à porter à la bouche, et Nicky dit qu'elle était en train de faire ses dents. Pam nous servit des boissons chaudes et des pâtisseries de Noël saupoudrées de sucre glace qui n'étaient pas sans rappeler celles de ma mère. Au cours de la discussion, elles nous annoncèrent qu'aux dix-huit mois de Darcy-May, elles entameraient de nouvelles démarches d'adoption pour lui donner un frère ou une sœur. Lorsqu'elles demandèrent des nouvelles de Haylea, ce que je trouvai gentil de leur part, je dis que je lui avais rendu visite dernièrement et qu'elle allait bien.

Nous restâmes deux heures durant lesquelles Darcy-May fut au centre de l'attention. Puis, après avoir souhaité un joyeux Noël à la jeune famille et embrassé Darcy-May, nous reprîmes la route.

— J'ai bien fait de venir, dit Paula au moment de monter en voiture. C'était rassurant de la voir heureuse et aussi à l'aise. Elles vont passer un super Noël.

— Oui, et nous aussi.

En effet, j'avais à présent hâte de passer les fêtes de fin d'année entourée des miens, et l'excitation d'Emma y était pour quelque chose. Lors du Noël précédent, le petit bébé qu'elle était alors avait passé la majeure partie du 25 décembre sur les genoux de ma mère – un souvenir cher à mon cœur.

Note de l'autrice

Dans le cadre de mon activité d'assistante familiale, je m'efforce autant que possible d'éprouver
de la compassion envers les parents dont les
enfants font l'objet d'un placement, car eux-mêmes
connaissent souvent des difficultés. Je n'en ai
cependant aucune pour le père de Haylea, que
je considère comme le mal incarné. Il m'a parfois
été difficile d'écrire ce livre, mais je me devais
de raconter l'histoire de Haylea pour éveiller les
consciences et, je l'espère, sauver d'autres enfants.

Un grand merci à ma famille; à mes éditrices,
Kelly et Holly; à mon agent littéraire, Andrew; à
ma maison d'édition britannique, HarperElement,
et à tous mes éditeurs étrangers, dont les éditions
Archipoche, en France.

Enfin et surtout, un grand merci à vous, mes
lecteurs, pour votre soutien sans faille et vos
gentils commentaires. Ils me vont droit au cœur.

Pour en savoir plus sur les enfants que j'ai
accueillis et mon travail en période de pandémie,
rendez-vous sur:

www.cathyglass.co.uk

Table

DE LA MÊME AUTRICE
AUX ÉDITIONS ARCHIPOCHE

UN TERRIBLE SECRET

Le cas n'est pas banal. Pour la première fois, la jeune adolescente que Cathy Glass va héberger a elle-même demandé à être placée en famille d'accueil pour fuir un environnement toxique. Tilly, 14 ans, déteste son beau-père, Dave, parce qu'il abuse de sa mère qui n'arrive pas à le quitter. Mais Cathy apprendra bien vite que Dave couvrait aussi Tilly de cadeaux…

Voulait-il acheter son silence, ou obtenir ses faveurs? Cathy n'est pas au bout de ses surprises pour protéger la jeune fille… Mais la tâche s'annonce compliquée.

Ce témoignage, récit poignant d'une maman de cœur hors du commun, rend hommage aux familles d'accueil et à tous les travailleurs sociaux qui se dévouent dans l'ombre pour redonner le sourire aux enfants que la vie a malmenés.

ISBN 979-1-0392-0483-5 / 8,95 €

ALEX, 7 ANS, ENFANT DE PERSONNE

Après des débuts difficiles, entre une mère droguée et de multiples séjours chaotiques en familles d'accueil, Alex, 7 ans, sera bientôt officiellement adopté par un jeune couple. Enfin une famille à lui!

Mais rien ne va se passer comme prévu. Cathy Glass pensait simplement accompagner Alex dans sa transition; c'est un défi bien plus grand qui l'attend, tant le cas du petit garçon semble désespéré du fait de son lourd passé…

C'est compter sans l'expérience et la douceur de Cathy qui démontre une nouvelle fois qu'elle est bien plus qu'une mère d'accueil: une véritable maman de cœur.

Cathy Glass a trois enfants, dont la benjamine a été adoptée. Mère d'accueil depuis vingt-cinq ans, elle a publié chez Archipoche sept témoignages sur les enfants placés chez elle, dont *Violentée* et *La Petite Princesse de papa*.

«Si un enfant me quitte avec le sourire,
alors ma satisfaction est énorme.»

ISBN 979-1-0392-0040-0 / 7,95 €